Deloitte.
デロイト トーマツ

M&A無形資産評価の実務

第4版

デロイト トーマツ ファイナンシャルアドバイザリー合同会社 編

VALUATION & ACCOUNTING FOR INTANGIBLE ASSETS

清文社

改訂にあたって

『M&A 無形資産評価の実務』の初版を発行した2006年当時から世の中は大きく動き、世界の時価総額ランキングも様変わりしたものとなっている。2006年当時は、エクソンモービルやGEといった重厚長大型の総合エネルギー企業やコングロマリット企業が時価総額の首位を占めていたが、今やGAFAを筆頭としたIT企業が主役に踊り出ており、その中で企業価値に占める無形資産の割合も飛躍的に高まり、その評価の重要性もますます増大している。また人的資本情報の開示要請もあり、無形資産に関連する関心は更なる高まりをみせている。

またM&Aが企業の成長に不可欠となり、M&Aを糧に成長する企業、さらにグローバルにその活躍の舞台を拡大する企業の活動を支えるM&Aに関する会計基準やのれんの償却の是非に関する議論などは依然として活発に行われている。日本においても、のれんの償却の是非に関する議論が行われつつも、国際財務報告基準の浸透とともに、M&Aにおける買収価格の有形・無形資産への配分手続き（パーチェスプライスアロケーション）が上場企業を中心に定着している。

本改訂にあたっては、無形資産評価に関連する項目に焦点を当て、国際財務報告基準、米国会計基準、そして日本の会計基準における企業結合会計を解説している。

パーチェスプライスアロケーションの際には、無形資産の評価に加え、有形固定資産の評価も実施されることがある。不動産のみならず動産が評価対象となることもあり、本改訂においては、動産の評価も充実させている。とかくのれんの金額とその償却の有無や年数が議論となる一方、のれん以外の無形資産を認識する事例が積み上がっている。日本企業がどのような無形資産を認識しているか事例分析も改訂した。

なお本書における意見や考察は著者の私見であることを申し添える。本書が初版、改訂版、第３版同様、さらなる実務形成のための一助となることを願っている。

最後に、本書の出版にあたってご協力いただいた清文社の中村麻美氏に紙上を借りてこころよりお礼申し上げたい。

2023年９月

デロイト トーマツ ファイナンシャルアドバイザリー合同会社
福島 和宏

はじめに

ディスカウント・キャッシュ・フロー法（DCF法）などの評価手法が貸出金の評価や固定資産の減損会計に導入され、会計と評価の融合が進んでいる。評価といえば、M&A取引において対象会社の買収価格を算定するビジネス目的の企業価値評価が一般的である。一方、評価手法が会計基準へ影響を及ぼしていく動きの中で、財務諸表上の計上金額を決定する会計目的の評価方法も発達を遂げている。会計目的の評価においては、会計基準と評価手法の両者の理解が必要になってくる。

M&Aが日常茶飯事のように実行される一方、知的財産戦略が企業で取り上げられており、さまざまな形で無形資産の価値が注目されようとしている。本書においては、無形資産の会計と価値評価実務に焦点をあて、M&Aにおける会計目的の無形資産の評価実務の説明を行っている。特に米国企業結合会計については、詳細な解説を加えていること、評価手法と会計基準の両者を無形資産の評価の観点から解説しているところに本著の特徴がある。

本書は大きく会計基準に関する解説と無形資産の評価実務に関する解説から構成される。第Ⅰ章では、会計目的の無形資産の評価実務を発達させた米国企業結合会計基準のM&Aにおける意義を考察するとともに、米国会計基準書第141号「企業結合」および第142号「のれんおよびその他の無形資産」を解説している。また2006年より、日本においても企業結合会計が導入されたが、この日本の企業結合会計を米国の会計と比較し、その特徴を説明した。第Ⅱ章では、無形資産の評価業務が会計基準に沿って実際にどのように進められるかを説明している。M&Aの実行時のみならず、M&A後の減損テストについても説明を行っている。第Ⅲ章では、無形資産の評価アプローチを紹介した後、無形資産のタイプ別に評価方法を具体例も織り交ぜながら、説明している。第

Ⅳ章においては、会計処理において無形資産評価に影響を与える有形資産の評価について触れている。第Ⅴ章では無形資産評価実務において、どのような点が議論されるかを列挙し、考察を加えている。第Ⅵ章においては、無形資産の評価結果が財務諸表に実際にどのように記載されているかを具体例を用いて説明している。付録として、実務の用に供するため無形資産の評価を実施するにあたり必要な資料リストを添付した。

なお、本書における意見や考察は著者の私見であることを申し添える。無形資産の実務は、今後日本におてもますます発展を遂げていくと思われる。本書がその実務形成のための一助となることをこころより願っている。

最後に、本書の出版にあたってご協力いただいた清文社の橋詰守氏、中村麻美氏に紙上を借りてこころよりお礼申し上げたい。

2006年11月

デロイトトーマツFAS株式会社

CONTENTS ［第４版］M&A無形資産評価の実務　目次

目次

CHAPTER 1 企業結合会計

CHAPTER II 無形資産評価業務

CHAPTER III 無形資産評価の実務

CHAPTER Ⅳ 有形固定資産の評価

CHAPTER V 無形資産評価における論点

CHAPTER VI 無形資産評価の実際

付録

＊本書は、令和５年９月１日現在の法令等によっています。

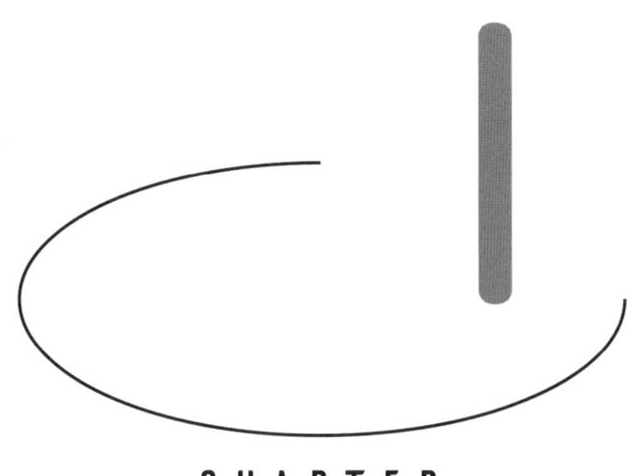

CHAPTER

企業結合会計

1 M&Aにおける企業結合会計の意義

2 国際財務報告基準における企業結合会計

3 米国会計基準における企業結合会計

4 わが国における企業結合会計と
無形資産の認識

5 のれんの本質論
―のれんは償却すべきなのか？

CHAPTER

M&Aにおける企業結合会計の意義

❶ 企業結合会計におけるパーチェス法

会計基準の世界では、国際的な会計基準の統合に向けて、国際的な資本市場での国際財務報告基準の採用、自国会計基準を国際財務報告基準に近づけるコンバージェンス、そして、自国会計基準として国際財務報告基準を採用するアダプションの動きが進行している。その中で、企業結合会計も改正が進められた。

企業結合会計においては、M&A取引の増加に伴い財務諸表の比較可能性を確保することはもちろんであるが、M&Aはグローバルに行われることから国内のみならずグローバルでの比較可能性の確保も考慮せざるを得ない。また、買収価格の上昇に伴い買収価格と純資産との差額は増大することとなり、その差額たるのれんや無形資産の財務情報における重要性も高まっている。

国際的には、企業結合時の会計手法として、持分プーリング法は廃止され、パーチェス法に一本化されており、企業はすべての買収取引において、会計上、無形資産をより厳格に識別し、評価し、計上することが求められるようになっている。また計上した無形資産やのれんは、減損テストを実施し、減損が認識された場合に損失を計上することが求められる。日本においても国際的なコンバージェンスの流れも踏まえた企業結合会計の改正によりパーチェス法への一本化が行われたが、のれんを償却する現行の会計基準が国際財務報告基準や米国会計基準のように、非償却になるかという論点については今後の動向に留意する必要がある。企業結合会計については、「2　国際財務報告基準における企業結合会計」以降で現行の会計基準を紹介していくこととする。

取得時においてパーチェス法に従い、M&A取引の時価を会計上、資産、負債に配分する手続はパーチェスプライスアロケーション（PPA）と呼ばれている。このPPAにおいては、無形資産の評価を行うことが必須となったため、米国会計基準や国際財務報告基準を適用する国を中心に、会計処理のための無形資産の評価実務が発達し、日々進歩を遂げている。後述するが、この評価実務は企業評価と同様、マーケットアプローチやコストアプローチ、インカムアプローチにより行われている。「Ⅱ　無形資産評価業務」以降において、無形資産の評価実務を紹介していくこととする。

❷ パーチェス法と減損テスト

企業結合会計の特徴として、パーチェス法の採用とのれんの減損テストの実施があげられる。実は、このパーチェス法とその後の減損テストは、M&Aの買収価格そのものを会計基準を通して財務諸表上に時価で計上し、その後、そのM&Aが成功であったか失敗であったかを、年度ごとに減損の有無という形で説明させる機能を有している。M&Aにお

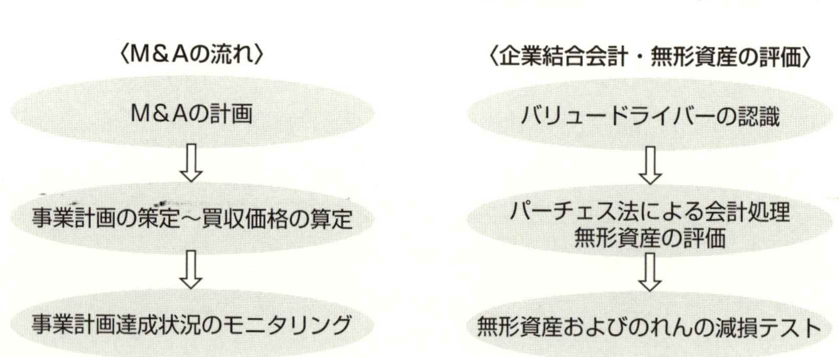

ける価格説明機能とモニタリング機能ということができる。M&Aを実行時および事後的に定量的に説明する両輪になっているのである。
前ページにM&Aと企業結合会計の流れを図示してみた。この企業結合会計がM&Aにおいてどのような意味を持つのか考察してみよう。

❸ M&Aにおける価格の説明機能

M&Aが経営の１つのツールとしてより頻繁に使用され、日常茶飯事の経営事象として捉えられることに伴い、M&Aを実行する理由や買収価格の妥当性に関する説明責任は日増しに高まってきた。例えばTOBにおいて、なぜTOB価格はこの金額であることが合理的であるかを説明し、株主に納得感を与える必要がある局面もあろう。
したがって、M&Aにおいて、いったい何を獲得することを目的に、またその価格はどのような考えを基礎に決定されたのか、つまり、どのような有形無形の資産の獲得を目的に、どのような将来的なメリットやシナジーを期待し、そのうえでなぜそのような価格を決定したのかを説明できることが必要になる。
このように決定された価格は会計上どのように反映されるのであろうか。パーチェス法の意味するところを考察してみよう。
M&Aは、主にDCF法（ディスカウンテッド・キャッシュ・フロー法）にて現在価値に割り引いて計算された価値や市場価格を勘案した価値によって実行されることが一般的である。したがってM&Aにおける取引価格は、純資産法による取引価格と乖離することとなる。仮に純資産でM&Aが実行された場合は、取引価格は対象会社の有形資産から負債を差し引きした価格と同一になる。次ページの図の例では有形資産100から借入金30を控除した70になる。しかしながら、取引価格が将来のキャッシュ・フローの現在価値と同一であれば、会計的には、有形資産のみならず将来キャッシュ・フローを生み出す源泉たる無形資産やのれ

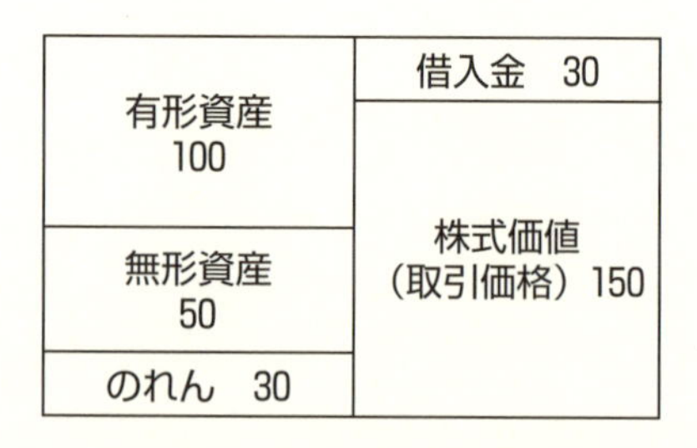

んを購入することになる。図の例の取引価格150には、無形資産の価値50とのれんの価値30が含まれている。

株式価値が150の場合に、その企業の株主に現金を支払い株式を購入することで買収を図った場合と、合併によりその企業の株主に株式を発行することで買収を図った場合を考えてみる。現金を支払った場合はその価額で資産計上しなければならず、買収企業の取得価額は貸借対照表上においても、明確に認識される。しかしながら、合併により買収を図った場合において、仮に持分プーリング法を採用し、帳簿価額で記帳すれば、無形資産やのれんは認識されないため、買収企業をいったいいくらで購入したのかが、貸借対照表に表せないことになる。その結果、帳簿価額で引き継ぎのれんや無形資産を計上しない場合はあたかも70で買収したかのような貸借対照表になる。

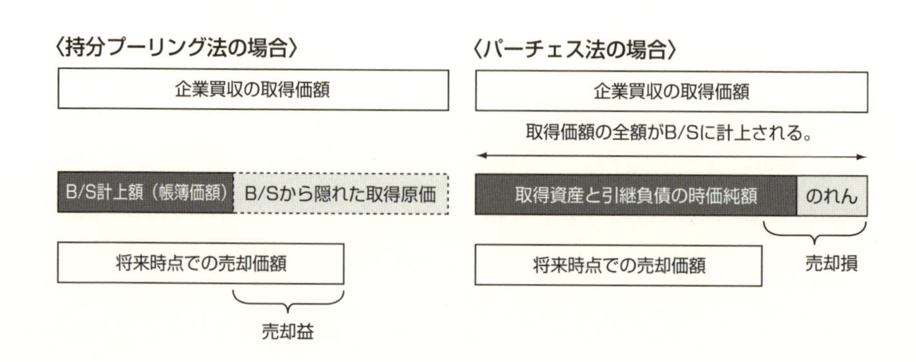

無形資産やのれんが認識されるということは、この買収した事業が無形資産による超過収益力を有することを意味している。その超過収益力は、買収後、買収した事業の収益として計上されることになる。仮に持分プーリング法を採用した場合は、無形資産の償却やのれんの減損はないため、あたかも収益力が向上したかのような損益計算書ができあがることになるのである。一方、パーチェス法が採用された場合は、無形資産の償却やのれん計上額を上回る収益を確保できなければ利益が計上されることにはならない。すなわち、買収により価値向上を果たさなければ、利益は計上されないのである。

また、例えば含み益のある資産や事業を購入し、その後売却すれば、持分プーリング法であればこの売却行為はあたかも利益を生み出したかのように表現されることとなる。これは、買収による効果を明瞭に表現していることになるのであろうか。パーチェス法を用いればこのような資産や事業は時価で評価されるので、取得時点以上の資産価値の創造を実現しなければ、すなわち、M&Aにより企業価値の向上を図らなければ、利益は計上されないこととなる。

以上のように、パーチェス法はM&Aにおいて対象会社をいったいいくらで購入したかをより明瞭に表現しており、会計処理を通して、買収価格を説明する役割を果たしているのである。このことは、M&Aにより価値創造を行うようプレッシャーを経営者に与えていることになる。

❹ M&Aの成功と失敗

経営戦略の１つのツールとして定着してきたM&Aであるが、M&Aの成功と失敗について、定量的に分析することは困難である。M&Aの目標達成について、成功したと言えるだけの根拠を持つ会社は少ないと思われる。

M&Aにおいて、シナジーの具現や付加価値の創出は企業価値の増大を図るうえで重要な要素であり、シナジーや付加価値を実現するための施策とともにモニタリングの重要性も高まっている。これらの効果分析を会計処理手続を通して定量的に行う方法の1つが、無形資産やのれんの減損テストである。計上されたのれんは毎期減損テストにより、毀損していないかテストしなければならないのである。このことは、毎期M&Aにより支払った対価に相当する価値を創造しているか否かをチェックしていることに他ならない。

それでは、減損テストはM&Aの目標達成状況を定量的に分析できるというが、どのように行われるのであろうか。

一般に、買収価格は前述したように将来計画をベースにキャッシュ・フローを想定し、それを割引率というリスクファクターで現在価値に割り引いた価値をベースとしている。例えば、当初の目論見どおりにシナジーを具現できず、将来計画の下方修正を余儀なくされるケースを考えてみよう。下方修正した計画をベースとした将来キャッシュ・フローを現在価値に割り引くと当初想定した買収価格を下回る結果となり、したがって減損が必要になるかもしれない。このことは、M&Aで目論んだシナジーを発揮できなかったためM&Aがうまく機能しなかったことを意味することになる。

当初見込んだ目標の達成度合いを、実績と計画を比較することによりモニタリングできるが、さらに会計処理という透明で逃れようのないフィルターを通すことにより、毎期その成功の是非を減損の有無という形で明示しているのである。したがって、減損テストはM&Aのモニタリングを会計処理にて明瞭に評価できるという点で有効なツールなのである。

Column 条件付対価

企業結合契約において定められるものであって、企業結合契約締結後の将来の特定の事象又は取引の結果に依存して、企業結合日後に追加的に交付される若しくは引き渡される又は返還される取得対価(企業会計基準第21号、95項)。

具体的にはベンチマーク（一般的には売上高やEBITDA等）を特定し、一定の期間（1年から3年程度が多い）に一定の業績を上げた場合には、買主は売主に対してそれに見合った対価を追加で支払う（逆に達成しなければ売主は買主に支払った対価の一部を返還することもある）約束をしてM＆Aを成立させる条項を指す。財務指標のほか、一定の事実の発生、例えば、新薬の認可取得を条件とする場合もある。取得対価を対象会社の将来の業績に合わせて調整でき、かつ対象会社の株主だった旧経営陣を経営に協力させる動機付けとなることから、欧米ではバイオテクノロジーや製薬会社中心に広く採用されている。

なお国際財務報告基準や米国会計基準では日本基準と異なり取得時に条件付対価の公正価値を求め、その後会計期間毎に公正価値による評価替えが必要となる（日本基準は条件付対価で定めた事項が確実となった時に追加でのれんを計上する）。なお2019年2月に“The Appraisal Foundation”が“#4 Valuation of Contingent Consideration”をリリースしたことにより、条件付対価の公正価値評価の実務がM&Aの中で浸透しつつある。

❺バリュードライバー

ところで、先ほど、いったいどのような有形無形の資産を獲得することを目的にM&Aを行ったのか説明できることが必要であると述べた。この獲得すべき資産は、M&Aにおける価値創造のキーとなる要素でありバリュードライバーと呼ぶことができる。企業結合会計において無形資産を厳格に区分することは、バリュードライバーである無形の資産をいくらで獲得したのかを、事後的に会計処理という形で定量的に明示させる役割を担っている。

国際財務報告基準および米国会計基準における企業結合会計は、

M&Aにおける無形資産関連のバリュードライバーを整理するうえで非常に有用であるため、その整理の仕方をまず紹介することとする。

この会計基準では、のれんと区別して認識する無形資産を次の5タイプに類型分けしている。

- ◆マーケティング関連無形資産
- ◆顧客関連無形資産
- ◆芸術関連無形資産
- ◆契約に基づく無形資産
- ◆技術に基づく無形資産

無形資産を認識することは、対象会社の無形の価値、買収における無形のバリュードライバーを会計上認識したことに他ならず、無形資産の買収価値に占める割合が増した昨今では、重要な意味を持つことになる。

次に、上記であげた5タイプのうちに顧客関連無形資産、契約に基づく無形資産、技術に基づく無形資産の3タイプについて具体例をあげてみよう。

1…顧客関連無形資産

買収対象会社が、酒類を小売店に卸売りしているケースを考えてみよう。買収対象会社は顧客たる小売店との関係を維持し続けることにより、一定の安定した収益およびキャッシュ・フローをあげており、その顧客との関係を維持しなければ価値が認められない場合がある。この場合のバリュードライバーはその顧客との関係である。この例では、酒類の卸売事業の価値は顧客たる小売店との関係に基づく価値と考えられる。

ちなみに、バリュードライバーとリスクは表裏一体のものである。例えば、この顧客の値下げ要求が激しく、顧客単独での損益が実質赤字に陥っている場合には、この顧客を場合によっては断ることも実行しなければならない。これはマイナスのバリューであり、M&Aにおいては排除や緩和を考えなければならないものとなる。

2…契約に基づく無形資産

M&Aにおいて、対象会社における長期契約はバリューを創出し、逆にリスクをはらむものである。長期契約の例はライセンス契約、購入契約、フランチャイズ契約などさまざまなものがある。ここでは、わかりやすい例として、長期にわたる賃貸借契約を考えてみよう。

地価上昇局面において、対象会社は複数の賃借契約を数年前に締結したおかげで、契約上の賃料水準は現在の賃料水準に比べて有利な状況にあったとし、その利益を今後も享受し続ける状況にあったとしよう。この場合、この賃借契約はプラスの価値を持つこととなる。なぜならば、今賃借しようとすればさらに高い賃料を払わないと代替となるオフィスを賃借できないからである。この場合、賃借契約に無形の価値を認めることとなる。このように、比較的身近な賃貸借契約をもって、その無形の資産を感覚的につかんでもらうために説明を行ったが、その他の契約においても現在の市場価値と比較して、有利な場合はその契約がプラスのバリューを保有していることとなり、不利な場合はマイナスのバリューを保有していることとなる。

3…技術に基づく無形資産

M&Aにおいて、対象会社が保有する技術の獲得を目的とするケースは、特に製造業や開発型の会社を買収する場合に当てはまるだろう。一からその技術を開発するには時間がかかるため、その技術者ごと買収するM&Aは、例えばベンチャー企業の開発技術を、場合によっては技術が完成していないケースにおいてさえも、それを評価して買収するケースがあることを見ても、多くの例があると言える。この技術は、すでに特許権などにより法的に保護されているケースもあるし、研究開発途中のケースもあるが、いずれも無形の価値をM&Aにおいて認識することとなる。

以上のように、M&Aにおいてはバリュードライバーが存在する。そのバリュードライバーが無形資産であれば、それを定量化することが、

M&Aの会計処理における無形資産の評価となる。本書で述べる無形資産の評価を実施した後に、その結果をレビューし、当該M&Aの本来の目的に立ち返り、このM&Aにおいて獲得したかったバリュードライバーが、評価結果として表わされているかを確認することが重要になる。

❻ のれんに関する考察

企業結合会計におけるパーチェス法の会計処理においては、取得時に買収価格を有形資産と無形資産に配分することが定められている。無形資産を分離して認識することの意味するところは、M&Aにおいて、いったい何を買収したいのか、その目的を明確に認識させることにある点は以前に述べた。それでは、残額であるのれんはどのような意味を持つのであろうか。

のれんは、現在は明確に認識できない将来性を意味している。将来性には新規に開発した技術に基づき製品化する製品から生じる価値や、新たに開拓した顧客から生じる価値などがあげられる。また、企業結合行為によって将来実現するであろうシナジーものれんとなる。

一般的には、のれんの割合が多ければ多いほど、将来性にかけた投資

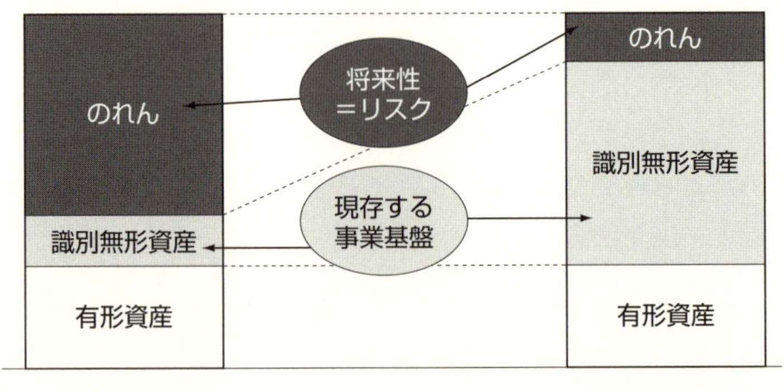

を行っており、無形資産への配分が多ければ多いほど、現存する事業基盤（確実なキャッシュ・フローを生み出す資産）への投資を行っていることになる。のれんが多額になることは、それだけリスクの高い投資を行っていることを意味する。したがって、無形資産の評価を行った後のレビューにおいて、取得価額に占めるのれんの割合を分析し、その感覚に違和感がないかを検証することが重要となる。一般的な感覚として、新興企業（ベンチャー型企業）の買収においては将来性を買うことが多いことから、必然的にのれんの割合が多くを占めることとなろう。反対に、重厚長大産業の会社（安定成長型企業）などの買収においては、それまで築きあげてきた事業基盤を、ブランドや商標、顧客基盤、技術といった識別可能な無形資産に配分するため、無形資産の割合が高いことになるのである。

Column Dealクローズ前に実施する簡易PPA

識別可能な資産・負債の公正価値評価は、会計基準の規定により取得日以後に実施することが求められているが、近年では取得前の段階、例えばデューデリジェンスの段階という取引前の段階で資産・負債の公正価値評価のための一定の手続きを実施する事例が増えてきている。このような手続きを、取得日後に実施する識別可能な資産・負債の公正価値評価であるPPA（Purchase Price Allocation）にちなんでPre PPAと呼称することが多い。

Pre PPAを実施する目的はいくつかあるが、例えば買収の目的を明らかにすることが考えられる。買収目的が被買収企業の技術力に着目した場合に定量的にどの程度の技術に関する無形資産が計上されるのかといった具合である。また、財務諸表に計上されていない無形資産を含む資産・負債の価値を前もって定量的に把握することで、買収後の償却費を中心とした損益計画がより精緻に作成することができる点で、買収後に予期せぬサプライズが発生する頻度をある程度抑えることができるようになる。

PPAというと無形資産に焦点が当たる傾向にあるが、買収後の短期的な損益影響という観点では、被買収企業の財務諸表に計上されている資産・負債の帳簿価額と公正価値との差額が大きいほうが、無形資産の償却による影響よりも大きい影響が出る傾向がある。例えば、棚卸資産（帳簿価額100）について公正価値評価の結果評価益（評価益30）が出る場合、棚卸資産はその性質上一般的には買収後比較的短期間のうちに外部へ売却されることから、買収初年度における売上原価負担が公正価値評価をしない場合に比して大きくなる（単純に考えると、公正価値評価しない場合は100である一方で、公正価値評価をする場合は130となり、30の費用増）という具合である。

被買収企業の財務諸表については、取引前のデューデリジェンス期間において一般的に財務デューデリジェンスの専門家に委託することが多いが、財務デューデリジェンスはリスク方向（資産の切り下げや減損の方向）の調査が中心となるため、買収後のPPAにおいて評価益が出る方向での調査は実務的には限定的である場合が多い。買収後の損益影響、特に費用面については、帳簿価額のリスク方向ではなく帳簿価額の評価益方向の検討が必要になることから、買収後の損益影響について不測の事態を避けるために、財務デューデリジェンスの段階からPPAに関する専門家の委託も考慮に入れる選択肢もある。

上記の棚卸資産の例以外にも、機械設備や器具備品、車両運搬具といった動産や、建物といった不動産から構成される有形固定資産についても、同様に評価益方向の可能性があるため、有形固定資産が事業を営む上で重要な資産である場合には留意する必要がある。有形固定資産において評価益が計上されると、買収後に減価償却費の増加という形で将来損益への影響がある。

無形資産の観点でも、財務デューデリジェンスの観点では確度の高い受注残についてはポジティブな側面があるものの、PPAの文脈においては当該受注残は無形資産として識別・計上されて短期間のうちに償却という形で費用化される場合が多いことから、買収後の損益影響という観点では必ずしもポジティブな側面だけではないという観点を示唆することができるという具合である。

本書においては被買収企業の識別可能な資産・負債の公正価値評価という意味でストック（貸借対照表）に着目した取得原価の配分の解説を主軸としているが、本コラムで議論したように、計上した資産は償却という形でフロー（損益計算書）の側面もある。その意味で、PPAとはフローに着目した場合、費用化プロセスによって取得原価を期間損益への配分する手続きと考えることができる。

CHAPTER

国際財務報告基準における企業結合会計

国際財務報告基準における企業結合に関する会計基準としては、IFRS第３号「企業結合」が規定されており、関連するのれんや無形資産の評価に関してはIAS第38号「無形資産」およびIAS第36号「資産の減損」が公表されている。“国際財務報告基準”といった場合には通常、会計基準書のIFRSとその解釈指針であるIFRIC、および基準設定機関の改組前の会計基準書となるIASと解釈指針のSICを包含している。一般的にはこれらを総称して「IFRS」と呼ばれることが多い（本書では「国際財務報告基準」と表した)。

❶ IFRS第３号の概要

1…IFRS第３号の適用範囲

IFRS第３号は、企業結合の定義を「取得企業が１つ以上の事業の支配を獲得する１つの取引又はその他の事象」であるとしており、すべての企業結合に取得法（パーチェス法）を採用することを求めている。

IFRS第３号は、以下の取引に対しては適用されない。

◆ジョイント・ベンチャーの形成

◆事業を構成しない資産または資産グループの取得

◆共通支配下の取引

いったん支配を獲得した後で非支配持分の一部もしくは全部を取得する取引や、支配を継続する範囲内で一部を譲渡する取引は、支配を獲得している状況下で行われる取引であり、同一の経済実態の中で行われる取引と考えられるため「企業結合取引」には該当しない。したがって、このような取引は資本取引として処理され、追加ののれんや持分変動損益は認識しない。

具体的には、例えばすでに子会社Ｓ１社の持分のうち60％を保有し支配している親会社のＰ１社が、Ｓ１社持分の40％を追加取得し100％とした場合、追加取得した40％部分に相当するのれんはＰ１社の連結財務諸表において資産（バーゲン・パーチェスであれば割安購入益）としては認識されず、資本勘定の変動として処理される。

反対に、例えば子会社Ｓ２社持分の100％を保有している親会社Ｐ２社が、その持分の40％を連結グループ外に譲渡するものの、なおＰ２社の支配が継続する場合には、40％売却に伴い生じる連結上の簿価と売却価額との差額は、Ｐ２社の連結財務諸表上損益として認識されず、やはり資本勘定の変動として処理されることになる。

なお、これらの資本勘定の変動については、通常「資本剰余金」勘定を使用するものと考えられる。

2…IFRS第３号における取得法の適用

IFRS第３号においては、取得法の適用にあたり以下の４段階を経ることが示されている（IFRS第３号５項）。

⑴　取得企業の決定

⑵　取得日の決定

⑶　識別可能な取得資産、引受負債および非支配持分の認識と測定

⑷　のれんまたは割安購入益の認識と測定

しかしながら、実務において企業結合に直面した場合に考慮すべき事項は上記の４つだけではない。まず、取得法の処理に入る前に、そもそも当該取引が企業結合取引に該当するのかという判断が必要であり、また、引渡対価がいくらかという計算も必要になる。また、企業結合会計においては取得後一定の期間は処理が確定しないという特徴がある。したがって、以下では、上記IFRS第３号に示された４段階に、実務上重

要と考えられる３つの過程を加えた以下の７段階に沿って企業結合の会計処理を見ていくことにする。

- ステップ１　企業結合取引か否かの判定
- ステップ２　取得企業の決定
- ステップ３　取得日の決定
- ステップ４　識別可能な取得資産、引受負債および非支配持分の認識と測定
- ステップ５　対価の測定と企業結合取引の範囲の決定
- ステップ６　のれんまたは割安購入益の認識と測定
- ステップ７　事後の測定と会計処理

ステップ１ 企業結合取引か否かの判定

識別された取引が企業結合取引に該当するのか、単なる資産の売買取引に該当するのかの判断は、結果的にその取引においてのれんを認識するか否かに関わるため非常に重要である。「事業」に対する支配を獲得した場合は企業結合取引となり、のれんを認識する可能性がある（企業結合取引でなければのれんは認識されない）。

IFRS第３号では「事業」を、アウトプットを生み出すための「インプット」と「それらのインプットに適用されるプロセス」から構成されるとしている。すなわち、事業とは、機械や原材料、人的資産といった経済的資源（インプット）を、戦略的マネージメントやそれに基づく作業工程（プロセス）を経て、その所有者やメンバーに配当や原価の低減といった経済的便益（アウトプット）をもたらすことができる、一連の活動と資産である。ここで、事業の構成要素としてアウトプットは必ずしも必要ではなく、たとえば会計業務などはアウトプットを生成しないものの一般的には事業として判断されると考えられる（IFRS第３号Ｂ７項～Ｂ10項）。

また、取得した一連の活動と資産が事業であるか否かは、取得企業がそれを「事業」と考えるか否か（支配獲得後も事業として利用するか）、

あるいは売り手がそれを「事業」として運営していたか否かによるのではなく、一般的にそれが「事業」として運営可能か否かに基づいて判断されることに留意が必要である（IFRS第３号B11項）。

なお、企業結合の定義に合致しない資産または資産グループを取得した場合、資産または資産グループの取得原価を、当該資産または資産グループを構成する識別可能な個別の資産および負債に、取得日におけるそれらの公正価値に基づき配分する（IFRS第３号２(b)項）。したがって、このような場合にのれんまたは割安購入益は生じないが、当該資産または資産グループに識別可能な無形資産が含まれる場合には、これを本書に述べるような方法を用いて公正価値で評価する必要がある。

ステップ２ 取得企業の決定

すべての企業結合において、取得企業が１つ識別される必要がある（IFRS第３号６項）。

結合当事企業のいずれが取得企業となるのかの判断は、IFRS第10号「連結財務諸表」の指針に基づいて行われることになる（IFRS第３号５項～７項）。IFRS第10号は、支配の定義を次のように定めている。

「投資者は、投資先への関与により生じる変動リターンに対するエクスポージャーまたは権利を有し、かつ、投資先に対するパワーにより当該リターンに影響を及ぼす能力を有している場合には、投資先を支配している。」（IFRS第10号６項）

本書の目的から、IFRS第10号の詳細な解説は割愛するが、IFRS第３号B13項～B18項は、IFRS第10号の指針のみでは取得企業の決定について明確な判断ができない場合の追加の指針を示している。

すなわち、現金またはその他の資産の移転または負債を引き受けることにより株式や事業を構成する資産を取得した場合は、対価の支払いを行った企業もしくは負債を引き受けた企業が通常は取得企業となる。また、株式などの持分証券の交換による企業結合においては、一般的に株式交付企業が取得企業となるが、場合によっては株式を交付した側が被取得企業となることもある（いわゆる「逆取得」）。例えば、ある当事企業に以下のような事実や状況が認められる場合には、一般的にその企業が取得企業と識別される（IFRS第３号B15項）。

◆企業結合後の議決権を最も多く保持または受領する（決定にあたっては、異常または特殊な議決権に関する取り決めや、オプション、ワラント、転換証券の存在を考慮する）
◆他の所有者または組織された所有者グループが重要な議決権を有していない場合において、最大の少数議決権を保有する
◆企業結合後に統治組織（取締役会など）を構成する大部分の者を選任・指名、または解任することができる
◆企業結合後に上級管理職層を支配している
◆持分証券の交換において、プレミアムを支払っている

その他、対価の形式に関わらず、ある当事企業に以下のような状況が認められる場合には、一般的にその企業が取得企業と識別される。

◆資産や収益、利益が他の企業よりも著しく大きい（IFRS第３号B16項）
◆結合当事企業が３社以上の場合に、資産や収益、利益の規模が他の企業よりも大きいことに加えて、その企業がその企業結合取引を主導している（IFRS第３号B17項）

企業結合において新設された企業がある場合には、必ずしも新設された企業が取得企業となるわけではない。例えば株式移転により企業が新設された場合には、上記の事実や条件を考慮し、企業結合以前から存在していた結合当事企業のいずれか１つが取得企業として識別されることになる（IFRS第３号B18項）。

ステップ３ 取得日の決定

取得企業が識別された後、取得企業は取得日、すなわち支配を獲得した日を決定する（IFRS第３号８項）。

取得日は通常、企業結合の対価が引き渡され、被取得企業の資産の取得および負債の引受けが完了した日となるため、実務上はクロージング

日（契約成立の条件がすべて充足された日）となることが一般的である。しかしながら、例えばクロージング日以前に被取得企業の支配が獲得されたことを示す契約条項等がある場合、取得日はその条項に基づく日となる。このように、取得日が必ずしもクロージング日とはならないため、実務上は関連する事実や状況を十分に考慮して取得日を決定する必要がある（IFRS第３号９項）。

ステップ４ 識別可能な取得資産、引受負債および非支配持分の認識と測定

取得日が決定されると、取得日における被取得企業の資産と負債が「認識」され、それらは公正価値で「測定」されることになる（一般的に、認識と測定をあわせて「計上」という）。

ⅰ　認識の原則

取得企業は、取得日における被取得企業の識別可能な取得資産、引受負債および非支配持分を認識する必要がある。資産および負債として何を認識すべきかについては、「財務報告に関する概念フレームワーク（Conceptual Framework for Financial Reporting）」に基づいて判断することになり（IFRS第３号11項）、この概念フレームワークにおける資産と負債の概念に合致するものである限り、のれんとは区別して認識されなければならない。例えば、取得後の事業再編（いわゆるリストラクチャリング）等により発生が見込まれる費用についても概念フレームワークにおける負債概念に合致する場合には引受負債として認識されることになる。すなわち、その発生が義務となっていれば負債となるが、ただリストラの計画があるといった程度の状況では負債にはならない。具体的には企業Aが企業Bを買収し、事業整理の一環として企業Bの人員整理を予定していたとしても、取得日現在において人員整理の計画が具体性を伴って対象者に知らされているような状況でなければ、当該支払に係る未払金等の認識は認められないものと考えられる。

また、識別可能な取得資産および引受負債は当該企業結合とは別個の

取引ではなく、取得企業および被取得企業（または旧所有者）が当該企業結合取引で交換したものの一部でなければならない（IFRS第３号12項)。取得企業と被取得企業は、買収交渉期間中に買収や買収後の条件について企業結合とは別個の取決めを行うことがあるが、これらはたとえ買収条件等と一体として議論されていたとしても、企業結合により交換された資産または負債ではないとみなされる場合がある。例えば、取得企業と被取得企業の間の以前からの関係を事実上清算するような取引や、被取得企業の従業員または旧所有者（例えば売り手たる役員株主）の将来の勤務に対して報酬を与える取引は、通常、企業結合により交換された資産または負債とはみなされない。このような識別は、各取引がその経済的実質に従って会計処理されるようにすることを目的としている（IFRS第3号BC115項)。

ところで、過去の企業結合の結果として被取得企業の財政状態計算書にのれんが計上されている場合があるが、当該のれんは識別可能な取得資産を構成しない。詳細は後頁で解説するが、のれんとは、簡潔にいうと取得価額と識別可能な資産・負債の純額との差額であるため、独立して識別可能な資産ではない。したがって、被取得企業の財務諸表に計上されているのれんは取得企業の連結財務諸表に引き継がれない。取得企業は、被取得企業の既存ののれんについては無視して識別可能な取得資産および引受負債を公正価値で計上し、取得価額との差額を新たなのれんとして認識する。なお、被取得企業の既存ののれんと新たに計上されたのれんは連続性がない場合もありうる。例えば、被取得企業がのれんを計上した取引について、のれんの性質として、買収対象企業において当時の取得日時点には確立していなかった商標や技術について買収後に確立することによって、取得企業の取得日時点においてはのれんから分離し、識別可能な資産となる場合があるためである。

ii　認識された識別可能な取得資産および引受負債の分類または指定

取得企業は、必要に応じて、取得日において認識した資産および負債を分類または指定しなければならない。この分類または指定は、国際財務報告基準が企業の状況に合わせた選択的な会計方針の適用を認めている場合に、企業結合後どの会計方針を適用するのかを決めるために行われる。取得日における契約条件、経済環境、営業または会計の方針、その他の状況を考慮する必要があり、例えばIFRS第９号「金融商品」に関連した金融資産の保有目的の分類やヘッジ手段としてのデリバティブの指定、組込デリバティブの会計処理方法の指定などがある（IFRS第３号15項、16項）。

なお、取得日の状況に基づく分類と指定には、以下の例外がある。これは、当初契約時における契約条件その他の状況（その後変更があった場合は変更後の条件等）に基づいて分類しなければならない（IFRS第３号17項）。

◆被取得企業が貸手であるリース契約を、オペレーティング・リースとするかファイナンス・リースとするかの分類（IFRS第16号「リース」に従う）

iii　測定の原則

取得した識別可能な取得資産、引受負債および非支配持分を取得日における公正価値で測定しなければならない（IFRS第３号18項）。なお、以下の点には留意が必要である。

〈非支配持分の公正価値による測定〉

非支配持分は、その公正価値か、被取得企業の識別可能純資産に対する非支配持分割合で測定する（IFRS第３号19項）。詳細は「**v　非支配持分の認識と測定**」を参照のこと。

〈評価性引当金の取扱い〉

取得企業は、営業債権等に対する評価性引当金（貸倒引当金）は認識しない。すなわち営業債権等の回収可能性に係る評価は、営業債権等そのものの公正価値の測定において考慮されるべきであるため、評価性引当金を別途認識することはしない（IFRS第３号B41項）。

これは有形固定資産等の減価償却累計額においても同様であり、取得企業は取得する有形固定資産を公正価値で測定するため、減価償却累計額を別途認識することはしないものと考えられる。

〈被取得企業が貸手となるオペレーティング・リース〉

被取得企業がリースの貸手である場合、取得企業は、そのリース資産の公正価値の測定にあたり、リースの契約条件を考慮に入れる必要がある。すなわち、そのリース契約が他の一般的な条件に比して被取得企業にとって有利または不利であったとしても、取得企業はその部分を別個の無形資産または負債として認識することはせず、リース資産の公正価値の測定に反映させることになる（IFRS第３号B42項）。

〈使用予定のない、または市場参加者の想定する一般的な方法とは異なる方法で使用することを予定している資産〉

資産の公正価値は、一般的にそれが使用される方法を前提として測定される。例えば、開発費やブランド名等の無形資産を被取得企業である競合他社から取得したものの、企業結合後はこれらが関連するサービスを廃止する場合など、取得企業が取得した資産を使用しないケースがある。また、取得企業が、取得した資産を他の一般的な用途とは異なる用途で使用するケースも考えられる。このような場合であっても、資産の公正価値は原則として一般的にそれが使用される用途を前提として公正価値を決定する（IFRS第３号B43項）。企業結合が入札によらない、いわゆる「相対」で合意されたような場合であっても、資産の公正価値は市場参加者の目線で評価する必要があるが、これは公正価値の定義として国際財務報告基準が“市場参加者間の秩序ある取引”を前提としているためである（IFRS第13号９項）。

ⅳ　認識と測定の例外

上述した認識および測定の原則には、以下に記載するいくつかの例外がある。認識の例外は、ⅰで記載した認識の原則に加えていくつかの追加的な事項を考慮する必要があるものや他の国際財務報告基準を適用すべきものであり、測定の例外は、取得日の公正価値以外の金額で測定するものである（IFRS第３号21項）。以下、具体的に見ていきたい。

〈偶発負債（認識の例外）〉

偶発負債については、IAS第37号「引当金、偶発負債及び偶発資産」が基準として設定されているが、企業結合において認識すべき偶発負債について当該基準は適用されず、以下の２つの要件を満たす場合のみ認識する。

(a)　過去の事象に基づいて発生した取得日現在における債務である

(b)　その公正価値が信頼性をもって測定できる

IAS第37号においては、現在の債務ではあるがそれを解消するために将来何らかの経済的便益が流出する可能性が高くないために偶発負債として認識する（すなわち財政状態計算書では負債として認識しないが、注記により開示する）場合を含んでいるが、企業結合においてはこのような偶発負債を引受負債として認識し、公正価値で評価することになる（IFRS第３号22項、23項）。

また、IFRS第３号では米国会計基準で認められているような偶発資産を認識することを認めておらず、フレームワークの資産概念に照らして資産と認められるもののみ認識することを求めている（IFRS第３号BC276項）。

〈法人税（認識と測定の例外）〉

企業結合において取得した資産および引き受けた負債に係る繰延税金資産および繰延税金負債は、IAS第12号「法人所得税」に基づいて認識し、測定されなければならない。認識すべき繰延税金資産および繰延税金負債は、被取得企業が企業結合以前に認識していたもののみならず、企業結合取引において生じたものも含まれる。また、これらは（時間価値を考慮して割引された）公正価値ではなく、割引されない金額で測定される（IFRS第３号24項、25項）。

〈従業員給付（認識と測定の例外）〉

被取得企業の従業員給付に係る負債（または資産）は、IAS第19号「従業員給付」に従って認識し、測定されなければならない（IFRS第３号26項)。確定給付制度を採用する場合には、給付債務の現在価値から制度資産の公正価値を控除した金額で認識され、未認識項目を未認識のまま引き継ぐことはできない。

〈補償資産（認識と測定の例外）〉

例えば、企業買収において、取得企業が被取得企業の負債について想定外の損失を負わないように、一定額以上の損失が生じた場合には売り手がその部分を補償することがある。このような契約がある場合には、取得企業が補償資産を認識することになるが、一定額以上の損失が生じるか否かの可能性は、その補償資産の公正価値の評価において考慮され、評価性引当金を別途認識することはしない（IFRS第３号27項)。

また、例えばその補償が特定の偶発事象に関連して生じるが、その偶発事象そのものが信頼性のある測定ができないことによって認識されていなかったり、あるいは特定の従業員給付（上記の認識と測定の例外に該当）に関連して生じるものであったりする場合には、補償資産の測定はこれらの補償対象となる事項の測定と整合したものである必要がある（IFRS第３号28項)。

〈被取得企業が借手であるリース（認識と測定の例外）〉

IFRS第16号「リース」の適用開始により、被取得企業が借手になるリースについて、リース期間が取得日後12か月以内に終了するリースまたは原資産が少額であるリース以外のリースについては、使用権資産とリース債務を計上する必要がある（IFRS第３号28A項)。

取得企業は、使用権資産については、リース債務と同額で測定する必要がある。リース債務については、取得したリースが取得日現在で新規のリースであるかのように残りのリース料（IFRS第16号で定義）の現在価値で測定しなければならない。なお、市場の条件と比較した場合の当該リースの有利又は不利な条件については調整後（反映されたもの）となる（IFRS第３号28B項）。

〈繰延収益（認識と測定の例外ではないが、米国会計基準においては例外となる）〉

国際財務報告基準では繰延収益についても公正価値の認識と識別が必要となるが、米国会計基準においては、ASU 2021-08の発行により、繰延収益について認識と測定の例外とされているため、今後国際財務報告基準においても動向が注目される。なお、米国会計基準における取り扱いについては「３米国会計基準における企業結合会計」の項を参照されたい。

〈再取得した権利（測定の例外）〉

企業結合において特定の権利等を取得した場合、通常はその権利が更新されることを前提として公正価値を測定する。ただし、取得企業が以前に被取得企業に対して与えた権利（例えば、使用を許諾した商標やライセンス供与した特許技術など）を、取得企業が企業結合において再度取得することになる場合には、更新を前提とせずその契約期間満了までの期間を前提にその権利の公正価値を測定する（IFRS第３号29項）。その権利が、同様の権利の一般的な契約条件よりも有利または不利である場合には、（無形資産や負債を認識するのではなく）その部分に係る決済損益を認識する（IFRS第３号B36項）。なお、取得後はその残りの契約期間にわたって償却する（IFRS第３号55項）。

〈株式を基礎とする報酬（測定の例外）〉

取得企業は、企業結合において、被取得企業の株式を基礎とする報酬を取得企業の株式を基礎とする報酬に置き換える場合がある。例えば、上場企業同士の企業結合において、被取得企業が上場廃止となった場合、その被取得企業が有していたストック・オプション制度を、取得企業のストック・オプション制度へと変更することにより従業員への給付水準を維持する場合などである。このような場合に取得企業が認識する株式

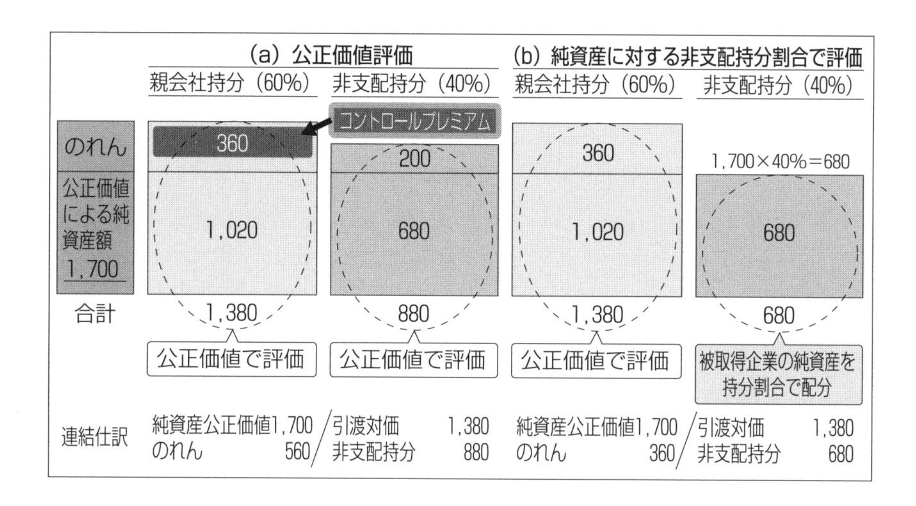

等の持分証券または負債は、IFRS第２号「株式報酬」に基づいて測定する（IFRS第３号30項）。

〈売却目的で保有する資産（測定の例外）〉

固定資産等を、企業結合後に売却する予定で「売却目的で保有する資産」へと分類した場合、IFRS第５号「売却目的で保有する非流動資産及び非継続事業」に基づき、その公正価値から売却に係る費用を控除した額で測定されなければならない（IFRS第３号31項）。

〈保険契約（測定の例外）〉

取得企業は、企業結合で取得したIFRS 第17号「保険契約」の範囲に含まれる契約グループ、及びIFRS 第17号で定義している保険獲得キャッシュ・フローに係る資産を、取得日現在で、IFRS第17号の第39項及びB93項からB95F項に従って負債又は資産として測定しなければならない（IFRS第３号31A項）。

v　非支配持分の認識と測定

非支配持分は株式買収による企業結合等において認識されるが、支配を獲得したか否かにおいては議決権の保有割合が判定要素の１つとなる一方、その非支配持分の割合を何％とするのかは被取得企業に対する持分割合に基づいて判断される点に留意が必要である。

また、非支配持分は以下のいずれかの方法により測定されなければならない。

(a)　公正価値（全部のれんアプローチ）

(b)　被取得企業の識別可能純資産に対する非支配持分割合（購入のれんアプローチ）

測定方法の選択は、企業結合の取引ごとに行うことができる（IFRS第3号18項、19項）。

(a)と(b)のイメージは前ページの図のとおりである。なお、上場企業の場合は、株式の市場価格を基礎として非支配持分の公正価値を測定することができる。非上場企業の場合には被取得企業の企業価値評価等を行って測定することになるが、非支配持分は被取得企業に対する支配力を持たない。そのため、市場参加者がコントロールプレミアムの有無を考慮に入れている状況であれば、支配力のある取得企業の持分に比して、非支配持分1株当たり公正価値は、取得企業持分の公正価値に含まれるコントロールプレミアム相当だけ低くなる可能性が高い（IFRS第3号B45項）。

なお、(b)の購入のれんアプローチを採用して会計処理をしている場合であったとしても、のれんの減損テストの際には(a)の全部のれんアプローチの計数を用いる必要がある点については留意されたい（IAS第36号C4項）。詳細は後頁の非支配株主持分に帰属するのれんの項を参照されたい。

vi　無形資産の認識に係るガイダンス

IFRS第3号では、無形資産の認識要件を定め、それに合致する限り、のれんとは区別して認識することを求めている（IFRS第3号B31項）。また、認識した無形資産は、耐用年数が確定できるものと確定できないものに区分し、耐用年数が確定できるものはその期間にわたって償却し、確定できないものは償却を行わない。耐用年数が確定できない場合とは、関連するすべての要因の分析に基づいても、当該無形資産が正味のキャッシュ・イン・フローを企業にもたらすと期待される期間について予見可能な限度がない場合とされる（IAS第38号88項）。

耐用年数の確定可否に係わらず、無形資産は減損テストの対象に含まれる。耐用年数を確定できない無形資産とのれんは定期償却の有無という観点で類似性があるものの、識別可能性の観点でのれんとは性質を異にしており、減損テストにおいてものれんとは異なる取り扱いで処理されるため（例えば、資金生成単位で発生する減損金額はまずのれんに割り振られることや、償却年数を確定できない無形資産の場合は資金生成単位の減損金額の配賦時に公正価値評価をする点、減損損失の戻入がのれんはない一方で、償却年数を確定できない無形資産は減損損失の戻入ができる点等）、財務情報の有用性を高めるとの判断から、耐用年数が確定できない無形資産であっても、当初の認識時点でのれんとは明確に区分することが求められている。

〈無形資産の計上要件〉

IFRS第３号においては、無形資産の計上要件を契約その他の法的権利から生じるもの（A:契約法律規準）と、被取得企業から分離して売却・移転・ライセンス供与・賃貸・交換が可能なもの（B：分離可能性規準）という２つの観点から規定している。Aの契約その他の法的権利は、たとえBの分離可能性規準を満たしていなくても無形資産に計上される。また、Bの分離可能性規準はあくまでも可能性の有無を検討するものであり、無形資産の移転等を行う計画や経済合理性があるかどうか、また取得企業にその意図があるかどうかは問わない。同種同様の無形資産が過去に取引された実績があれば、その取引が一般的かどうかや被取得企業がその取引に関わったかどうかに関わらず分離可能であると判断され、その無形資産が単独では分離できなくても他の関係する資産や負債と合わせることで分離できる場合も、やはり分離可能であると判断されることになる（IFRS第３号B32項、B33項）。

〈無形資産の認識について（IAS第38号33項、BC19A項）〉

IAS第38号において無形資産は、「物理的実体のない識別可能な非貨幣性資産」と定義されている。上述した無形資産の２つの規準はこの定義における「識別可能」性を説明するものであるが、IAS第38号はこの識別可能性要件を満たすすべての非貨幣性資産を無形資産として計上することは認めておらず、このうちさらに以下の２つの要件を充足する場合に限り無形資産として認識することを求めている（IAS第38号21項）。

a．その資産に明確に起因する将来の経済的便益がその企業に流入する可能性が高い（probable）

b．資産の原価（公正価値）が信頼性をもって測定できる

しかしながら、IFRS第３号においては、企業結合における無形資産の取得においてこれらa．およびb．を認識要件として明示していない。これはa．およびb．の要件が企業結合取引においては要求されないのではなく、企業結合において取得する無形資産については当然にa．とb．を満たすと考えられているためであることに留意が必要である。すなわち、まずa．については、取得した無形資産は公正価値にて評価され、その公正価値はその無形資産がもたらす経済的便益の不確実性をも考慮したものであるから、経済的便益が流入する可能性が低くても公正価値評価の対象になる。また、b．については、(A)契約法律規準ないし（B）分離可能性規準を充足する資産であれば、信頼性のある公正価値を算出するに十分な情報が存在すると考えられるため、この要件も充足することになる。また、次のような場合はその公正価値を算出できない場合もあるとしている。

◆契約法律規準は満たすが、分離できない場合

◆契約法律規準は満たし、分離可能であるが、過去に同様の資産の取引実績やその取引を証明しうるものがなく、公正価値の評価において計測不能な不確実性によらざるを得ない場合

〈適用指針と無形資産の例示〉

IFRS第３号には、無形資産の認識に関する適用指針とともに、無形資産の例が示されている。まず、契約法律規準として、適用指針は次の２つの例をあげている（IFRS第３号B32項）。

⑴　発電所の使用権

被取得企業が原子力発電所を所有し、同時にその発電所を操業する免許も保有していたとする。このときの操業免許は、たとえ発電所の所有権と切り離して譲渡することが認められないものであっても、法的権利としては発電所の所有権とは別個のものであるから、無形資産の認識要件は満たしている。ただし会計処理では、操業免許の有効期間と発電所の耐用年数が近似する場合、公正価値は１つの資産として測定することが認められている。

⑵　技術特許とライセンス権

被取得企業が技術特許を保有しており、他社に対して（例えば、自社が活動していない地域での）特許実施のライセンスを与えていたとする。このとき、技術特許とライセンス権を分離することはないと考えられる（基本となる特許を保有しないでライセンスを与えることは不可能であるため）が、その場合でも無形資産の認識としては、技術特許とそのライセンス権は別々の法的権利として無形資産の認識要件を満たしていることになる。

IFRS第３号の設例ではまた、無形資産を性質ごとに分類した例示を掲載している。これは無形資産をこの例示に限るものではなく、また個々の企業結合のケースごとに認識要件を充足しているかを判定すべきものであるが、無形資産に該当するものを示す最も一般的な例示として広く使われている（IFRS第３号IE16項～IE44項）。

次ページの表に掲げられた無形資産の具体的な内容と、その評価方法については「Ⅲ　無形資産評価の実務」で詳しく解説している。

〈例示の一覧表〉

マーケティング関連無形資産	商標、商号、サービス・マーク、団体マークおよび認証マーク	＊1
	トレードドレス（独自の色彩、形状またはパッケージ・デザイン）	＊1
	新聞名（マストヘッド）	＊1
	インターネット・ドメイン名	＊1
	競業避止協定	＊1
顧客関連無形資産	顧客リスト	＊2
	受注残	＊1
	顧客との契約および関連する顧客との関係	＊1
	契約によらない顧客との関係	＊2
芸術関連無形資産	演劇、オペラ、バレエ	＊1
	書籍、雑誌、新聞、その他の著作物	＊1
	音楽（作曲、作詞、CMソング）	＊1
	絵画、写真	＊1
	動画（映画、音楽ビデオ、テレビ番組）	＊1
契約に基づく無形資産	ライセンス、ロイヤルティ、使用禁止契約	＊1
	広告、建設、管理、役務・商品供給契約	＊1
	建設許可	＊1
	フランチャイズ契約	＊1
	営業許可、放送権	＊1
	サービサー契約（ローン回収契約）	＊1
	雇用契約	＊1
	利用権（例えば採掘、水、空気、伐採、配送）	＊1
技術に基づく無形資産	特許権を得た技術	＊1
	ソフトウェア、マスクワーク	＊1
	特許権が得られていない技術	＊2
	データベース	＊2
	企業秘密（秘密の製法、工程等）	＊1

＊1：契約法律規準を満たす無形資産
＊2：分離可能性規準を満たす無形資産

ところで、前ページの表には「ブランド」または「ブランド名」は含まれていないが、これは、ブランドを商標、商号、企業秘密（製法、工程等）などの無形資産の集合体と考えているからである。もし、それぞれの無形資産の使用可能期間が等しければ、集合体をブランドという１つの無形資産として扱うことが可能である（IFRS第３号IE21項）。

〈仕掛中の研究開発〉

仕掛中の研究開発については、それが無形資産としての要件を満たせば無形資産として認識し、公正価値で測定する（IFRS第３号BC149項、IAS第38号34項）。

企業内で発生する研究開発費について国際財務報告基準は、研究段階の支出額はその発生時に費用として処理し、開発段階における支出額については、一定条件を満たす場合には開発資産として計上することを強制している（IAS第38号54項、57項）。一方、企業結合により研究または開発の成果を取得する場合には、研究や開発といった段階に関係なく、その価値があり、上述の無形資産としての計上要件を満たす限りにおいて無形資産として認識されることになる。

ちなみに、米国会計基準においては、米国公認会計士協会（AICPA：American Institute of Certified Public Accountants）が発行したガイダンス（AICPA Accounting and Valuation Guide Assets Acquired to be Used in Research and Development Activities）において、仕掛中の研究開発を無形資産として認識する場合に、企業結合時に認識する取得資産に適用される「認識の原則」に加え、実在性（substance）と未完成（incompleteness）の２要件を満たすべきであるとしている。

一方、国際財務報告基準においてこのような具体的なガイダンスは示されていないが、IAS第38号BC80項においては、信頼性のある測定の可能性（measured reliably）と経済的便益の発生（probable that any associated future economic benefits would flow to the acquirer）が認められない研究開発に係る支出は資産として認識されないとしている。私見では、国際財務報告基準を適用する場合においても、実務上はAICPAのガイダンスが参考になると思われる。

なお、取得した仕掛中の研究開発に係る事後的な費用については、IAS第38号に基づいて処理することになる。すなわち、取得後に発生した開発費用のうち一定の要件を満たすものについてのみ資産として認識し、仕掛中の研究開発に付された価額に加算する。研究段階の支出や以下の要件のうち１つでも立証できない項目がある開発段階の費用は、発生時に費用として処理される（IAS第38号57項）。この点は、事後的に発生した研究開発費をすべて費用として処理することを求めている米国会計基準とは異なっているため、注意が必要である。

(a) 将来使用または売却するため無形資産を完成させる「技術的実現可能性（technical feasibility）」
(b) 無形資産を完成し、使用または売却する意思
(c) 無形資産を使用するまたは売却する能力
(d) 無形資産が将来の経済的便益を生み出す高い可能性
(e) 開発を完了し、無形資産の使用または売却するための適切な技術的資源、財政的資源およびその他の資源の利用可能性
(f) 開発中に無形資産に帰属する支出を信頼性をもって測定できる能力

取得後の仕掛中の研究開発についてはIAS第36号「資産の減損」に従って、他の無形資産と同様に減損の要否の評価が行われる。また、償却は研究開発が完了した後から開始する。

ステップ５ 対価の測定と企業結合取引の範囲の決定

i　対価の測定

企業結合で引き渡した対価（consideration transferred）は、取得日における以下の公正価値の合計として測定される。

◆取得企業により移転された資産
◆被取得企業の企業結合前の所有者（売り手）に対して発生する取得

企業の負債

◆取得企業が交付する持分証券

対価の例としては、現金その他の資産、取得企業が有していた事業や子会社、条件付取得対価、普通株式、優先株式、オプション、ワラント（新株予約権)、相互会社の会員持分などが考えられる（IFRS第3号37項)。

引き渡した対価の取得日における公正価値がその帳簿価額と異なる場合、その差額は損益として認識する。ただし、対価として引き渡した資産または負債が被取得企業に残るような場合（例えば、事業を移転して株式（子会社株式）を受領する場合が考えられる）には、取得企業はそれらの資産または負債を企業結合直前の帳簿価額で測定し、損益は認識しない（IFRS第3号38項)。

ii　取得関連費用

企業結合に関連して取得企業で発生した費用は、それが企業結合に直接要した費用であっても、対価には含まれない（IFRS第3号53項)。この費用には例えば、専門家によるアドバイザリー費用やコンサルティング費用、登録費用等が考えられるが、これらに係る支出は発生した年度の費用として会計処理される。

iii　条件付取得対価

企業結合の契約書（合併契約書や株式売買契約書）において、将来の特定の事象や取引（以下「偶発事象」という）の発生に基づき、株式の追加発行や現金その他の対価の移転が定められるケースがあり、そのような対価は条件付取得対価（contingent consideration）と呼ばれる。例えば、オーナー企業の買収において買収後も売り手が経営陣として残るケースでは、経営陣のモチベーションを高めるために買収後の業績に応じた追加の買収金額を支払うように買収価格を設計する方法（アーンアウトという）がある。IFRS第3号では、このような条件付取得対価を取得日における公正価値により評価し対価の一部に含めることを求めている（IFRS第3号39項)。なお、取得企業は、認識した条件付取得対価を、

IAS第32号「金融商品：表示」に従って負債または資本に分類しなければならない。なお、特定の条件が満たされたときに取得企業が以前に引き渡した対価を売り手から取り戻すことができる権利が与えられている場合には、その権利を資産として認識することになる（IFRS第３号40項）。

ステップ６ のれんまたは割安購入益の認識と測定

i　のれんの認識と測定

IFRS第３号ではのれん（goodwill）を、企業結合によって取得された（のれん以外の）他の資産からもたらされる将来の経済的便益を示す資産であり、それそのものが単独あるいは個別に認識されるものではないとしている（IFRS第３号 Appendix A）。すなわち、のれんは取得日における以下の(A)が(B)を超過する差額部分として認識され、のれん自体の公正価値を測定することはない（IFRS第３号32項）。

(A)　次の金額の合計

- 取得日の公正価値で測定された対価
- 取得企業が測定した非支配持分の金額
- 取得企業が企業結合以前に保有していた被取得企業の持分証券の取得日の公正価値

(B)　IFRS第３号に基づいて取得日に（基本的に公正価値で）測定された識別可能な取得資産と引受負債の純額

非上場企業が上場企業を株式の交換のみにより取得する場合などは、

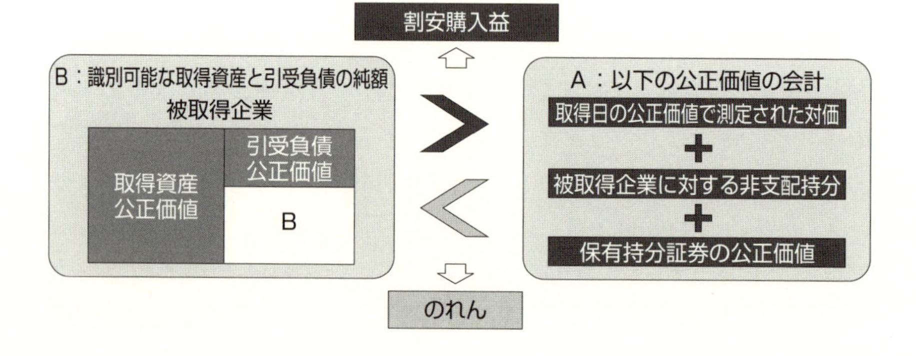

被取得企業（上場企業）の株式の公正価値が取得企業の株式の公正価値よりも信頼性をもって測定できることが考えられる。このような場合は、取得企業の株式よりも被取得企業の株式の公正価値をもとにのれんを計算することになる。また、何ら対価が引き渡されない企業結合の場合には、対価の代わりに取得企業の持分に係る公正価値を何らかの評価手法を用いて測定し、のれんを計算することになる（IFRS第３号33項）。

企業結合が段階的に達成された場合、取得企業が企業結合以前に保有していた被取得企業の持分証券はその取得原価または持分法による評価額で測定されている場合があるが、これは取得日の公正価値で再評価され、生じた差額は企業結合年度の純損益又はその他の包括利益として計上される（IFRS第３号42項）。

計上されたのれんはその後、IAS第38号「無形資産」に基づいて会計処理され、償却は行わず減損テストを毎期実施することになる。

ii　割安購入益の認識と測定

まれに、上記のⒷがⒶを超過する場合があり、IFRS第３号ではこのような企業結合取引を「割安購入（bargain purchase）」と呼んでいる。このような状態が生じる可能性としては、取得日において存在するすべての情報が資産および負債の認識と測定に反映されていないことがまず考えられるため、割安購入益を認識する前に、認識すべきすべての資産と負債が認識されていることを確認し、以下のすべてが適切な方法によって取得日に測定されていることを確かめることが必要である（IFRS第３号34～36項）。

- 識別可能な取得資産および引受負債
- 非支配持分
- 取得企業が企業結合以前に保有していた被取得企業の持分証券
- 引き渡した対価

上記の手続を経た結果、なお割安購入の状態が解消しない場合には、当該差額を企業結合年度の利益として認識する。

ステップ7 事後の測定と会計処理

i　測定期間

実務上、識別可能な取得資産や引受負債の認識およびそれらの公正価値の測定にあたっては多くの専門家が関わることになり、非常に時間を要する作業となる。IFRS第3号では、実務上の便宜のため、資産および負債、非支配持分、対価およびそれらの結果として計算されるのれん（または割安購入益）の認識と測定に必要な情報を入手する合理的な期間として「測定期間」が設けられている。測定期間は、取得企業が取得日に存在した事実と状況に関する情報をすべて入手した場合、あるいは入手できないことが明らかとなった場合に終了するが、取得日から1年を超えることはできない（IFRS第3号45項）。

ii　測定期間中に考慮すべき事項

測定期間中に考慮すべき情報は、取得日において生じていた事実や状況に係る情報である。取得日においてそのような事実や状況について知っていたならば、認識された資産や負債の測定結果が変わっていたと考えられるものは遡及的に修正しなければならない。また、測定期間中に得られた情報が取得日においては識別されていなかった資産や負債の存在を示唆するものである場合には、それらを追加で認識し、測定することが必要となる（IFRS第3号45項、46項）。なお、取得日後に入手した情報については、それが取得日後に発生した事象から生じたものなのか、あるいは取得日時点で存在していた状況を反映するものなのかについて、慎重な検討が必要である。前者であれば資産または負債の認識または測定に影響させるべきではない（IFRS第3号47項）。

iii　条件付取得対価の取扱い

測定期間中に得られた情報が取得日において存在していたものであり、それが条件付取得対価の公正価値の見積りに反映されるべきであったと考えられる場合には、その情報も含めて条件付取得対価を再測定する。この処理は結果としてのれん（または割安購入益）の金額に影響を与える（IFRS第３号58項）。

iv　修正事項の遡及処理

測定期間中に行った修正は、のれん（または割安購入益）の修正として反映される（IFAS第３号48項）。なお、企業結合後最初に到来する会計期間末までに測定期間が終わらない場合には、会計処理が完了していない項目については暫定的な金額で財務報告を行う（IFRS第３号45項）。測定期間中の修正はすべて、取得日において処理が完了していたかのように行う必要があるため、償却計算やその他の損益に影響を及ぼす修正も取得日に遡って修正することになる（IFRS第３号49項）。

❷ 無形資産およびのれんの取得後の会計処理

1…IAS第36号およびIAS第38号の特徴

企業結合による取得か否かに関わらず、無形資産とのれんの取得後の会計処理はIAS第36号「資産の減損」およびIAS第38号「無形資産」に基づいて行うことになる。日本会計基準あるいは米国会計基準との比較も含めこれらの特徴を簡単に示すと、以下のとおりである。

- ◆のれんの償却は行わない
- ◆無形資産の測定方法として原価モデルと再評価モデルがある
- ◆無形資産を償却性無形資産と非償却性無形資産に区分する
- ◆減損会計において、割引前将来キャッシュ・フローによる減損要否の判定は行わない
- ◆無形資産について減損が認められない場合には、過年度に認識した減損損失（の一部）を戻し入れる

国際財務報告基準におけるそれぞれの会計処理を要約すると次の表のとおりである。

〈IFRSにおける無形資産とのれんの会計処理の概要〉

	償却性無形資産	非償却性無形資産	のれん
特　徴	耐用年数が確定された無形資産	（法的要件、経済的実体、その他の要素をもってしても）耐用年数を確定できない無形資産	企業結合によって取得された（のれん以外の）他の資産からもたらされる将来の経済的便益を示す資産
償　却	耐用年数で償却する（耐用年数は毎期見直す）	償却しない（ただし、耐用年数が存在すると判明した時点で償却性無形資産に変更する）	償却しない
減損テストの実施時期と頻度	その無形資産に減損の兆候が認められた場合に限られる	年１回の一定の時期、および減損の兆候が認められる場合	年１回の一定の時期、および減損の兆候が認められる場合（資金生成単位によって実施時期が異なってもよい）
減損テストの方法	回収可能価額と資産簿価を比較（ただし、非償却性無形資産は資金生成単位に配分されることもある）		のれんを配分した資金生成単位ごとに、回収可能価額と帳簿価額とを比較する
減損損失の戻入	毎期末、減損損失を引続き認識すべきかを評価し、減損が認められない場合には減損がなかったとした場合の帳簿価額を上限として戻入れを行わなければならない		認められない

いわゆる自己創出無形資産の計上は認められない（IAS第38号63項）。ブランドや顧客リストなどは、企業結合において取得した場合には公正価値で測定・計上することになるが、自己創出無形資産は、原則としてその公正価値が測定できるか否かに関わらず計上することはできない。

なお、国際財務報告基準には日本会計基準や米国会計基準などのようにソフトウェアに係る固有の会計基準はなく、IAS第38号に含まれている（IAS第38号９項）。

2…無形資産の会計処理

a．耐用年数の決定

のれんを除く無形資産はその耐用年数（useful life）を決定できるか否かにより、償却性無形資産と非償却性無形資産に区別する。非償却性無形資産の要件はあくまで、その時点で耐用年数が決定できない（indefinite）ことであり、無期限（infinite）であることを必要としているのではないことに留意が必要である（IAS第38号91項）。

また、IAS第38号は無形資産の耐用年数を、無形資産の使用可能期間または無形資産から得られる生産量ないしはこれに類似する単位としており、その決定にあたっては以下の要素を考慮する必要がある（IAS第38号８項、90項）。

- 予想される資産の使用方法および別の経営陣によってその無形資産がより効率的に使用され得るかどうか
- その資産の典型的な製品ライフサイクル、および同様の用途に使用される同種の資産に係る見積耐用年数に関する一般的な情報
- 技術的または工学的な、あるいは商業上の陳腐化要因
- その資産を使用している事業分野の安定性およびその資産から生成される製品やサービスに対する需要の変化
- 現在のあるいは潜在的な競争相手の予想される行動
- その資産がもたらすと予想される経済的便益を得るために必要な維持費用の水準およびその水準を維持することの能力と意図
- 資産の支配期間や関係するリース契約の終了期限のような、資産の使用に関する法的またはそれに類似する期限
- その資産の耐用年数がその企業の有する他の資産の耐用年数に依存する程度

決定した耐用年数は固定化されるものではなく、少なくとも各事業年度末には見直しを行う必要がある（IAS第38号104項）。また、非償却性

無形資産について耐用年数の見積りが可能となった場合には、減損テストを実施したうえで償却性無形資産に分類を変更する必要がある（IAS第38号109項、110項）。耐用年数の決定に係る無形資産ごとの実務については「V-7耐用年数」に記載している。

b. 償却計算

償却性無形資産は、それを使用することによる経済的便益の発現の形態に応じて償却することが原則であるが、そのような形態を決定できない場合は定額法で償却される（IAS第38号97項）。また、残存価額は通常ゼロに設定される。耐用年数の終了時に第三者がその資産を購入する合意があるとき、あるいはその資産を扱う活発な市場が存在し、市場を参考として残存価額が決定でき、さらに耐用年数の終了時にも市場が存在する可能性が高いときに限り残存価額を考慮した償却計算を行う（IAS第38号100項）。

c. 減損会計の概要

IAS第36号は有形固定資産も含めた資産の減損会計に係る包括的な基準書であるが、その基本的な流れは、以下のとおりである。

⑴　減損の兆候の識別

⑵　回収可能価額の見積り（減損テスト）

⑶　減損損失の認識と測定

減損は、一義的には個々の資産ごとにその判定を行う。個々の資産ごとの判定ができない場合には資金生成単位（cash generating unit）ごとに兆候の判定や回収可能価額の見積りを行う（IAS第36号66項）。資金生成単位とは、他の資産または資産グループからおおむね独立してキャッシュ・イン・フローを生み出す最小の資産グループである（IAS第36号6項）。

上記の⑴では、経済環境の変化や資産の市場価値の低下、市場金利の上昇などの企業外部の情報と、その資産の陳腐化や利用方法の変化、その資産から得られる経済的便益の低下などの企業内部の情報を総合的に

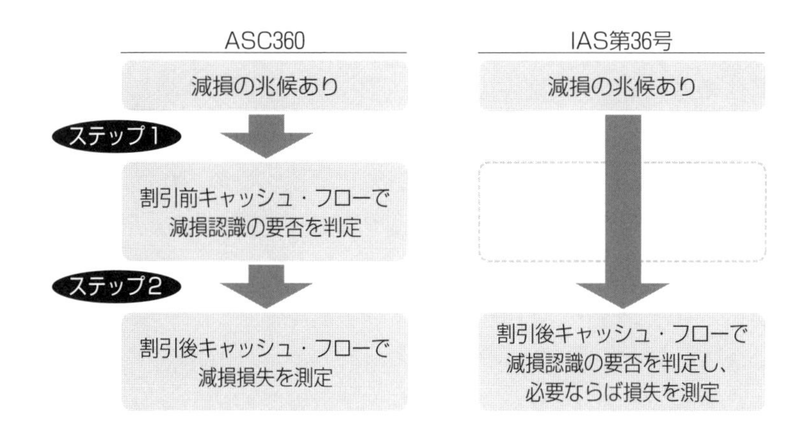

検討して、その資産ないし資金生成単位（以下本節において「資産等」という）の減損の兆候を識別しなければならない（IAS第36号12項）。

この検討により資産等に減損の兆候があると判断されれば、⑵でその回収可能価額（recoverable amount）を見積もる必要がある。回収可能価額は処分コスト控除後の公正価値（fair value less costs of disposal）と使用価値（value in use）のうちいずれか高い方となる。なお、使用価値は時間価値と一定のリスクを考慮した割引率による割引後の金額である（IAS第36号６項、９項、30項）。

この結果、⑶で回収可能価額が帳簿価額（carrying amount）を下回る場合には、その差額を減損損失として計上する。

日本会計基準あるいは米国会計基準との比較において注意すべきは、これらの会計基準における減損会計の基本的な手順においては、減損を認識するか否かの判定にあたりいわゆる２ステップ法を採用しているが、IAS第36号は１ステップであるという点である。米国会計基準（ASC360）では、①割引前キャッシュ・フローに基づいた回収可能性テストを実施し、その結果減損が生じていると認識されれば②割引後キャッシュ・フロー（回収可能価額）に基づいて減損損失を測定する、という２段階を経て減損損失が計上されることになる。すなわち、上記

⑴と⑵の間にもう１つ手続が追加されており、日本会計基準もこの２ステップ法の考え方を採用している。一方、IAS第36号は減損の兆候があると判断されれば（上記⑴）すぐに割引後キャッシュ・フロー（回収可能価額）を見積もり（上記⑵）、減損損失を認識するか否かの判定とその測定を同時に行う。割引前キャッシュ・フローを使った減損損失を認識すべきか否かの判定は行わない。

割引後キャッシュ・フローは当然に割引前キャッシュ・フローよりも小さくなるため、米国会計基準や日本会計基準では減損損失は認識しなくてよいと判断されていたものが、IAS第36号の適用により減損損失の計上が必要となるケースも考えられる。特に、割引率が高い場合には、適用する会計基準が異なることによる差異が多額に発生する可能性も考えられる。

d．償却性無形資産の減損

償却性無形資産については、ｃ．で記載した基本的な流れに沿って減損処理を行う。減損の兆候は少なくとも毎期末には評価し、兆候があれば減損テストを実施する。テストの結果、回収可能価額が帳簿価額を下回れば、その差額を減損損失として計上する。

e．非償却性無形資産の減損

非償却性無形資産は、耐用年数が決定できるまでは償却を行わないため、減損の影響は償却性無形資産より重要になる。IAS第38号は非償却性無形資産について、減損の兆候の有無に関わらず、毎期減損テストを実施することを要求している。すなわち、ｃ．に記載の⑵から手順がスタートする。また、環境の変化等により減損の兆候が生じた場合には、その時期に関わらず減損テストを実施する必要がある。減損テストを実施する時期は年度のどの時点でも構わないが、毎期同じ時点でなければならない（IAS第38号108項、IAS第36号10(a)項）。

f．減損損失の戻入

企業の外部情報および内部情報を総合的に検討した結果、以前に認識した資産（のれんを除く）に減損をもたらした要因がもはや存在しないあるいは低減していると認められるため回収可能価額の見積りに変化がある場合には、過年度に認識した減損損失を戻し入れる必要がある（IAS第36号114項）。ただし、戻入額は、戻入後の帳簿価額が、過年度に減損損失が認識されなかったとした場合の償却後簿価を超えない範囲である（IAS第36号117項）。減損損失を戻し入れる規定は、日本会計基準と米国会計基準にはない。

3…のれんの減損

非償却性無形資産と同様にのれんも償却されないため、減損の影響は大きい。特に近年のM&Aでは多額ののれんが計上されるケースもあり、企業結合後の事業がうまくいかない場合には、事業による損失と多額ののれんの減損損失という二重の痛手を負う可能性がある。また、のれんの償却が行われないということは、その事業を売却するなどしない限り永続的に当初計上されたのれんの減損リスクを抱えることになる。したがって、M&Aにおける受入対価や買収後の事業計画は慎重に検討する必要がある。

a．減損会計の概要

i　資金生成単位への配分

のれんに対する減損会計の適用も、上述したIAS第36号の基本的な流れに沿うものとなる。ただし、のれんはそれ単独でキャッシュ・インフローをもたらすものではないため、その取得後ただちに資金生成単位（または資金生成単位グループ）に配分され、減損の判定も資金生成単位（または資金生成単位グループ）で行われる。なお、のれんが配分される資金生成単位は以下の２つの要件を満たす必要がある（IAS第36号80項）。

- 内部管理目的でのれんをモニターする場合の最小単位であること
- IFRS第８号に従って決定される事業セグメントよりも大きな単位ではないこと

ii　減損テストの実施時期

非償却性無形資産と同様に、のれんは減損の兆候の有無に関わらず毎

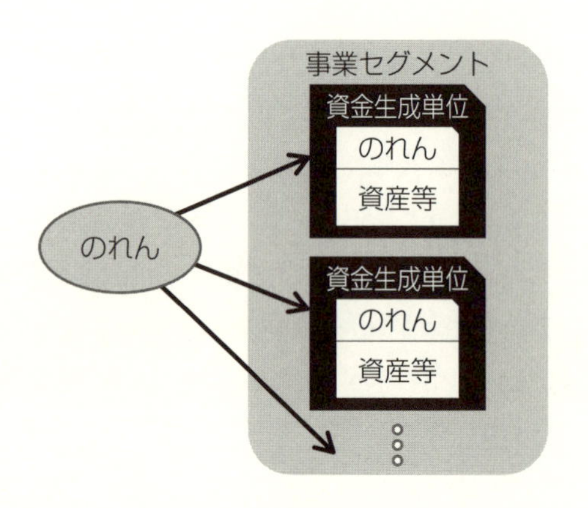

期減損テストを実施しなければならない。また、減損の兆候が識別された場合には常に減損テストを行う必要がある（IAS第36号90項）。

具体的にはのれんが配分された資金生成単位（または資金生成単位グループ）の減損テストを実施することになるが、年度の減損テストは実施時期が毎期同じであれば、年度のどの時点で実施してもかまわない。また、すべての資金生成単位に係る減損テストを同時期に行う必要はなく、資金生成単位ごとに異なる時期に実施することも可能である。なお、当期に行った企業結合により生じたのれんを配分した資金生成単位については、取得後期末までの間に、少なくとも１度は減損テストを実施する必要がある（IAS第36号96項）。

iii　資金生成単位の減損損失

減損テストにおいて、その資金生成単位の回収可能価額がその帳簿価額を下回る場合には、減損損失を認識する。資金生成単位で認識された減損損失は、①まずのれんの帳簿価額から減額される。減損損失がのれんの帳簿価額を超える場合には、②超過額をその他の資産の帳簿価額の比率に基づいて各資産から比例的に減額する（IAS第36号104項）。

ただし、回収可能価額が見積可能な資産については、減損損失控除後の帳簿価額がその回収可能価額を下回ってはならない。比例配分された減損損失がその資産において控除可能な金額（控除後の帳簿価額がゼロとなる場合を含む）を超える場合には、その超過額を他の資産で比例的に負担する（IAS第36号105項）。

b. 減損テストの簡便的取扱い

以下の条件をすべて満たす場合には、詳細に計算された直近の回収可能価額を当年度の減損テストに使用することも認められる（IAS第36号99項）。

- ◆直近の減損テスト以降、その資金生成単位を構成する資産および負債に大きな変更がない
- ◆直近の減損テストにおいて、その資金生成単位の回収可能価額が帳簿価額を著しく上回っていた
- ◆直近の減損テスト以降に起きた事象や環境の変化を考慮しても、その資金生成単位の現時点における回収可能価額が帳簿価額を下回っている可能性が極めて低い

c. 減損損失の戻入

のれんについて一度認識した減損損失の戻入は認められない（IAS第36号124項）。資金生成単位について減損損失の戻入が認識された場合には、その戻入額を利益として認識するとともに、のれんを除く各資産にその帳簿価額の比率に基づいて比例的に配分する。ただし、配分された戻入額を加算した各資産の帳簿価額は、(a)その回収可能価額（見積可能な場合）か(b)減損損失が過年度に認識されなかったとした場合の償却後簿価のいずれか低い金額が限度となる（IAS第36号122項、123項）。

d. 非支配持分に帰属するのれん

非支配持分を公正価値により測定した場合、支配持分（親会社持分）と非支配持分の両方に帰属するのれんが計上される。そのため、のれんに係る減損損失が計上された場合はそれを支配持分に帰属する部分と非支配持分に帰属する部分に配分され、後者は非支配持分が負担することになる。

ところが、非支配持分を被取得企業の識別可能純資産に対する持分割合で測定した場合には、支配持分に帰属するのれんのみが認識されていることになる。一方で、回収可能価額の見積りにおいては、非支配持分に帰属するのれんに対応する経済的便益も含めて算定しているため、計上されているのれんと回収可能価額とではその算定基礎となる範囲に不整合が生じることになる。この不整合を解消するため、支配持分に係るのれんのみが配分された資金生成単位について減損の判定を行う場合には、非支配持分ののれんに相当する部分をグロス・アップしたうえで、回収可能価額と比較する必要がある（IAS第36号C4項）。

❸持分法投資の評価

1…持分法投資における無形資産

持分法投資については、IAS第28号「関連会社及び共同支配企業に対する投資」で取り扱っている。ある企業Aが他の企業Bの持分を取得し、企業Bに対して重要な影響を及ぼすことになる場合、企業Aは連結財務諸表を作成するにあたって企業Bに対する投資を持分法（equity method）により会計処理しなければならない。保有持分が20％以上の場合は、影響力がある場合に該当しないことが明らかに証明されない限り重要な影響を及ぼすものと推定され、20％未満であれば影響力のあることが明らかに証明されない限り重要な影響は及ぼさないと推定される（IAS第28号5項）。

もし企業Bが子会社となる場合には、「連結」の会計処理が行われる。これは企業Bの支配を獲得する取引であるから「企業結合」となるが、支配を獲得していない場合は「企業結合」には当たらない。しかしながら、持分法は「一行連結」とも呼ばれるように、投資先企業の純資産の価値変動を投資持分の評価として反映させる会計処理であり、その実質は連結会計と類似している。したがって、持分法適用における多くの手続は連結会計のそれと類似しており、連結会計のコンセプトは持分法会計においても考慮されなければならない（IAS第28号26項)。

その結果、関連会社等を取得し持分法を適用する場合であっても、原則的には取得時に投資先企業の資産および負債を公正価値で評価することになる。すなわち、上述した企業結合と同様に投資先企業が識別していない無形資産についても、それが無形資産としての要件を満たせば持分法会計上は無形資産として認識し、その上でのれん相当額を計算する。仮に投資額（持分の取得原価）が投資先企業の識別可能純資産より大きい場合にはのれんが認識され（投資額に含まれる)、逆の場合には企業結合における割安購入益に相当する利益が認識されることになる（IAS第28号32項)。したがって、持分法適用における投資先企業の公正価値測定の重要性は、連結を含む企業結合におけるそれと何ら変わることはなく、一般にのれんの影響が大きい研究開発型ベンチャーやソフトウェア制作会社等に対する重要なマイノリティー出資を行う場合には特に留意する必要がある。

なお、取得企業が被取得企業の持分を取得して子会社化する場合に、被取得企業の財務諸表に持分法投資が存在する場合は当該持分法投資の金融商品としての公正価値評価と、本項で解説した持分法投資先を対象会社とする識別可能資産・負債の公正価値評価が必要となる場合があることに留意されたい。

2…持分法投資に対する減損の計上

関連会社あるいは共同支配企業（関連会社等）に対する純投資について持分法を適用している場合、当該投資が減損しているという客観的な証拠があるかどうかを決定するために、例えば以下のような事象を分析する（IAS第28号40項、41項)。

ａ．関連会社等の著しい財政上の困難

ｂ．関連会社等による契約違反（債務不履行または支払遅延など）

ｃ．関連会社等の財政上の困難に関連した経済的理由または法的理由

により、企業が、そうでなければ考慮しないであろう譲歩を関連会社等に与えたこと

d．関連会社等が破産または他の財務的再編を行う可能性が高くなったこと

e．関連会社等の財政上の困難による当該純投資についての活発な市場の消滅

関連会社等に対する純投資の減損は、このような事象の結果として減損の客観的な証拠があり、かつ、当該事象から生じる損失が信頼性をもって測定できる場合だけである。また、将来発生する可能性のある事象の結果として見込まれる損失は、その可能性がいかに高くても認識されない。

持分法投資に係るのれんは、持分法投資額に含まれており区分認識されていないため、IAS第36号を個別に適用して減損テストを行うことはしない。代わりに、上述したような事象により持分法投資が減損している可能性が示唆される場合には、当該投資全体の回収可能価額を帳簿価額と比較することにより、のれんも含む単一の資産としてIAS第36号にしたがって減損テストを行う。減損損失の戻入についても、当該投資を単一の資産として、回収可能価額の増加の範囲内で認識されることになる。なお、回収可能価額は、この場合も処分コスト控除後の公正価値と使用価値のいずれか大きい方となるが、使用価値については以下のいずれかを見積もることになる。ただし、適切な仮定のもとでは両者は同じ結果になると考えられる（IAS第28号42項）。

- 関連会社等が生み出すと期待される見積将来キャッシュ・フローの現在価値に対する持分
- 当該投資から受取る配当および当該投資の最終的な処分から生じると期待される見積将来キャッシュ・フローの現在価値

❹「公正価値の測定」の概要

1…公正価値の考え方

IFRS第13号「公正価値の測定」は公正価値の統一的な定義を示す基準書である。IAS第36号に基づく企業価値および無形資産の評価、無形資産の減損テスト、およびのれんの減損テストに関連する資金生成単位の評価においては、公正価値に基づき評価が行われるためIFRS第13号の規定の適用を受ける。

IFRS第13号では、公正価値とは「測定日に、市場参加者間における秩序ある取引において、資産を売却するために受取る価格、または負債を移転するために支払う価格」とされる（IFRS第13号９項）。IFRS第13号は公正価値を売り手視点の「出口価格」（Exit Price）、例えば資産の売却または処分における価格と定義している（IFRS第13号24項）。また、市場参加者の視点を重視し、主要な市場（Principal market）またはもっとも有利な市場（Most advantageous market）における秩序ある取引を通じて市場参加者の間で決定される価格が基礎とされる（IFRS第13号16項）。

2…評価手法

IFRS第13号では、①マーケットアプローチ、②インカムアプローチ、③コストアプローチの３つの評価手法を規定している（IFRS第13号62項、B５項～B11項）。

① マーケットアプローチ

同一または比較可能な（すなわち、類似の）資産、負債または資産と負債グループ（事業等）に係る市場取引により生み出される価格および他の関連性のある情報を使用する評価手法。倍率法、市場株価法等がある。

② インカムアプローチ

将来の金額（例えば、キャッシュ・フローまたは収益及び費用）を単一の現在の（すなわち、割引後の）金額に変換する評価手法であり、その公正価値測定は、それらの将来の金額に関する現在の市場の予測により示される価値に基づいて算定される。

③ コストアプローチ

資産の用役能力を再調達するために現在必要とされる金額（しばしば現在再調達原価とよばれる）を反映する評価手法。

なお、公正価値測定にあたり選択した上記の評価手法は基本的に継続的に適用しなければならず、変更がある場合、会計上の見積りの変更として処理する（IFRS第13号66項）。

3…評価の前提（インプット）

市場参加者が資産または負債の価格を決定する際に使用するであろう前提をインプットと呼び、①観察可能なインプット（Observable Input）と②観察不能なインプット（Unobservable Input）に分類している（IFRS第13号付録A）。

① 観察可能なインプット

入手可能な市場データ（実際の事象または取引に関する公開されている情報）を基礎として設定されたインプットで、市場参加者が資産または負債の価格付けを行う際に用いるであろう仮定を反映するもの

② 観察不能なインプット

インプットのうち、市場データが入手可能でなく、市場参加者が当該資産または負債の価格付けを行う際に用いるであろう仮定に関する利用可能な最善の情報を用いて作成されるもの（例えば企業が独自に見積もったもの）

公正価値の測定における評価手法は、観察可能なインプットを最大限利用し観察不能なインプットの利用を最小限にしなければならない（IFRS第13号61項）。

4…公正価値のヒエラルキー

公正価値の測定に使用するインプットには、その内容に応じてそれぞれレベル１からレベル３までの優先順位がつけられている（IFRS第13号72項）。公正価値のヒエラルキーはインプットに優先順位をつけるものであり、評価手法自体に優先順位をつけるものではない。また重要なインプットのうち最もレベルの低いインプットに応じて公正価値のヒエラルキーを決定する（IFRS第13号73項）。

① レベル１インプット（IFRS第13号76項）

レベル１インプットは測定日現在、活発な市場において提示される修正されていない価格で、企業がアクセス可能なものを指す。

② レベル２インプット（IFRS第13号81項～85項）

レベル２インプットとは、レベル１に含まれる市場価格以外で、資産または負債に対して直接的または間接的に観察可能なインプットを指す。具体的には以下のａ．～ｄ．がある。

ａ．活発な市場における類似の資産または負債の市場価格

ｂ．活発でない市場における同一又は類似の資産または負債に関する市場価格

ｃ．資産または負債に関して市場価格以外に観察可能な市場インプット（市場で観察可能な金利、ボラティリティ、信用リスク等）

ｄ．資産または負債に関して相関その他の方法により観察可能な市場データの裏付けにより導出できるインプット

③ レベル３インプット（IFRS第13号86項～90項）

①②以外の観察不能なインプット。

〈レベルおよび「インプット」（公正価値の決定に使用する情報）と、その例〉

<table><tr><td>
レベル１—活発な市場における、同一の資産または負債の市場価格
◆ニューヨーク証券取引所で取引され、相場価格のある普通株式

レベル２—レベル１の市場価格以外の、観察可能な市場におけるインプット（または市場データに裏付けられた観察不能なインプット）
◆新興国の活発でない市場のみで取引され、相場価格のある普通株式
◆上場されている類似の社債から価値を導出した私募債

レベル３—観察不能なインプット（観察可能な市場データの裏付けがない）
◆評価モデルに使用される先渡価格曲線が、直接観察できない、または観察可能な市場データと相関していない、長期のコモディティー・スワップ
◆価値が予測キャッシュ・フローに基づく非公開会社の株式
</td></tr></table>

CHAPTER

3 米国会計基準における企業結合会計

❶概　要

米国会計基準での企業結合会計については、ASC805「企業結合」とASC350「のれんおよびその他の無形資産」が代表的な会計基準書であり、会計実務もASC805の実務とASC350の実務の２つに大別される。前者のASC805の実務とは、企業結合が行われた年度に、企業結合の対価を測定するとともに被取得企業の資産および負債を公正価値で評価し、その結果としてのれんを認識する作業であり、企業結合取引ごとに行われる。これに対して後者のASC350の実務は、認識した無形資産の耐用年数の決定と無形資産とのれんの事後的な減損テストの作業であり、企業結合時に加えてその後継続的に実施される。ASC350の実務では、ASC360「有形固定資産」も併せて考慮される。

また、両者は密接に関連しており、時として同時進行的に作業が行われる。例えば、ASC805の作業で資産および負債の公正価値を把握する段階で、同時にASC350の作業の一環として無形資産の耐用年数を決定するとともにその資産および負債のレポーティングユニットを決定する必要がある。

ところで、公正価値についてはASC820「公正価値の測定」に定義されており、その測定のための枠組みが整理されている。ASC820では、公正価値の定義はASC805およびASC350においても「測定日において、市場参加者との整然とした通常の取引において、資産の売却の対価として受け取る、または負債の移転の対価として支払うであろう価格」と定義されている（ASC820-10-20、ASC805-10-20、ASC350-20-35-23参照）。

企業結合とその関連する会計基準について、米国会計基準と国際財務報告基準との主な相違を以下a.およびb.に要約している。

a. ASC805とIFRS第3号との主な相違

No.	項目	ASC805	IFRS第3号
1	適用除外	a. ジョイントベンチャー b. 事業もしくは非営利活動でないもの c. 共通支配下の取引 d. 非営利事業体の合併等 e. 変動持分事業体（別途規定）	a. ジョイントベンチャー b. 事業でないもの c. 共通支配下の取引 なお非営利事業体や変動持分事業体に係る規定はなし
2	支配の概念	「一般的に、議決権の過半数を取得することにより企業の財務持分を支配すること」（ASC810）	「投資先への関与により生じる変動リターンに対するエクスポージャーまたは権利を有し、かつ、投資先に対するパワーにより当該リターンに影響を及ぼす能力を有している場合」（IFRS第10号6項）
3	非支配持分の初期測定	公正価値により測定する。	以下のいずれかを企業結合取引ごとに選択する。 • 公正価値 • 公正価値で評価された被取得企業の純資産に対する非支配持分割合
4	偶発事象に係る資産および負債の認識と測定	測定可能な場合は公正価値で評価する。測定できない場合は他の会計基準に従って認識する。	過去の事象によって生じた取得日における債務であり、かつ信頼性のある測定が可能な場合には認識し、公正価値で評価する。偶発資産の認識は認められない。
5	被取得企業が貸し手の場合のオペレーティング・リース	リース契約が一般的な市場条件よりも貸し手にとって有利または不利な場合は、その部分を無形資産（有利な場合）または負債（不利な場合）として認識し、公正価値により評価する。	リース契約が一般的な市場条件よりも貸し手にとって有利または不利な場合は、その部分を取得したリース対象資産の公正価値の評価に反映させる。

なお、以下はASC805 またはIFRS第３号が他の会計基準を参照している箇所であり、参照先の会計基準が米国会計基準と国際財務報告基準とでコンバージェンスされていないために企業結合会計における取扱いが相違している項目である。

No.	項　目	ASC805	IFRS第3号
1	条件付取得対価の当初分類	ASC480に準ずる	IAS第32号に準ずる
2	繰延税金および未確定の税務ポジションの認識と測定	ASC740に準ずる	IAS第12号に準ずる
3	従業員給付の認識と測定	ASC715に準ずる	IAS第19号に準ずる
4	株式報酬の取扱い	ASC718に準ずる	IFRS第2号に準ずる
5	保険契約の取扱い	ASC944に準ずる	IFRS第17号に準ずる
6	顧客との契約における契約資産及び契約負債（繰延収益含む）	ASC606に準ずる	従前通りIFRS第3号に準ずる

b. ASC350・ASC360とIAS第36号・IAS第38号との主な相違

No.	項　目	ASC350・ASC360	IAS第36号・IAS第38号
1	のれんの減損テストの実施単位	レポーティングユニット（RU）—事業セグメントまたはその1つ下の構成要素	資金生成単位（CGU）—のれんのモニタリングを行う経営管理上の最小単位。ただし、事業セグメントより大きな単位とすることはできない。
2	のれんの減損テスト	2ステップ法を採用 ステップ1—RUの公正価値がその帳簿価額（のれんを含む）より小さい可能性が50%以上あるか検討する。 ステップ2—RUの公正価値をその帳簿価額（のれんを含む）と比較し、公正価値の方が小さい場合に減損損失を検討する。	CGUの回収可能価額※を帳簿価額と比較する。減損損失は、まずCGUに配分されたのれんから控除し、残額はCGUを構成する資産の帳簿価額から比例的に控除する。 ※公正価値から処分コストを控除した価額と使用価値のいずれか大きい方
3	非償却性無形資産の減損テスト	同上	同上
4	無形資産の再評価	認められない（減損の戻り入れも認められない）。	一定の条件を満たす場合には再評価モデルを採用できる。
5	自己創設無形資産	開発、維持、修復のために内部で発生した費用は発生時に費用処理しなければならない。ただし、販売目的のソフトウェア、Webサイトの開発および内部利用ソフトウェアに関連した費用については一定の例外が認められる。	自己創設無形資産は、発生時に費用処理するのが原則。左記の米国会計基準における例外がある他、開発費を資産として認識する。

❷ ASC805の概要

以下、ASC805の概要を、主に国際財務報告基準との相違（本稿執筆現在において発効している基準による）として見ていく。

1…ASC805の適用範囲

ASC805の適用範囲について、国際財務報告基準と重要な差異はないが、ASC805では非営利法人間の企業結合および非営利法人による営利企業の取得について適用対象外としている点（ASC805-10-15-4（d）、国際財務報告基準ではこれを除外していない）や、変動持分事業体に関する規定（国際財務報告基準にはそのようなガイダンスはない）が相違している。

a．ASC805における取得法の適用

ASC805における取得法の適用ステップは、国際会計基準と同様、以下の４段階を経ることが示されている（ASC805-10-05-4）。

⑴　取得企業の決定

⑵　取得日の決定

⑶　識別可能な取得資産、引受負債および非支配持分の認識と測定

⑷　のれん、またはバーゲン・パーチェスによる利益の認識と測定

以下、第２節と同様に、上記ASC805の４段階に、実務上重要と考えられる３つの過程を加えた次の７段階に沿って、ASC805と国際財務報告基準の主な相違を要約する。

ステップ１ 企業結合取引か否かの判定

企業結合取引か否かの判定において、米国会計基準と国際財務報告基準の取扱いに重要な差異はない。

ステップ２ 取得企業の決定

米国会計基準では一般的に議決権の過半数の取得が１つの基準となるが（ASC810）、国際財務報告基準では実質支配力基準を採用している（IFRS第10号*）ため、取得企業の判定の際に両会計基準で異なる結果となることも考えられる。

ただし、その他のガイダンスについては両会計基準とも同じ内容となっている。

＊IFRS第10号では、「支配」の要件が従前のIAS第27号から変更されているが、実質支配力基準を採用しているという点で変更はない。

また、ASC810では「変動持分事業体」の概念を設け、変動持分事業体の取得の際は常に主たる受益者が取得企業となるとされているが、IFRS第３号には変動持分事業体のガイダンスに相当するものがない点で異なっている。

ステップ３ 取得日の決定

取得日の決定において、米国会計基準と国際財務報告基準の取扱いに重要な差異はない。

ステップ４ 識別可能な取得資産、引受負債および非支配持分の認識と測定

取得日が決定されると、取得日における被取得企業の資産と負債が「認識」され、それらは公正価値で「測定」されることになる。取得における「認識の原則」と「測定の原則」についても、米国会計基準と国際財務報告基準で概ね整合しているが、個別事象の取扱いにおいて以下のように差異が生じている部分があるため留意が必要である。

〈リストラ費用に関する負債の認識〉

例えば、企業結合後に被取得企業が行っていた一部の事業から撤退することを予定している場合、将来的にその撤退費用や従業員の解雇または配置転換に係る費用がかかることが予測されるが、そのようないわゆるリストラに係る費用は、取得日においてASC420「撤退または処分費用債務」の認識要件を満たしたもののみ認識することができる。この要件とは、例えば、取得日時点において、解雇従業員の人数やその条件が詳細に決められており、かつ経営者がその計画の実行をコミットしているような場合であり、計上できるケースは相当程度限定される。したがって、取得日現在において、「将来XX億円規模のリストラをする計

画がある」といった程度の状況ではこれを負債として認識することはできない。

一方、国際財務報告基準では、企業結合における負債の認識にあたって負債の一般概念を適用するため、実務的には米国会計基準を適用している場合の方が、企業結合時にリストラ費用を計上できる余地が狭くなると考えられる。

〈非支配持分の公正価値による測定〉

ASC805においては、非支配持分について公正価値で測定することを求めており（ASC805-20-30-7）、国際財務報告基準で認められている被取得企業の識別可能純資産に対する非支配持分割合による測定は行えない。

上場企業の場合は、株式の市場価格を基礎として非支配持分の公正価値を測定することができる。非上場企業の場合には被取得企業の企業価値評価等を行って測定することになるが、非支配持分は被取得企業に対する支配力を持たない。そのため、支配力のある取得企業の持分に比して、その１株当たり公正価値は、取得企業持分の公正価値に含まれるコントロールプレミアム相当だけ低くなることが一般的である（ASC805-20-30-8）。

〈被取得企業が貸し手／借り手となるオペレーティングリースの認識及び測定〉

被取得企業がリースの貸し手である場合、リース契約そのものが公正価値で測定されるとともに、リース事業に供されている資産もリース契約とは別に公正価値で測定される。ここまでは米国会計基準と国際財務報告基準に相違はない。

相違するのは、リース契約が他の一般的な市場の条件よりも当該被取得企業にとって有利または不利な状況の場合である。米国会計基準では、その有利または不利となる部分の公正価値を無形資産（有利な場合）または負債（不利な場合）として認識する（ASC805-20-30-5）。一方、国際財務報告基準では、有利または不利となる部分を、取得したリース対象資産の公正価値の評価に反映させる処理を行う点で異なっている

（IFRS第３号B42項）。

なお、被取得企業がリースの借り手である場合の有利契約または不利契約の扱いは、米国会計基準および国際財務報告基準ともにオペレーティング・リースに関連する資産又は負債を個別に認識しない（リース料の割引現在価値を基礎としてリース資産/負債で調整する）事で一致している（ASC805-20-30-24、IFRS第３号BC144項）。

〈偶発事象に係る資産または負債の認識〉

ASC805-20-25-19および20では、取得会社に対し、偶発事象から生じる取得資産（偶発資産）および引受負債（偶発負債）を、それらの公正価値が測定期間中に決定可能である場合、取得日の公正価値で測定することを要求している。

一方、国際財務報告基準においては、偶発資産を認識することを認めておらず、フレームワークの資産概念に照らして資産と認められるもののみ認識することを認めており（IFRS第３号BC276項）、ASC805では偶発資産も偶発債務と同じ取扱いとしているという点で異なっている。

ASC805-20-25-20は、⑴「取得日で資産が存在する、または負債が発生していた可能性が高い」場合で、かつ⑵「当該資産または負債の全額を合理的に見積もることが可能」な場合には、それらの認識を要求している。取得日の公正価値を決定できない場合には、当該資産または負債はASC450に従って測定すべきである。

〈その他の項目〉

企業結合時の法人税の取扱い（ASC740）と従業員給付の取扱い（ASC715など）、株式報酬の取扱い（ASC718）と保険契約の取扱い（ASC944）は、米国会計基準および国際財務報告基準ともに、認識と測定の例外として扱われている点では整合しているが、それぞれが参照している会計基準についてコンバージェンスが達成されていないために結果として会計処理が異なる可能性がある。

ステップ5 対価の測定と企業結合取引の範囲の決定

対価の測定や取得関連費用の取扱い、および条件付取得対価の認識・測定において、米国会計基準と国際財務報告基準に重要な差異はない。

ただし、認識された条件付取得対価の当初分類について、米国会計基準はASC480に基づいて、国際財務報告基準はIAS第32号に基づいて負債または資本に分類することとなるが、両基準のコンバージェンスが達成されていないため、条件付対価の内容によっては取扱いに相違が生じる可能性がある。

ステップ6 のれんまたは割安購入益の認識と測定

ASC805では、のれん（goodwill）を、企業結合によって取得された（のれん以外の）他の資産からもたらされる将来の経済的便益を示す資産であり、それそのものが単独あるいは個別に認識されるものではないとしている。この考え方はIFRS第３号と同様であり、のれんと割安購入益の認識と測定について、両基準で重要な差異はないものと考えられる。

ステップ7 事後の測定と会計処理

事後の測定と会計処理について米国会計基準と国際財務報告基準との間に重要な差異はない。

ただし、米国会計基準では、測定期間中に暫定的な会計処理を行い、翌事業年度にその修正を行う場合、過年度の財務諸表の遡及修正を行わないとする変更が2015年より適用されている。すなわち、暫定的な会計処理が翌事業年度に確定し、資産や負債の測定結果が修正された場合、その修正が確定した会計期間に計上するという取扱いとなっている。ただし、仮に遡及修正を行っていた場合の今年度の財務諸表に与える影響額を注記することが求められる。

国際財務報告基準では、従前と変わらず測定期間中の修正は遡及修正を求めているため、米国会計基準における取扱いの変更により両基準の間に新たな差異が生じたといえる。

2…プッシュ・ダウン・アカウンティング

子会社を取得した場合の企業結合の会計処理は、連結財務諸表の作成過程でASC805の実務を行うことが普通である。支配権が異動する企業結合については、プッシュ・ダウン・アカウンティングの適用が拡大され、すべての被取得企業が取得された持分割合に関係なく、任意にプッシュ・ダウン・アカウンティングを選択することが可能となった（ASU No.2014-17、ASC805-50-25-4）。

プッシュ・ダウン・アカウンティングは、新しく所有者となった親会社の視点で見直して、親会社が実施した資産および負債の公正価値評価（無形資産の認識と評価を含む）を子会社の財務諸表の中に文字どおり「押し下げて」、子会社の財務諸表を作り直す作業である。次ページの図は、簡単化のために、流動資産と負債は簿価と公正価値が等しいと仮定し、固定資産が公正価値評価されたとして、子会社の貸借対照表への影響を示している。さらに、自らの超過収益力が無形資産として認識されている。子会社の法人格としての連続性を断ち切って、すべての資産・負債を親会社が購入し直したように記録するという考え方が、取得法の概念を反映しているともいえる。

このように、自己の無形資産を計上するプッシュ・ダウン・アカウンティングは、わが国ではなじみのないものである。日本企業で米国会計基準を適用する場合には、連結財務諸表の作成過程で米国会計基準への修正を行う場合が多く、連結子会社の個別財務諸表にプッシュ・ダウン・アカウンティングを適用することは、一般的には行われていない。

❸ ASC350の概要

1…ASC350の特徴

ASC350「のれんとその他の無形資産」の適用範囲には、企業結合以外で取得された無形資産の取得時の会計処理も含まれている。また、無

評価替前の子会社貸借対照表

資産	金額	負債・純資産	金額
流動資産	100	負債	150
固定資産	200	純資産	150
内訳：土地	50		
機械装置	150		

100の評価増

70の評価減

新しく認識された無形資産

プッシュ・ダウン・アカウンティング適用後の子会社貸借対照表

資産	金額	負債・純資産	金額
流動資産	100	負債	150
固定資産	350	純資産	300
内訳：土地	150	内訳：従前の資本	150
機械装置	80	評価替による増加分 (addtional paid in capital)	150
無形資産	120		

形資産の減損については主にASC360「有形固定資産」に従う。これらの会計基準は、単純化すると次のような特徴がある（非公開企業の例外を除く）。

◆のれんの償却は行わない

◆無形資産を償却性無形資産と非償却性無形資産に区分

◆無形資産とのれんの減損の判定方法において２ステップ法を採用

ASC350では、無形資産は取得時に公正価値で測定し、その後の再評価は認められないが、国際財務報告基準では原価モデルと再評価モデルの選択を認めているところが両会計基準で大きく異なっている。また、ASC360では無形資産とのれんの減損判定方法に２ステップ法が採用されているが、国際財務報告基準は１ステップ法である点も異なる。

ASC350とそれに関連する会計処理は、無形資産を①償却性無形資産、②非償却性無形資産、③のれんの３つのパターンに区別すると理解しやすい。それぞれの会計処理を簡単にまとめると次の表のとおりである。

なお、ソフトウェアも無形資産ではあるが、企業結合以外におけるソフトウェアの認識については固有の会計基準が存在する。販売用のソフトウェアにはASC985を、内部利用目的ソフトウェアにはASC350を、それぞれ適用する。

	償却性無形資産	非償却性無形資産	のれん
特徴	耐用年数が確定された無形資産	(法的要件、経済的実体、その他の要素をもってしても)耐用年数を確定できない無形資産	企業結合によって取得された(のれん以外の)他の資産からもたらされる将来の経済的便益を示す資産
償却	耐用年数で償却する(耐用年数は毎期見直す)	償却しない(ただし耐用年数が存在すると判明した時点で償却性無形資産に変更する)	償却しない
減損テストの実施時期と頻度	その無形資産に減損の兆候が認められた場合に限られる	年1回の一定の時期、および公正価値に影響を与える事象が起きた時(レポーティングユニットによって実施時期が異なっても可)	年1回の一定の時期、および公正価値に影響を与える事象が起きた時(レポーティングユニットによって実施時期が異なっても可)
減損テストの方法	有形資産と同様の2ステップの減損テスト(ASC360の方法)	2ステップの減損テスト(ASC350の方法)	2ステップの減損テスト(ASC350の方法)
減損損失の戻し入れ	認められない		

2…無形資産の会計処理

a.耐用年数の決定

ASC350は国際財務報告基準と同様、無形資産を償却性無形資産と非償却性無形資産に区別することが重要であり、非償却性無形資産の要件はinfinite(無期限)ではなくindefinite(決定できない)である点に注意を要する。非償却性無形資産に耐用年数がない、あるいは効果が永続するということを明らかにする必要はなく、耐用年数が不明の(見積りができない)ものも非償却性無形資産に含まれる。

ASC350では、無形資産の耐用年数は当該資産が将来キャッシュ・フローの生成に直接的または間接的に寄与すると予測される期間、とされているが、正確な耐用年数を特定できない場合は最善の見積りにより決定する。そして、耐用年数の見積りにおいては以下の点を考慮する必要がある（ASC350-30-35-3）。

- 資産の将来の使用状況
- 当該無形資産の耐用年数と関連性のある他の資産または資産グループの予測耐用年数（例：減耗資産と関連している鉱業権）
- 耐用年数に制限を加える可能性のある法律上、規制上または契約上の規定
- その資産を使用しようとしている方法と同様の条件下における更新や使用期間の延長に関する、その企業の過去の実績。更新や延長を要する明確な制限があるか否かを問わない。過去にそのような実績がない場合、市場参加者がそのような更新や延長を見込む場合に考慮すると考えられる要素（その資産の最高・最善の使用を前提とする）に、その企業特有の要素を加味して、更新や延長を見積もる
- 陳腐化、需要動向、競争状況およびその他の経済的要素（例：産業の安定性、技術的進歩、規制状況を不安定化または変更させる立法上の行為、物流チャネルの変更）
- 当該資産からの将来キャッシュ・フローを確保するために必要となる修繕費の水準（例：当該資産の帳簿価額に対する修繕費が多額に上る場合は、耐用年数は大幅に制限される）

＊　＊

決定した耐用年数は固定化されるものではなく、毎年見直しを行う必要がある。環境変化等により非償却性無形資産に分類していたものが、耐用年数の見積りが可能となる場合もある。そのようなときは減損テストを実施したうえで、非償却性無形資産から償却性無形資産に分類を変更し、償却計算をその時点から開始する（ASC350-30-35-17）。また、逆に償却性無形資産の耐用年数が不明となった場合にも、減損テストを実施したうえで非償却性無形資産と同じように取り扱われることになる

(ASC350-30-35-10)。

上記の原則に従って、それぞれの無形資産の種類によって実務上定着している耐用年数の決定方法が存在する。無形資産の種類ごとの実務については「Ⅲ 無形資産評価の実務」を、無形資産評価における耐用年数に関する論点については「Ⅴ-7 耐用年数」を、それぞれ参照されたい。

また、いわゆる自己創出無形資産の計上は認められない点には注意が必要である。具体的には、特別に識別されない、耐用年数が確定できない、または全体として企業に関連している「内部で開発、維持、修復した無形資産（のれんを含む）」は、発生時に費用処理されなければならない（ASC350-30-25-3)。ただし、販売目的のソフトウェア、Webサイトの開発および内部利用ソフトウェアに関連した費用については一定の例外が認められる。なお、国際財務報告基準においては米国会計基準と異なり、一定の要件を満たした開発費を資産として認識する。

b.償却計算

償却性無形資産は、それを使用することによる経済的便益の発現の形態に応じて償却することが原則であるが、そのような形態を決定できない場合は定額法で償却される。また、残存価額は通常はゼロに設定される。確度の高い残存価額（例えば、耐用年数終了後に第三者に売却する契約を結んでいる場合、または市場の取引事例を参考にする場合）が存在するときのみ、残存価額を考慮した償却計算を行う（ASC350-30-35-8)。

c.償却性無形資産の減損

償却性無形資産は有形固定資産と同様にASC360に従い、減損を認識する。「２ステップ法」と言われる方法であり、割引前キャッシュ・フローに基づいた減損の認識テスト、すなわち回収可能性テスト（ステップ１）を行い、減損処理に該当する場合は割引後キャッシュ・フローに基づいた減損損失の測定（ステップ２）を行う（ASC360-10-35-17)。その後は修正後の帳簿価額を残存期間にわたって償却していく。いったん認識した減損損失を将来戻し入れることは禁止されている(ASC360-10-35-20)。

d.非償却性無形資産の減損

非償却性無形資産は、耐用年数が決定できるまでは償却を行わないため、減損の影響は償却性無形資産よりも重要になる。非償却性無形資産の減損テストは、年1回は必ず実施するとともに、環境の変化などで減損のおそれが生じた場合はより頻繁にテストする。なお、認識した減損損失を戻し入れることは禁止されている（ASC360-10-35-20）。

3…のれんの減損テスト

a.2ステップ法

償却性無形資産とのれんはどちらも2ステップ法の減損テストを行うが、両者は全く別個のものである。ただし減損の本質的な特徴として、一度認識した減損損失は将来に環境が好転しても事後修正されることはない、という点は共通している。

償却性無形資産の減損テストの場合、ステップ1とステップ2は割引現在価値を算定するか否かが作業のうえでの相違点となるが、のれんの減損テストにおいてはステップ1でレポーティングユニットの公正価値が帳簿価額を下回る蓋然性が低いか否かの質的評価、ステップ2はレポーティングユニットの公正価値を実際に計算した上での減損テストを行う必要がある。

	償却性無形資産の減損テスト	のれんの減損テスト
ステップ1	テスト対象資産のもたらす経済的便益の割引前キャッシュ・フローと、テスト対象資産の帳簿価額を比較し、前者<後者の場合にステップ2に進む	質的評価の結果、レポーティングユニット全体の公正価値が、のれんを含むレポーティングユニットの帳簿価額を下回る蓋然性が50%を超える場合ステップ2に進む。
ステップ2	テスト対象資産のもたらす経済的便益の割引後キャッシュ・フローと、テスト対象資産の帳簿価額との差額を減損損失として認識する	レポーティングユニット全体の公正価値を算定し、のれんを含むレポーティングユニットの帳簿価額と比較する。前者<後者の場合にその差額を減損損失として認識する

b. レポーティングユニット

のれんの減損テストは米国会計基準ではレポーティングユニットを単位として実施される（国際財務報告基準は資金生成単位）。事業セグメント、またはその１つ下の構成要素がレポーティングユニットとなる。ある構成要素が、⑴個別の財務情報が存在するビジネスを構成しており、⑵セグメントの経営陣が定期的にその構成要素の経営成績を評価している、という状況にあるとき、その構成要素はレポーティングユニットとなる。レポーティングユニットの決定はセグメント会計の基準（ASC280）を参考にする必要がある。

レポーティングユニットが決定された後、のれんの減損テストのためには企業結合で取得した資産と引き受けた負債をレポーティングユニットに割り当てる作業を行う。取得資産と引受負債は複数のレポーティングユニットの活動に関連していることがある。その場合は合理的で検証可能な方法で割当額を決定し、その方法を将来にわたり継続適用する必要がある。

のれんも、当然にレポーティングユニットに割り当てられる。注意する必要があるのは、企業結合による取得資産と引受負債の割り当てがなかったレポーティングユニットに対しても、企業結合によるシナジーが及ぶと期待できる場合にはのれんを割り当てる点である（ASC350-20-35-41）。そのような状況で割り当てられるのれんの金額は、レポーティングユニットの公正価値を企業結合前と企業結合後で比較し、企業結合で向上した公正価値をのれんの金額とする。この方法は“with-and-without”computation（あるなし法）と呼ばれる（ASC350-20-35-43）。

レポーティングユニットの決定、またレポーティングユニットへの取得資産、引受負債、およびのれんの配分についての実務上の手続については、「Ⅱ-２　減損テストの業務フロー」の個所を参照のこと。

c.のれんの公正価値に影響を与える事象の検討（質的評価）

のれんは年１回の定期的なテストに加えて、公正価値に影響を与える事象が起きた場合も減損テストをする必要がある。そのような事象の例として、以下があげられている（ASC350-20-35-3C）。

- ◆マクロ経済状況の悪化
- ◆産業、市場の環境悪化
- ◆コスト要因によるキャッシュフローの悪化
- ◆事業計画の未達成
- ◆対象の企業特有の事情（例えば経営陣や重要な人材の流出、戦略・顧客の変更、倒産や訴訟の影響）
- ◆レポーティングユニット全体（または重要な部分）の、売却または処分の可能性が高い、あるいはレポーティングユニット内の重要な資産グループに対する回収可能性テストの実施、またはレポーティングユニットの構成要素である子会社におけるのれんの減損の認識
- ◆継続して株価が下落しているとき

また、レポーティングユニット自体には上記の事象が起きていない場合でも、のれんの一部が廃止事業に割り当てられたときは減損テストが必要となる。

d.減損損失の戻入

減損が認識された後公正価値が回復したとしても、いったん認識した減損損失の戻入は認められない（ASC350-20-35-13）。

e.のれんの減損に係る質的評価

ASU No.2011-08の公表により、のれんの減損テストを実施する前に“質的評価”を実施することが認められた。これは、次のような質的要因を評価した結果のれんを含むレポーティングユニットの公正価値が帳簿価額を下回る蓋然性が50％を超えると判断された場合には減損テストを実施する（ASC350-20-35-3、3A、3C）ことを許容するものである。

(a) マクロ経済の状況
(b) 産業と市場に係る考察
(c) コスト要素の変化
(d) 財務状況の変化
(e) 企業固有の事象
(f) レポーティングユニットに影響を及ぼす事象
(g) 株価の継続的な下落

のれんの減損テストは定量的な減損テストの計算を実施する前に前述の公正価値に影響を与える事象の検討（質的評価）を実施する。その結果のれんを含むレポーティングユニットの公正価値が帳簿価額を下回る蓋然性が50％以下と判断された場合には定量的な減損テストの計算を行う必要はない。なお、質的評価は、これを行わずに直接定量的な減損テストを実施することを妨げるものではない（ASC350-20-35-3B）。

f．非公開会社の代替的な会計処理

ASCにおけるのれんの減損テストは非常に多くの作業量を要求されるため、従前から負担の軽減を求める声があった。そこで、2014年１月に公表されたASU No.2014-02は、非公開会社（ASC350-20-65-2で定義する公開企業、非営利事業体及び従業員給付制度以外の事業体）に、以下の簡便的な会計処理の選択適用を認めることとなった。

◆のれんを10年以下の年数によって償却
◆のれんの減損テストは減損の兆候が認められた場合に限られる（年１回の定期的なテストは要求されない）
◆レポーティングユニットのほか、企業全体を減損テストの単位とする
◆テスト対象資産の公正価値と帳簿価額を比較し、前者＜後者の場合に差額を減損損失とする

この代替的な会計処理は、任意の会計年度から採用できる。新規ののれんについては当該会計処理採用後から、既存ののれんについては当該会計処理を採用した年度の期首から適用する（ASU No.2016-03）。

さらに、上述ののれんを償却する選択を行った非公開会社は、選択適用後の取引から以下の無形資産をのれんと区分しないことが選択できるようになった（ASU No. 2014-18、ASC805-20-25-30）。

- 顧客関連無形資産（事業の他の資産から独立して売却またはライセンス供与できないものに限る）
- 競業避止協定

❹ 持分法投資に対する企業結合会計の適用

1…持分法投資の投資プレミアム

持分法投資の会計処理を扱うASC323は、持分法投資の取得原価と投資対象会社の簿価純資産との差額について連結子会社の処理と同様に、取得した識別可能な取得資産と引受負債を公正価値で測定した上で、無形資産相当額とのれん相当額を認識することを求めている。

ただし、持分法投資は、財務諸表上は投資勘定に一括されて表示され、減損テストは投資有価証券に対する減損テストとして実施される。したがって、非償却性資産をのれんから厳密に区分できなかったとしても、損益に与えるインパクトはないという点でこの区分にそれほど重要性はないと言える。一方で、償却性資産と非償却性資産との区分は、前者は償却額が持分法損益に反映されるという点で非常に重要である。その意味で、持分法のれんの会計的な分析における焦点は、そこに含まれる償却性資産を正確に区分することに絞られると言える（投資対象会社が非公開会社の代替的な会計処理を適用していない場合）。

例えば、簿価純資産が1,000の会社の持分の30％を750で取得するケースを考えてみよう。投資のプレミアムは750－1,000×0.3＝450となる。100％ベースではプレミアムは1,500である（次図）。この1,500をASC805の手続で分析した結果、非償却性資産が1,000で償却性資産が500であるならば、償却性資産の償却費が持分法損益に反映される。

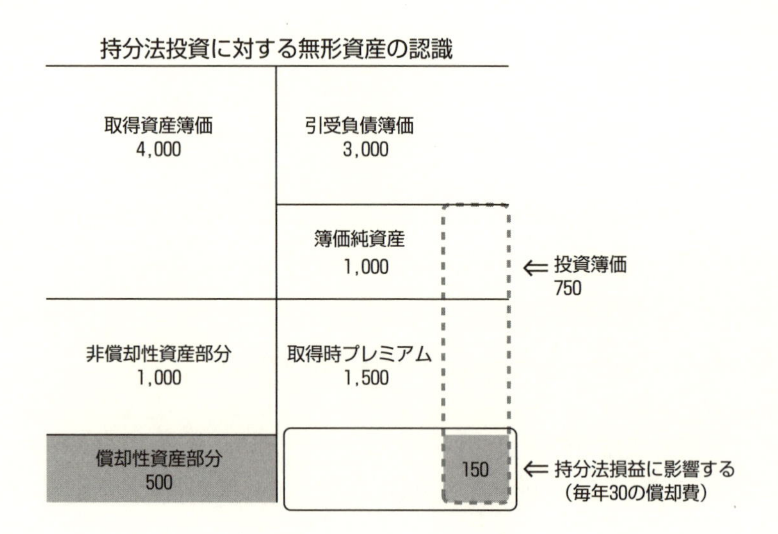

仮にこの償却性資産が耐用年数５年、残存簿価ゼロで定額法により償却されるとすると、投資者の持分法損益には毎年30（500×0.3÷５）の償却費が持分法損益に算入される。

2…持分法の減損処理

持分法投資の減損処理は、投資全体を有価証券の減損会計の方法で行うものであり、投資対象会社の個別の資産ごとに行うわけではない。持分法上の投資簿価と、投資対象会社の公正価値を比較し、公正価値を上回る金額が（回復可能と結論付けられる場合を除き）減損損失として認識される。持分法投資の減損処理はASC350の範囲ではなく、むしろ投資に対する評価の基準(例えばASC323-10-35)を参照して会計処理を行う。投資対象会社の公正価値は、（株式を公開していても）単純に株価を当てはめるのではなく、適切な企業評価の手法によって求められる。ASC350の作業と関係付けると、持分法投資の場合はレポーティングユニットの公正価値の算定と同様の作業を行う、ということである。

Column フェアネス・オピニオン

フェアネス・オピニオンとは、「専門性を有する独立した第三者評価機関が、M&A等の当事会社に対し、合意された取引条件の当事会社やその一般株主にとっての公正性について、財務的見地から意見を表明するもの」をいう。日本ではフェアネス・オピニオンはあまり実務的に定着していなかったが、2019年に経済産業省により策定された「公正なM&Aの在り方に関する指針」の中で、公正な手続きの一部として定義されてから、急速にフェアネス・オピニオンを取得する取引が増加している。

フェアネス・オピニオンは主にMBO（マネジメントバイアウト）や親会社による上場子会社の完全子会社化といった、対象会社のマネジメントと一般株主の間に利益相反がある取引において取得される。このような取引では、事後的な株主代表訴訟のリスクが高いことから、フェアネス・オピニオンは訴訟対応の可能性が前提の業務であり、適切に業務遂行をするためには会社法の理解やM&Aに関する裁判実務や判例等の知識も要求される。

CHAPTER

わが国における企業結合会計と無形資産の認識

わが国における企業結合会計は、2003年10月に「企業結合に係る会計基準」（以下「企業結合会計基準」という）が公表されることにより初めて整備された（適用開始は2006年４月から）。それ以前は、旧商法のいわゆる“時価以下主義”の規定を拠り所として、選択的な資産の評価替えが広範に行われていたのが実態であった。

2007年８月の「東京合意」[*1]において、ASBJ（企業会計基準委員会）がわが国の会計基準と国際財務報告基準とのコンバージェンスを、いくつかの段階を踏まえて進めていくことをIASBと合意するなど、2000年代から日本基準と国際的な会計基準とのコンバージェンスが積極的に推し進められている。この中で企業結合会計基準関連は2008年までにコンバージェンスを達成する項目（ステップ１）と2011年までに達成する項目（ステップ２）とが区分されており、前者は2008年12月に完了し2010年４月１日以降開始する事業年度より強制適用となっている。一方ステップ２については、2011年に国際財務報告基準導入に対する慎重意見が優勢となったこともあり、当初予定より２年遅れの2013年９月に改正が公表されるに至った。この改正は2015年４月１日以降開始する連結会計年度および事業年度の期首から適用されている。

2013年におけるステップ２の改正により我が国の企業結合に関する会計基準は国際的な会計基準と多くの点についてコンバージェンスが計られているが、依然としていくつか大きな差異が残っている。そのもっ

＊１　「会計基準のコンバージェンスの加速化に向けた取組みへの合意」（2007年８月８日（ASBJとIASB））

とも大きな差異がのれんの償却であり、国際財務報告基準および米国会計基準がのれんの償却を認めていない[*2]のに対して、わが国の会計基準はのれんを償却する立場をとっている。

一方、無形資産に係る会計基準については、国際財務報告基準ではIAS第38号が、米国会計基準ではASC350が公表されているものの、わが国においては事実上、ソフトウェアと研究開発について研究開発費会計基準が公表されているのみであり、無形資産について包括的に規定した基準はない。ただし、国際財務報告基準とのコンバージェンスを図る観点から、2010年以降、企業結合のステップ２と歩調を合わせる形で、無形資産に関する包括的な会計基準の整備に向けた審議が続けられている。しかしながら、企業結合時に識別される無形資産の取扱いや、他社から研究開発の成果を個別に取得した場合の取扱いが中心的に審議されているものの、どちらも現時点で一定の方向性を打ち出す状況には必ずしも無いとの判断から、本稿執筆の段階では2013年６月に「無形資産に関する検討経過の取りまとめ」が公表されるに留まり、基準の草案を公開するなどには至っていない。

このような状況を踏まえて、本項ではまず、企業結合会計基準等の2013年改正についてその概要を述べた後、わが国における企業結合会計基準等と国際的な会計基準との間に未だ残る主な差異について概括する。また、のれんを含む無形資産については、わが国における取扱いと国際的な会計基準における取扱いの相違という観点から検討を進めたい。

なお、本節において使用している会計基準等の略称は以下のとおりである。

＊２　ただし、米国会計基準においては、ASU第2014-02号の公表により、非公開企業はのれんを定額法により10年（または、より短い期間が適切と立証できる場合にはそれより短い期間）で償却することが認められている。

正式名称	略称
1　企業結合に関する会計基準 （企業会計基準第21号）	企業結合会計基準
2　企業結合会計基準及び事業分離等会計基準に関する適用指針 （企業会計基準適用指針第10号）	適用指針
3　連結財務諸表に関する会計基準 （企業会計基準第22号）	連結会計基準
4　連結財務諸表における資本連結手続に関する実務指針 （会計制度委員会報告第７号）	資本連結実務指針
5　「税効果会計に係る会計基準の適用指針」 （企業会計基準適用指針第28号）	税効果適用指針
6　金融商品に関する会計基準 （企業会計基準第10号）	金融商品会計基準

また、「国際的な会計基準」は、国際財務報告基準および米国会計基準を包括的に意味する用語として使用している。

❶ わが国における企業結合と無形資産に関する会計の特徴

1…2013年改正の概要

企業結合会計基準等の2013年改正は、企業結合会計基準のほか、関連する様々な会計基準の改正と相まっているが、以下では実務上の影響が大きいと思われる改正の概要について述べる。なお、改正後の企業結合会計基準等は2015年４月１日以後開始する事業年度の期首から適用されるが、過年度の企業結合に対する遡及適用については項目ごとに異なっているため、留意が必要である。また、2015年３月31日以前に開始している事業年度については、早期適用の場合を除き、改正前の企業結合会計基準等を適用することとなる。

a．支配が継続している場合の子会社に対する親会社の持分変動

すでに連結している子会社の株式を追加取得した場合や、あるいはその一部を売却した場合、2013年改正前はこれを損益取引として扱い、追

加取得した場合にはのれん（または負ののれん発生益）を認識し、持分の一部を売却した場合には売却損益を認識していた。改正後は、支配が継続している中で行われる持分変動取引は資本取引として、親会社持分の変動額と追加投資額または売却額との差額を資本剰余金として処理することとなった（連結会計基準28、29項、資本連結実務指針37、42項）。

ただし、支配獲得に至った取引とそれ以降の追加取得取引が一つの企業結合を構成しているものと考えられる場合、これら複数の取引を一体の取引として取扱うこととされている。この場合、支配獲得に至った取引を含む複数の取引に係るのれんについて、支配獲得時にそれが計上されていたものとして会計処理する（資本連結実務指針66-4項）。

また、子会社株式の一部売却後も当該子会社に対する支配が継続する場合において、売却持分に係るのれんの未償却額がある場合、2013年改正以前は当該売却持分相当ののれんを減額していたが、改正後はこれを減額せず償却を継続することとされた（連結会計基準66-2項、資本連結実務指針44項）。この変更は、追加取得時にのれんを計上しない処理との平仄をとったものと考えられる。

関連する税効果の取扱いについても改正が行われており、子会社株式の追加取得および子会社株式の一部売却により生じた持分変動による差額に係る税効果の調整は、その相手勘定を資本剰余金として計上することとされている（税効果適用指針27、28項）。

なお、これらの処理などにより資本剰余金がマイナスとなる場合には、資本剰余金をゼロとし、マイナスとなる値を利益剰余金から減額する（資本連結実務指針39-2項）。

b.取得関連費用の取扱い

2013年改正以前は、取得とされた企業結合に直接要した費用のうち取得の対価性が認められるもの（外部アドバイザー費用等）は取得原価に含めることとされていたが、2013年改正により、これらを含む取得関連費用はすべて発生した事業年度の費用として処理されることとなった。

この変更により、例えば個別財務諸表においては子会社株式の取得原価にその取得に関連した費用を含める一方、連結財務諸表においては取得関連費用をその発生した連結会計年度の費用として処理するという修正が必要となる（資本連結実務指針46-2項）。当該処理は、子会社株式を追加取得した場合も同様である。

なお、今回の改正では持分法の会計処理は特段変更されていないため、持分法適用の下で行われる持分の取得および一部売却については依然、損益取引として会計処理される。すなわち、追加取得をした場合はのれん相当額を持分投資において認識し、一部売却の場合は売却損益を認識することになる。また、取得関連費用についても変更はされておらず、関連会社株式の取得原価に含める会計処理が継続される。これは、持分法の投資先には支配が存在していないという考え方が背景にある。

c．非支配株主持分

従来「少数株主持分」とされていた表示は「非支配株主持分」へと変更された。

また、従来は当期純利益が親会社株主に帰属する利益のみを示していた（すなわち、少数株主利益を当期純利益の計算過程で控除していた）が、今回の改正により、当期純利益は非支配株主に帰属する利益も含めた連結グループ全体の利益を示す（すなわち、非支配株主に帰属する利益は当期純利益の計算過程では控除しない）こととなった。この変更により、当期純利益そのものの意味が変わっているため、過年度との業績比較等の財務分析を行う際は留意が必要である。

なお、親会社株主および非支配株主それぞれに帰属する利益は、連結損益計算書に別途表示されることとなる。

d．暫定的な会計処理の取扱い

取得原価の配分に関する暫定的な会計処理の確定が企業結合の翌会計年度に行われた場合、改正前の会計処理では当該処理の確定により生じた差額を確定年度の特別損益に計上することとされていたが、今回の改正により、確定した取得原価の配分額は、比較情報となる企業結合の行われた年度の財務諸表に反映させることとなった。

これらのほか、いくつか細かな改正が行われているが、本書の趣旨に鑑みここでは詳細を割愛する。

2…企業結合に係る日本会計基準と国際的な会計基準の主な差異

前述したとおり、2013年における企業結合会計基準等の一連の改正により、わが国の企業結合に係る会計基準は国際財務報告基準とのコンバージェンスが相当程度達成されてきているが、主として次のような点については未だに両者に差異があるため留意が必要である。

- ◆のれんの償却
- ◆支配が喪失した場合の残存投資の評価
- ◆全部のれん方式の採用
- ◆条件付対価の取扱い
- ◆特定勘定の取扱い

a.のれんの償却

国際的な会計基準ではのれんの償却は認められていないが、わが国の会計基準ではこれを20年以内の一定期間にわたって償却することが求められている。のれんを非償却とすべきか否かという点について、ASBJでは以前より継続的な審議をしてきたが、未だ当該会計基準を「改正することについて市場関係者の合意形成が十分に図られていない状況にあると考えられる」（企業結合会計基準64-3項）との判断から2013年改正においても償却処理を継続することとされた。なお、ASBJなどの提案に基づきIASBはのれんを非償却とするIFRS第３号の取扱いに係る適用後レビューを行った。IASBによる情報要請に対するASBJのフィードバックおよびその後IASBにより公表されたIFRS第３号適用後レビューの概要については第５節を参照のこと。

Column わが国の会計基準はなぜのれんを償却するのか

のれんを償却資産とする日本会計基準は、企業結合においてのれんと無形資産の区分を積極的に行う必要性が低いと言われることが多い。すなわち、わが国の会計基準では最終的にのれんが償却されてしまうため、たとえ無形資産の認識を詳細に行わなくても、(また従来であれば負ののれんを貸借対照表に計上しても)、米国会計基準や国際財務報告基準ほど問題にならなかったのである。このことは、わが国における無形資産会計の発展が米国会計基準や国際財務報告基準に比して遅れていることと無関係ではないと思われる。

日本会計基準がのれんの償却を求めているのは、主として以下の理由によるものである(企業結合会計基準105項)。

- 自己創設のれんの実質的な資産計上を防ぐことができる(企業結合により生じたのれんは時間の経過とともに自己創設のれんに入れ替わる可能性がある、という考え方)。
- 規則的な償却を行うことにより、企業結合の成果たる収益と、その対価の一部を構成する投資消去差額の償却という費用の対応が可能になる。
- 投資原価を超えて回収された超過額を企業にとっての利益とみる考え方と整合する。

一方、のれんの償却を行わないことは以下の問題があるとしている(企業結合会計基準106項)。

- 競争の進展に伴うのれんの価値の減価の過程を無視することになる。
- 超過収益力が維持されていると考えるにしても、企業の追加的努力等によって補完されているのであり、その意味で自己創設のれんを計上することと実質的に等しくなる。

2008年の企業結合会計基準等の改正時には、のれんの償却に関する国際的な会計基準とのコンバージェンスはステップ2として将来的な検討事項とされていたが、ステップ2においてもわが国の会計基準ではのれんを償却する立場を継続している。なお、のれんの償却に関する議論の詳細については第5節も参照されたい。

b. 支配が喪失した場合の残存投資の評価

国際的な会計基準では、子会社に対する支配を喪失した場合、残存投資については評価替えを行う。例えば、完全子会社の株式の60％を他社に売却したことにより、残存投資である40％部分を関連会社として持分法で評価することとなった場合、当該40％部分について国際的な会計基準は支配喪失時の公正価値で評価する。一方、わが国の会計基準ではいわゆる"連結上の簿価"で評価することとなり、支配喪失日までの連結財務諸表に計上した取得後利益剰余金およびその他の包括利益累計額ならびにのれん償却累計額の合計額等のうち、売却後の持分に相当する額（本例では40％相当）を、個別貸借対照表の帳簿価額に加減した額となる。

ASBJは、残存投資に係る評価替えについては、事業分離等会計基準や金融商品会計基準等の他の会計基準にも影響する横断的な論点であること、また、段階取得の検討経緯を踏まえると実務における段階取得の適用状況を検討すべきとの意見への対応から、今後の企業結合に係る実態調査を踏まえて会計処理の検討に着手する時期を判断するとしている。

c. 全部のれん方式の採用

全部のれん方式を採用するか否かは、支配獲得時において非支配株主持分についても公正価値評価を行うか否かという点に因る。すなわち、国際財務報告基準では企業結合時に非支配持分を（ i ）公正価値、または（ ii ）被取得企業の識別可能純資産の認識金額に対する比例持分のどちらかで評価することを求めており、米国会計基準では公正価値で評価することが求められている。非支配持分について公正価値で評価した場合、連結財務諸表で認識されるのれんは親会社持分のみならず、非支配持分に係る分も含まれることになる（全部のれん）。

日本会計基準では2013年改正後も、非支配持分については国際財務報告基準でいう上記（ ii ）に相当する方法、すなわち"時価純資産の非支配持分相当額"で評価されることになるため、連結財務諸表で認識されるのれんは親会社持分に相当する部分のみ（部分のれん）となる。

d．条件付対価の取扱い

条件付対価とは、「企業結合契約締結後の将来の特定の事象又は取引の結果に依存して、企業結合日後に追加的に交付又は引き渡される取得対価」（企業結合会計基準95項）である。国際的な会計基準では、条件付対価は企業結合時の公正価値で測定され、その後の公正価値の変動は条件付対価の性質に応じて純損益またはその他の包括利益で認識される[*3]。一方、日本会計基準では「条件付取得対価の交付又は引渡しが確実となり、その時価が合理的に決定可能となった時点で、支払対価を取得原価として追加的に認識するとともに、のれんを追加的に認識する又は負ののれんを減額する」（企業結合会計基準27項(1)）とされている。なお、条件付取得対価が特定の株式または社債の市場価格に依存する場合については別途基準が設けられている（企業結合会計基準27項(2)）。

e．特定勘定の取扱い

取得後に発生することが予測される特定の事象に対応した費用または損失であり、その発生の可能性が取得の対価の算定に反映されている場合には、「企業結合に係る特定勘定」という名称の負債として取得原価の配分に際して認識することとされている（企業結合会計基準30項、適用指針62～66項）。

この特定勘定は、具体的には被取得企業の偶発損失、将来に予定しているリストラ等に係る費用などが念頭に置かれている。企業結合の対価を決定する交渉の過程では、一般的な会計基準より負債の概念を拡げて企業（事業）価値を考慮する実務が定着しており、企業結合会計でもそれを反映させたものといえよう。

ただし、無制限に負債を認識することでのれんの金額を恣意的に決定することを防ぐ必要があるため、特定勘定は「予測される特定の事象に対応」していることが必要であり、かつ「その発生の可能性が取得の対

＊3　なお、条件付対価が資本として分類された場合（例えばオプションが発行される場合など）は、再測定してはならないとされている（IFRS第３号58項）

価の算定に反映されている場合」に限定している。特に、後者については、以下のいずれかの要件を満たしている必要がある。

- ◆当該事象およびその金額が契約条項等で明確にされていること
- ◆当該事象が契約条項等で明確にされ、当該事象に係る金額が対価の算定にあたり重視された資料に含まれ、当該事象が反映されたことにより、取得の対価が減額されていることが取得企業の取締役会議事録等により確認できること
- ◆当該事象が取得の対価の算定にあたって考慮されていたことが企業結合日現在の事業計画等により明らかであり、かつ当該事象に係る金額が合理的に算定されていること

なお、3番目の要件は前2者より広い概念であるため、3番目の要件に基づいて特定勘定を計上する場合には「のれんが発生しない範囲で評価した額に限る」という制限がかかっている。

特定勘定は仮勘定であり、負債または引当金としての計上要件を満たすことになった時点でそれらの科目に振り替えられ、時の経過とともに特定勘定は消滅することとなる。

一方、IFRS第3号およびASC805において、わが国における特定勘定に相当する負債を認識することは認められていない。例えば、被取得企業に係る取得後のリストラ費用であっても、それが国際財務報告基準ないしは米国会計基準における負債概念に合致する場合のみ、それを公正価値により評価して企業結合取引による引受負債として計上する。

3…無形資産の取扱い

a.企業結合会計基準における無形資産

企業結合会計基準においては、法律上の権利など分離して譲渡可能な無形資産は識別可能なものとして扱われ、取得原価配分の対象資産として認識することが求められている。具体的に適用指針に例示されている無形資産を次ページの表に示している（適用指針58、367、368項）。

企業結合会計基準の2008年改正以前は、無形資産について詳細な会

法律上の権利	●特許権、実用新案権、商標権、意匠権などの産業財産権 ●著作権 ●半導体集積回路配置 ●商号 ●営業上の機密事項 ●植物の新品種　　　　　　　　　　等
分離して譲渡可能な資産	●ソフトウェア ●顧客リスト ●特許で保護されていない技術 ●データベース ●企業結合により受け入れた研究開発の途中段階の成果　　　　　　　　　　　等
無形資産の認識要件を満たさないものの例	●法律上の権利等による裏付けのない超過収益力 ●被取得企業の事業に存在する労働力の相乗効果（リーダーシップやチームワーク）

計基準が定められていない等の理由により、識別可能なものであっても、取得原価を配分することが“できる”とする容認規定であった。2008年改正では識別可能な無形資産の認識を原則として求めており、これは後述する仕掛中の研究開発について資産計上を求める趣旨を損なわないように無形資産についても見直しを行ったものと考えられる。すなわち、仕掛中の研究開発に係る取扱いの改正の目的を勘案すると、識別可能と判断された無形資産についてそれを計上するか否かという選択肢を与えるべきではないとの考えから、“できる”との容認規定ではなく、原則的な取扱いに変更された。

また、識別可能要件について、2008年改正以前は「法律上の権利」または「分離して譲渡可能」という２つの要件が並列していたが、2008年改正では「法律上の権利など分離して譲渡可能な無形資産」としており、分離して譲渡可能か否かという実質面で判断され、法律上の権利は概念上、分離可能性要件に含められた。例えば業務委託契約や請負契約などの「独立第三者と締結した契約に基づく権利で未履行のもの」は、2008

年改正前の適用指針では法律上の権利として認識される無形資産の例としてあげられていたが、改正に伴ってこれが削除されている。このような権利は必ずしも分離して譲渡可能な法律上の権利とはいえないとの判断によるものと考えられるが、このような変更の趣旨は上述した容認規定を原則的な取扱いとしたことにより個別に識別すべき無形資産の範囲が従来の実務に比べて著しく広がることを懸念したためと言われている。そのため、仕掛中の研究開発以外の無形資産については、2008年の改正範囲には含まれておらず、無形資産に係る包括的な会計基準が公表される前に企業結合時における無形資産の取扱いを大きく変更せずに、優先順位が高いと考えられる仕掛中の研究開発に焦点を絞った改正となっている。そのため、形式的に「法律上の権利」に該当すれば直ちに識別可能な無形資産として個別に計上することを求めるのでなく、実質的に分離可能かどうかによって判断することが求められていると考えられる。

さらに、無形資産を計上すべき典型的な例として、特定の無形資産を受け入れることが企業結合の目的の１つであり、その無形資産の金額が重要になると見込まれる場合をあげており、このような場合は分離して譲渡可能なものとして取り扱うこととされている（適用指針59-2項）。これは、本来識別すべき無形資産であっても実際には分離可能とは言い難い場合もあるのではないかとの指摘について、一定の場合には分離可能なものとして取り扱わなければならない旨を明示したものと考えられる。

ただし、特定の無形資産を目的とした場合に限らず、例えば実際に企業結合後の事業活動で利用することになる重要な無形資産が含まれていたことが判明した場合や、市場で売却することになる重要な無形資産が含まれていることが判明しているような場合には、識別可能である限り無形資産として計上するべきと考えられる。

実務上は、企業結合に際して取得企業が外部の第三者専門機関による評価報告書を入手し、そこに記載される権利等については通常、企業結合の当事者間で合意され、かつ取得企業の取締役会等の適切な意思決定機関において承認がなされるものと考えられるため、企業結合時には無形資産として計上することになると考えられる。言い換えれば、評価報告書に記載されている権利等をのれんに含めたままとすることは考え難い。すべての企業結合においてこのような評価報告書の入手が要求されているわけではないが、識別可能な無形資産を認識することを原則とした2008年の改正以降、我が国における国際財務報告基準の導入が進んでいることと相まって、このような無形資産の実務は着実に定着してきている。

b. 企業結合により受け入れた研究開発の途中段階の成果

企業結合会計基準においては、仕掛中の研究開発＊4のうち識別可能要件を満たすものは時価で資産計上することが求められている。この会計処理は、実質的にはIFRS第３号およびASC805と同様の取扱いとなっている。

なお、2008年改正以前は、研究開発費等に配分された取得原価はその配分と同時に費用として処理することが求められていた。また、認識される仕掛中の研究開発は、被取得企業における研究開発活動がほとんど最終段階にある場合を想定しており、例えば出願審査中の特許を受ける権利や、臨床試験終了後当局に申請中の新薬などを例示していたが、2008年改正によって仕掛中の研究開発はこのような最終段階にあるもののみならず、それ以前の段階であっても無形資産として識別可能であるならば認識することとなっている。

c. いわゆるブランドの取扱い

適用指針においては、企業結合によって受け入れた、いわゆるブランドについて、のれんと区分して無形資産として認識可能かどうかという点について言及している。

ブランドは、プロダクト・ブランドとコーポレート・ブランド（企業

＊4　企業結合会計基準での名称は「企業結合により受け入れた研究開発の途中段階の成果」であるが、本書ではより一般的な「仕掛中の研究開発」を用いている。

または企業の事業全体のブランド）に分けて説明されることがある。両者は商標権または商号としてともに法律上の権利の要件を満たす場合が多いと考えられるが、無形資産として認識するためには、その独立した価額を合理的に算定できなければならない。

適用指針は、このうちコーポレート・ブランドの場合には、それが企業または事業と密接不可分であるため、無形資産として計上することは通常困難であるが、無形資産として取得原価を配分する場合には、事業から独立したコーポレート・ブランドの合理的な価額を算定でき、かつ、分離可能性があるかどうかについて留意する必要があるとしている（適用指針370項）。

d.国際的な会計基準との対比

国際財務報告基準ではIAS第38号が、米国会計基準ではASC350が無形資産に係る包括的な取扱いとして公表されているのに対して、わが国においては包括的な取扱いを定めた基準が公表されていない。また、前述したとおり無形資産の識別可能要件については、IFRS第３号およびASC805ともに「契約法律規準」と「分離可能性規準」を並列するものの、むしろ「契約法律規準」を優先的に適用している。さらに、IFRS第３号およびASC805においては、無形資産に係る信頼性のある公正価値は、識別可能要件を充足すれば測定可能であるとの考え方を採用し測定自体の実行可能性に触れていないのに対して、日本会計基準では、独立した価格を合理的に算定できることが無形資産認識の重要な前提であることを明示的に示しており（適用指針59項）、それは「取締役会その他の会社の意思決定機関において、当該無形資産の評価額に関する多面的かつ合理的な検討を行い、それにもとづいて企業結合が行われたと考えられる」場合などと説明している（適用指針367-2項）。このような取扱いの相違により、わが国において実務上認識されている無形資産の範囲は、国際財務報告基準や米国会計基準に基づいた場合よりも狭く解釈されているものと考えられる。

❷ のれんおよび無形資産に係る取得後の会計処理

以下では、企業結合会計基準におけるのれんと無形資産に係る取得後の会計処理について見ていくこととする。

1…のれんの会計処理

a.のれんの償却

企業結合において資産に計上されたのれんは、20年以内のその効果の及ぶ期間にわたって、定額法その他の合理的な方法により規則的に償却する（企業結合会計基準32項）。この点は、国際的な会計基準と日本会計基準が大きく相違する点であることは、すでに述べた。なお、のれんの償却は企業結合日から開始され、重要性が乏しいと認められる場合には一括してのれんが発生した年度の費用として処理できる。また、のれんの償却期間および償却方法は、企業結合ごとに決定される。

b.のれんの減損

のれんの未償却残高は減損処理の対象となり、「固定資産の減損に係る会計基準（企業会計審議会、平成14年）」および「固定資産の減損に係る会計基準の適用指針（企業会計基準適用指針第６号）」に基づいて会計処理することになる。

のれんの減損の兆候については、上記の会計基準で示されている例示に加えて、改正された適用指針では特に以下の場合には企業結合会計年度であっても減損の兆候が存在すると考えられるときがあるとされているため、留意が必要である（適用指針77項）。

- 取得原価のうち、のれんやのれん以外の無形資産に配分された金額が相対的に多額になる場合
- 被取得企業の時価総額を超えて多額のプレミアムが支払われた場合や、取得時に明らかに識別可能なオークションまたは入札プロセスが存在していた場合

なお、のれんの減損については、日本会計基準、国際財務報告基準お

よび米国会計基準の３者間で取扱いが大きく異なっている。その概要は以下の表にまとめているが、日本会計基準と他の２つの会計基準との対比で考えれば、まず米国会計基準との間ではASC350がレポーティングユニット全体の公正価値と帳簿価額を比較することを求めている点が大きく異なる。また、国際財務報告基準との間では、IFRS第３号は非支配株主持分について被取得企業の純資産時価（公正価値）に対する非支配株主持分割合で評価することを認めているものの、減損損失の認識の要否の判定においては非支配株主持分に帰属するのれん相当分を資産グループ（現金生成単位）においてグロスアップすることを求めている点、およびIAS第36号では減損損失の認識の要否を判定する場合にも割引後キャッシュ・フローを使用する点が大きく異なる。

〈のれんの減損会計〉

項　目	国際財務報告基準	米国会計基準	日本会計基準
のれんの配分先	資金生成単位（CGU）一内部管理目的でのれんをモニターする場合の最小単位（ただし、事業セグメントよりも大きな単位ではない）	レポーティングユニット（RU）一事業セグメント、またはその１つ下の構成要素	事業または資産グループ一のれんは事業または資産グループに配分されるが、減損損失を認識するかどうかの判定は、共用資産と同様に、関連する複数の事業または資産グループに、のれんを加えた、より大きな単位で行う
減損テストの実施時期	年１回の一定の時期、および公正価値に影響を与える事象が起きた時		減損の兆候がある場合

項　目	国際財務報告基準	米国会計基準	日本会計基準
減損テストの実施方法	のれんを配分したCGUごとに、回収可能価額と帳簿価額とを比較する	**ステップ1**　RU全体の公正価値を算定し、のれんを含むRUの帳簿価額と比較する。前者<後者の場合にステップ2に進む **ステップ2**　RUに帰属するすべての資産・負債に公正価値を配分した結果としてのれんの公正価値を求め、そののれんの帳簿価額と比較する。前者<後者の場合にその差額を減損損失として認識する	**減損損失の認識の要否の判定**　のれんを配分した事業または資産グループごとに、割引前キャッシュ・フローと帳簿価額とを比較する。前者<後者の場合に減損損失を認識する **減損損失の測定**　のれんを配分した事業または資産グループについて算定した回収可能価額と帳簿価額との差額を減損損失として計上する
非支配持分に係るのれんの取扱い	非支配株主持分を公正価値で評価した場合は米国会計基準と同様。 非支配持分を被取得企業の純資産公正価値に対する非支配持分割合で測定している場合、のれんは非支配持分相当をグロスアップして減損テストを行う	（非支配株主持分の測定については公正価値評価のみを認めているため、問題とならない）	（非支配株主持分に帰属するのれんの概念がないため該当なし）
減損損失の戻し入れ	認められない		

2…無形資産の会計処理

a.無形資産の償却

企業結合により取得された無形資産は、その有効期間にわたり、一定の減価償却の方法によってその取得原価を各事業年度に配分する。しかし日本会計基準においては、無形資産に係る包括的な基準が現時点では確立されていない。

仕掛中の研究開発については、企業結合後の使用実態に基づきその有効期間にわたって償却処理されることになるが、その研究開発が完成するまでは償却を開始しない点に留意が必要である（適用指針367-3項）。

なお、国際財務報告基準および米国会計基準においては取得した無形資産を償却性無形資産か非償却性無形資産のいずれかに分類する必要がある。非償却性無形資産は、有効期間が無限であることを証明することが要求されるのではなく、有効期間が確定できない場合にも非償却性資産として区分されることになる。

b. 無形資産の減損

取得した無形資産の減損については、他の固定資産と同様の減損処理を行うことになる。国際財務報告基準および米国会計基準との相違点は以下の表にまとめたとおりである。

〈無形資産の減損会計〉

項目	国際財務報告基準		米国会計基準		日本会計基準
	償却性無形資産	非償却性無形資産	償却性無形資産	非償却性無形資産	
減損テストの実施時期と頻度	その無形資産に減損の兆候が認められた場合に限られる	年1回の一定の時期、または減損の兆候が認められる場合	その無形資産に減損の兆候が認められた場合に限られる	年1回の一定の時期、または減損の兆候が認められる場合	減損の兆候が認められる場合
減損テストの方法	回収可能価額と資産簿価を比較		2ステップの減損テスト	1ステップの減損テスト	2ステップの減損テスト
減損損失の戻入	毎期末、減損損失を引続き認識すべきかを評価し、減損が認められない場合には戻入を行わなければならない		認められない		認められない

❸ 取得時の会計処理の手順

「２　国際財務報告基準における企業結合会計」および「３　米国会計基準における企業結合会計」で示した取得の会計処理の手順に準じてわが国の企業結合会計における取得の手順を示すと以下のとおりとなる。

ステップ１　企業結合取引か否かの判定
ステップ２　取得企業の決定
ステップ３　企業結合日の決定
ステップ４　被取得企業の取得原価の決定
ステップ５　取得原価の被取得企業の資産および負債への配分
ステップ６　のれんと負ののれんの認識と測定
ステップ７　事後の測定と会計処理

以下では、それぞれステップについて、これまでに述べた事項以外の部分について、その概要を見ていくこととする。

ステップ１ 企業結合取引か否かの判定

企業結合会計基準では「企業結合」を、ある企業または事業と他の企業または事業とが１つの報告単位に統合されることとしている。また、「事業」とは企業活動を行うために組織化され、有機的一体として機能する経営資源であるとされている。

IFRS第３号およびASC805では、事業（business）について「インプット」と「プロセス」をキーワードとした比較的詳細な定義付けと説明を行っているが、日本会計基準においては事業について詳細な説明が行われていない。その意図する対象が両者で大きく異なるものではないと考えられるものの、IFRS第３号およびASC805においては、取得した一連の活動と資産が事業に該当するか否かは、結合当事者がそれを事業として考えるか否かによるのではなく、一般的にそれが事業として運営可能か否かに基づいて判断される点に留意することが必要である。わが国の会計慣行においては、一般的に取得企業が取得した経営資源（または活動と資産）を事業と考えれば企業結合取引の会計処理を行い、単なる資産の購入と考えればそのように会計処理していると思われる。実務においてこの相違が会計処理に影響することはまれであると考えられるが、一方でこの影響があると考えられる取引の場合には、それを企業結合取引と考えるか単なる資産の売買取引と考えるかは大きな違いであるため慎重な判断が必要となる。

なお、企業結合会計基準では共同支配企業の形成と共通支配下の取引も「企業結合」の定義に該当するとしており、同一の会計基準内でその会計処理を定めている（企業結合会計基準66項）。一方、国際的な会計基準は「企業結合」を、取得企業が１つ以上の事業の支配を獲得する１つの取引またはその他の事象と理解しているため、これらの取引は企業結合取引に該当しないとして対象範囲から除外している。

ステップ2 取得企業の決定

企業結合会計基準では、「取得とされた企業結合においては、いずれかの結合当事企業を取得企業として決定」し、支配獲得の判定にあたっては、「連結財務諸表に関する会計基準（改正企業会計基準第22号）」の考え方を用いるとしている。この考え方は国際的な会計基準も同様であり、各会計基準における連結会計基準が取得企業の判定には用いられている。ただし、国際的な会計基準における連結会計基準の改正などの影響から、必ずしも支配獲得の判定が各基準で同一となるとは限らない。

なお、連結会計基準の考え方によってどの結合当事企業が取得企業となるかが明確にならない場合、以下の要素を考慮するとされている（企業結合会計基準18～22項）。

(1)　主な対価として、現金もしくは他の資産を引き渡すまたは負債を引き受けることとなる企業結合の場合には、通常、当該現金もしくは他の資産を引き渡すまたは負債を引き受ける企業が取得企業となる。

(2) 主な対価が株式である場合には、通常、当該株式を交付する企業が取得企業となる。ただし、必ずしも株式を交付した企業が取得企業にならないとき（逆取得）もあるため、対価の種類が株式である場合の取得企業の決定にあたっては、次のような要素を総合的に勘案しなければならない。

◆総体としての株主が占める相対的な議決権比率の大きさ

◆最も大きな議決権比率を有する株主の存在

◆取締役等を選解任できる株主の存在

◆取締役会等の構成

◆株式の交換条件

(3) 結合当事企業のうち、いずれかの企業の相対的な規模（総資産や売上高、純利益など）が著しく大きい場合には、通常、当該相対的な規模が著しく大きい結合当事企業となる。

(4) 結合当事企業が３社以上である場合は、(3)に加えていずれの企業がその企業結合を最初に提案したかについても考慮する。

また、企業結合会計基準では、企業結合には「持分の結合」という経済実態を有するものが存在するとの考えは継続しながらも、共同支配企業の形成および共通支配下の取引以外の企業結合における持分プーリング法の適用は2008年改正以降認められていない。

Column 持分プーリング法が認められなくなった理由

IASBおよびFASBは、主に次のような理由により持分プーリング法の適用は認めるべきではないとしている。

(1) 合併と取得は経済的に同様であること

合併のように、所有者持分が継続しており新たな資本投下もない場合には持分プーリング法が適切と言われることもあるが、合併後のそれぞれの所有者持分は変化しており、企業結合前の純資産に対して排他的な持分を有することはないため、合併が経済的に取得と異なるものではない。

(2) 提供される情報が意思決定に有用ではないこと

現金生成能力という観点から、持分プーリング法により帳簿価額で記帳された純資産が提供する情報の有用性は、パーチェス法に比して低いと考えられる。

(3) 取得原価モデルと整合しないこと

交換取引は、交換する項目の時価によって会計処理することが一般的な概念である。

(4) 取得企業の識別は実行不可能ではないこと

取得企業の識別が困難な場合もあるが、実行不可能ではないため、このことをもって持分プーリング法を認めるべきではない。

また、パーチェス法を採用する積極的な理由としては、資産の購入取引等に対して一般的に適用する会計処理と整合するものであり、会計情報の比較可能性が確保されること、および取得した資産等のほとんどすべてを公正価値により認識することにより、将来キャッシュ・フローの価値に関するマーケットの期待についてより多くの情報を財務諸表に表すことができることをあげている。また、２つの方法を認めることは経営者による裁量の余地が働く可能性があるといった懸念も示されていた。

ステップ3 企業結合日の決定

企業結合日は、被取得企業若しくは取得した事業に対する支配が取得企業に移転した日、又は結合当事企業の事業のすべて若しくは事実上すべてが統合された日であり（企業結合会計基準15項）、IFRS第3号およびASC805における取得日と実質的な相違はないものと考えられる。企業結合会計基準および適用指針において企業結合日についての詳細な説明はないが、実務上はわが国においても基本的にクロージング日が企業結合日になるものと考えられる。

ステップ4 被取得企業の取得原価の決定

被取得企業または取得した事業の取得原価は、原則として、取得の対価（支払対価）となる財の企業結合日における時価で算定する。現金以外を対価とする場合には、支払対価となる財の時価と被取得企業または取得した事業の時価のうち、より高い信頼性をもって測定可能な時価で算定する（企業結合会計基準23項）。また、市場価格のある取得企業等の株式が取得の対価として交付される場合、その時価は原則として企業結合日における株価を基礎として算定する（企業結合会計基準24項）。

なお、2013年改正以降、企業結合に直接関連する支出であっても発生時の費用として処理することとされたため、これらの費用が取得原価を構成しないことは前述の通りで、国際的な会計基準と同じ取扱いである。

その一方で、条件付取得対価についてはその交付または引渡しが確実となり、その時価が合理的に決定可能となった時点で追加的に認識する、という日本会計基準の取扱いは国際的な会計基準と相違している。条件付取得対価は時価評価の対象ではないため、暫定処理の対象となっていない。

ステップ5 取得原価の被取得企業の資産および負債への配分

取得原価は、識別可能資産および負債に対して、それらの企業結合日における時価を基礎として配分する（企業結合会計基準28項）。識別可能資産および負債は、被取得企業の企業結合日前の貸借対照表において計上されていたか否かに関わらず、日本会計基準において資産または負債として認められるものであれば認識する必要がある（適用指針52項）。

取得原価を被取得企業の資産および負債へ“配分”するという手続は、実際の実務においては識別可能資産および負債の時価を算定し、その金額で取得企業あるいは結合後企業の財務諸表に計上するという手続である。わが国においてもこの手続をパーチェスプライスアロケーション（Purchase Price Allocation／PPA）と呼ぶことが多いが、これは前述した企業結合という事象を説明するうえでの理論上の概念であり、実際の会計処理において、例えば何らかの係数を用いた配分計算を行うというようなことを意味しているのではない。

取得原価の配分の基礎となる時価については、観察可能な市場価格の有無を最初に検討し、そのような市場価格が存在しない場合には、合理的な算定方法として資産評価実務で使われる、例えば以下に例示しているような手法を利用して算定する（適用指針53項）。

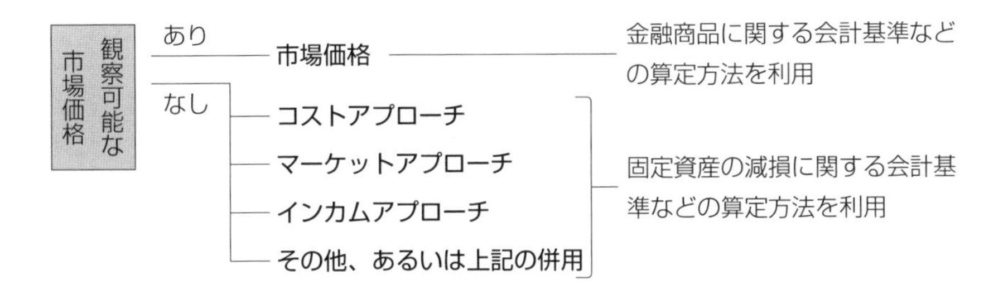

簡便的な取扱いとして、被取得企業が記録した帳簿価額が一般に公正妥当と認められる企業会計の基準に準拠しており、かつ帳簿価額と時価との差額が重要ではないと考えられる場合には、その資産または負債については帳簿価額を基礎として取得原価の配分額を算定することができる（適用指針54項）。この簡便的な取扱いを適用できるのは、主に流動資産や流動負債の項目と考えられる。

なお、以下にいくつか留意すべき事項を記載する。

i　時価が一義的に定まりにくい資産への配分額の特例

大規模工場用地や、近郊が開発されていない郊外地などの特殊な土地は、実務上は不動産鑑定を行っても時価が一義的には定まりにくいことが多い。そのような資産を時価評価した結果、負ののれんが多額に発生するということも起こり得る。そのような状況が見込まれる場合には、負ののれんが発生しない範囲で評価した額、すなわち時価評価額より低い評価額を合理的なものとして扱うこともできるとされている（企業結合会計基準103項、適用指針55項)。これは、議論の余地のある時価評価額よりも実際の企業結合の取得原価の方が合理性が高いと考えられるためである。つまり「企業結合条件の交渉過程で当該資産はもともと低く評価されていた」（適用指針364項）と考えている。

IFRS第３号およびASC805ではこのような特例を明示的に定めた規定はないが、負ののれんが生じる場合には、識別可能資産および負債の測定にあたり、考慮すべきすべての情報が考慮されているかどうかを確認することが求められている。

ii　引き受けた負債への取得原価の配分

わが国には、負債の時価評価についての会計基準が存在しない。金融商品会計基準も、買掛金などの営業債務、借入金などの金融負債を時価評価の対象としていない。したがって企業結合に際しても、時価の存在する社債や固定利率の借入のような場合を除いてはあまり時価評価されないと考えられる。

ただし、借入金と紐付きの金利スワップ等のデリバティブを時価評価する場合には、借入金自体もディスカウンテッド・キャッシュ・フロー法などにより時価評価する方が適切と考えられる。測定時点の市場金利により、借入金と紐付きのデリバティブは含み損益を抱えることになるが、片方が益ならば他方は損、という関係になる。そのため一方だけを時価評価することは適切ではない。

iii　企業結合に係る特定勘定

前述したとおり、取得後に発生することが予想される特定の事象に対応した費用または損失であり、その発生の可能性が取得の対価の算定に反映されている場合には、「企業結合に係る特定勘定」という名称を付した負債として取得原価の配分に際して認識する。特定勘定は仮勘定であり、負債または引当金としての計上要件を満たすことになった時点でそれらの科目に振り替えられ、時の経過とともに特定勘定は消滅することとなる。

以上から、企業結合に際しての企業価値評価で考慮される負債には、①一般の財務会計の負債概念に合致するもの、②企業結合に係る特定勘定の対象となるもの、③それら以外、の３種類に区分できると考えられるが、このうち、取得原価の配分対象となるのは①と②である。この点、IFRS第３号およびASC805においては、上記の①についてのみ計上することが認められており、企業結合取引による引受負債の範囲が狭くなる。

ステップ6　のれんと負ののれんの認識と測定

取得原価が、受け入れた資産および引き受けた負債に配分された純額を上回る場合には、その超過額はのれんとなり、下回る場合は負ののれんとなる（企業結合会計基準31項）。

のれんは、資産に計上し、原則として20年以内のその効果の及ぶ期間にわたって、定額法その他の合理的な方法により規則的により償却される。ただし、のれんの金額に重要性が乏しい場合には、当該のれんが生じた事業年度の費用として処理することができる。一方、負ののれんが生じる場合には、取得原価の配分が適切に行われていることを見直したうえで、それでもなお解消しない場合には利益として処理する（企業結合会計基準32、33項）。

ステップ7　事後の測定と会計処理（暫定的な会計処理の取扱い）

取得原価の配分は、企業結合日以降１年間は暫定的な処理を行うことが許容される。すなわち、企業結合日以降の決算において配分が完了していなかった場合はいったん暫定的な会計処理を行い、その後追加的に入手した情報等に基づいて配分額を確定することができる（企業結合会計基準注６）。原則として暫定的な会計処理は、取得原価の配分額の算定に困難な理由があるときのみ容認される。したがって、被取得企業の帳簿価額に基づく取得原価の簡便的な配分処理を適用した場合には、暫定的な会計処理は認められない（適用指針378項）。

暫定的な会計処理による配分額の修正は、のれんまたは負ののれんの調整として反映される。ただし、例えば企業結合後に貸倒れが発生したが、それが対象となる営業債権の時価ないしは貸倒引当金（簡便的な処理を適用した場合）において考慮されていなかった場合には、この貸倒損失は取得企業の損失として処理しなければならず、これをのれんに振替えて資産に計上することは認められない。IFRS第３号およびASC805においても、取得日以降１年間は公正価値の測定期間として認められているため、実質的な取扱いは日本会計基準と同様である。

❹ 連結財務諸表における在外子会社の会計処理

1…現地主義の廃止

連結財務諸表の作成にあたり、同一環境下で行われた同一の性質の取引等については、親会社および子会社の採用する会計処理の原則および手続は統一することが原則である（連結会計基準17項）。従来は、この原則を取りつつも当面の取扱いとして、会計先進諸国に存する在外子会社がその所在地国において一般に公正妥当と認められた企業会計の基準に基づいて作成した財務諸表を、そのまま連結財務諸表において取込むこと（現地主義）も容認されていた。

これについてASBJは「連結財務諸表作成における在外子会社の会計処理に関する当面の取扱い」（実務対応報告第18号、以下「18号報告」という）を公表し、現地主義を廃止し日本会計基準に統一することを原則とするものの、国際財務報告基準または米国会計基準に準拠した在外子会社の財務諸表等の利用を、一定の調整を条件に認めるとしている。ただし、この規定は当面の取扱いという位置付けにあり、今後のわが国の会計基準と国際的な会計基準とのコンバージェンスの進展に応じてその取扱いが見直されるものと考えられる。

2…国際財務報告基準・米国会計基準と調整すべき項目の取扱い

18号報告の適用により、在外子会社の財務諸表についてもわが国における一般に公正妥当と認められる企業会計の基準（日本会計基準）に準拠した会計処理に修正したうえで連結財務諸表を作成することが原則とされる。ただし、国際財務報告基準および米国会計基準に準拠して作成された在外子会社の財務諸表については、以下の４項目について日本会計基準への修正を行うことにより、連結財務諸表に取り込むことが認められている。これは、これらの項目以外の修正を認めない趣旨ではなく、これら以外の項目について日本会計基準に修正することを妨げるものではない。

以下、修正すべき４項目について概観していく。

a.のれんの償却

すでに述べたように、国際財務報告基準および米国会計基準においてはのれんの償却が行われていない。したがって、在外子会社におけるのれんは連結決算手続上、企業結合会計基準に基づいて、計上後20年以内の償却処理を行うことが求められる。

b.退職給付会計における数理計算上の差異の費用処理

在外子会社が退職給付会計における数理計算上の差異をその他の包括利益で認識し、その後費用処理を行わない場合には、これを平均残存勤務期間以内の一定の年数で規則的に処理する方法により、当期の損益とするよう修正する。

c.研究開発費の支出時費用処理

在外子会社において、「研究開発費等に係る会計基準」（企業会計審議会）

における研究開発費に該当する支出を資産に計上している場合には、連結手続上その支出は費用として処理するように修正する。

d.投資不動産の時価評価

在外子会社において、投資不動産の時価評価を行っている、または固定資産について再評価モデルを採用している場合には、連結決算手続上、取得原価を基礎とした価額に修正する必要がある。償却すべき資産については取得原価に基づいた償却費を計上するように修正する。

Column 監査上の主要な検討事項（KAM）とは？

監査上の主要な検討事項（Key Audit Matters、以下「KAM」とする）とは、2018年7月に日本公認会計士協会から公表された「独立監査人の監査報告書における監査上の主要な検討事項の報告」（監査基準委員会報告書701）に基づき、2021年3月期決算から金融商品取引法上の監査報告書に会計監査人が記載しなくてはならない事項である。

KAMは「当年度の財務諸表の監査において、監査人が職業的専門家として特に重要であると判断した事項」*1と定義され、「監査人が監査役等とコミュニケーションを行った事項」*1から監査報告書に記載する事項を決定する。

KAMの報告の目的は、監査に関する透明性を高めることにより、監査報告書の価値を向上させることにある。具体的には、KAMの報告により、財務諸表の利用者が、①財務諸表監査において監査人が職業的専門家として特に重要であると判断した事項を理解するための追加的な情報が提供される、②企業や監査済財務諸表における経営者の重要な判断が含まれる領域を理解するのに役立つ場合がある、とされている*2。

会計監査の透明性や信頼性確保に向けた取り組みとしては、これまでも金融庁から公表された「会計監査の在り方懇談会の提言」（2016年3月）を受け、「監査法人の組織的な運営に関する原則≪監査法人のガバナンス・コード≫」（2017年3月）や「監査法人のローテーション制度に関する調査報告」（第一次報告：2017年7月）（第二次報告：2019年10月）等が公表されていたが、今回のKAMも、2016年の提言を踏まえた取り組みの一つとして策定されたものである。

海外では、同様な取り組みが、英国では2012年10月１日以降開始事業年度から、米国では2019年６月30日以降終了事業年度から適用されており、日本もようやく欧米と足並みを揃えたといえる。

2021年３月期決算から強制適用のため、既に各種機関が開示例を分析した内容を公表している。公表された主なものは下記のとおりである。

●日本公認会計士協会「監査上の主要な検討事項」の早期適用事例分析レポート」、2020年11月12日
●日本証券アナリスト協会（日本公認会計士協会協力）「証券アナリストに役立つ監査上の主要な検討事項（KAM）の好事例集」、2022年２月２日
●金融庁「監査上の主要な検討事項（KAM）の特徴的な事例と記載のポイント」、2022年３月４日

日経225銘柄企業を対象としたKAMの事例分析によると、KAMの項目別順位では、「固定資産の評価」「のれん・無形資産の評価」「収益認識」の順で多くなっている*3。

一方、金融庁の上記公表物では、検討が必要とされる事例として、KAMの内容が一般的な記載に留まっている、会社と監査人とのコミュニケーションの十分性に課題がある可能性、そもそもKAMを記載していない、等が挙げられており、今後もKAM導入の目的達成のための実務の定着と浸透をより一層図ることが期待されるであろう。

＊１　監査基準委員会報告書701「独立監査人の監査報告書における監査上の主要な検討事項の報告」日本公認会計士協会監査基準委員会、2019年２月27日、第８項。「監査役等」は、「監査役若しくは監査役会、監査等委員会又は監査委員会」をいう（同上、第３項）。
＊２　同上報告書、第２項参考。
＊３　デロイトトーマツグループ「月刊誌『会計情報 Vol.541』」、2021年９月号参考。

CHAPTER 5

のれんの本質論 ―のれんは償却すべきなのか？

❶ 結論の定まらない議論

ここまで、のれんの会計処理について、国際財務報告基準、米国会計基準、日本会計基準を解説してきた。のれんを償却という点では、国際財務報告基準は償却を認めず、米国会計基準は償却しない会計処理が原則でありながら一部の企業には償却を認め、日本会計基準は償却を義務付けている。なぜ異なる会計処理が並存するのであろうか？

それは、「のれんは償却すべき資産であるか？」という議論は長年続けられているが、まだ結論が出ていないためである。米国会計基準が2001年にSFAS141号およびSFAS142号を公表してのれんの償却を禁止し、国際財務報告基準が2004年にIFRS第３号で米国会計基準と同じ立場を取ったことで、のれんを償却しない会計処理が国際的な流れとなってきたが、2013年の米国会計基準の改正で混沌としてきた感がある。一方で日本の立場は一貫してのれんは償却をすべき、というものである。2014年に企業会計基準委員会（ASBJ）は、欧州財務報告諮問グループ（EFRAG）およびイタリアの基準設定主体（OIC）とリサーチグループを組成し、のれんは償却することが望ましい、という結論のリサーチペーパーを公開している。

❷ のれんの中味

のれんは、取得対価（および非支配持分）の公正価値から、被取得企業を公正価値で測定した純資産を引いた残余であって、のれんの価値そのものを直接に測定できるものではない、というのがのれんの定義であるが、国際財務報告基準に解説されているのれんの構成要素を単純化すると次のように大別できる。

① 継続企業のれん

被取得企業の資産と負債を別々の取引で取得すると仮定したときに、それらの資産と負債から得られる収益率を、継続企業として被取得企業を取得した場合の収益率が上回る部分

② 結合のれん

シナジーとも呼ばれるが、取得企業と被取得企業が結合することで生じると期待される相乗効果およびその他の便益

③ プレミアム（負のプレミアム）

取得企業による過大（あるいは過小）な支払

④ 誤謬あるいは公正価値の測定上の問題

取得企業が支払った対価に誤謬があった、あるいはPPAの過程で被取得企業の資産負債の公正価値に反映できなかった金額

以上のうち、①と②は「コアのれん」とも呼ばれ、資産を構成する意味があると考えられている。一方で③のプレミアムは、コアのれんと切り離されたため資産としての価値がなく、直ちに費用処理されるのが理論的に正しい、と考えられている。④については誤謬であれば直ちに費用処理されるが、何らかの資産の価値を構成する場合もある。

また、①から④がすべての企業結合で一様に発生するのではなく、取引毎に千差万別であることも、問題を複雑にしている。たとえば複数の買い手が存在して買収価格が高騰したようなケースでは、②のシナジーの部分がすべて取得対価に反映され（すなわち将来発生する買い手側のメ

リットも売り手に払ったことになる）、さらに③のプレミアムを払うようなケースもある。あるいは①と②のコアのれんの部分を測定すると分解する前ののれんの金額を超過してしまい、③では負のプレミアムが生じるケースもある。

「識別可能要素アプローチ」と呼ばれる考え方は、これらの議論のレベルまでののれんの構成要素を分解して別々に会計処理をしよう、というものであるが、これは会計基準には採用されなかった。主観的な判断が数多く入り込み実用的でない、と判断されたためである。結果としてののれんの構成要素に複数のものがありながら、ひとまとめに会計処理をせざるを得ないために、会計処理の正解を１つに絞ることができないのである。

❸のれんを償却しない立場（減損のみアプローチ）

現行の国際財務報告基準および原則法の米国会計基準は、のれんを償却せず減損テストの対象とするという立場であり「減損のみアプローチ」とも呼ばれている。前段で見たようにのれんには複数の構成要素が含まれている。それを償却するのは恣意的な見積になり償却パターンを正確に予測できないので、のれん全体としての減損をテストする方が合理的だ、という考え方である。減損のみアプローチのメリットとしては、財務諸表の利用者にとっては減損損失を計上すればM&Aが失敗したことがわかる（反対に減損損失を計上していなければM&Aが成功している目安の一つとなる）ということが挙げられる。

一方で減損のみアプローチに対しては、結合した事業の経営状況が悪化してから減損損失を計上するまでにタイムラグがあり、M&Aの成否を示す情報としての有用性が低い、という批判や、のれんの減損テストの費用対効果の問題、減損テストに報告企業の恣意性が入る問題、などが挙げられている。

❹ のれんを償却する立場（償却および減損アプローチ）

日本会計基準はのれんを償却する立場であるが、減損テストも行うことから「償却および減損アプローチ」と呼ばれる。この考え方はのれんの構成要素のうちコアのれんの部分に着目し、超過収益力やシナジーは時間の経過と共に低下して自己創設のれんに置き換わる、という考え方に立脚している。償却計算が恣意的という点は有形固定資産の償却計算も同様の問題を含んでおり、むしろ企業結合後に増加する収益に対応する費用として、のれんの償却費を計上することが有用であると主張している。

償却および減損アプローチに否定的な立場からは、償却計算が恣意的であるという主張に加えて、アナリストは償却費を除外して分析しているという指摘、あるいは償却が完了した後の期間で（償却費負担がなくなった分だけ）利益が増加することが、経営実態を反映していないのではないかという指摘がある。

❺ IFRS第3号の適用後レビューとディスカッション・ペーパー

国際会計基準委員会（IASB）はIFRS第３号の適用後レビュー（Post-implementation Review“PIR”）を2013年から開始し、2015年６月に結果を公表した。ASBJを含む世界各国の会計基準設定機関、財務諸表の利用者／作成者からの意見を集めるとともに学術論文の調査も行ったが、結論としては減損のみアプローチを支持する意見と支持しない意見の双方が存在することを示し、重要度の高い問題として検討を続けることになった。その後、のれんの会計処理、特に減損テストが複雑でコストがかかることを認めたうえで、現行の減損のみアプローチがもたらす情報の有用性を失わずに、そのコストを引き下げることが可能か、といった観点から検討する、リサーチ・プロジェクトを立ち上げた。

リサーチ・プロジェクトの検討結果は、2020年３月にIASBがディスカッション・ペーパーDP/2020/1「企業結合－開示、のれん及び減損」として公表し、利害関係者により提起された懸念事項にどのように対応するかについて、①企業結合に関する開示の改善、②のれんの会計処理の改善等の観点から予備的見解を示された。このうち②のれんの会計処理の改善に関しては、「減損テストの有効性の改善の可能性」、「減損テストのみか、償却の再導入か」、「減損テストの簡素化」について触れられている。

一方、ディスカッション・ペーパーに対しては、2020年12月にASBJと日本公認会計士協会（JICPA）が、減損のみアプローチにおける、のれんの減損損失を適時に十分に認識する結果とならない問題（いわゆる、"too little, too late" の問題）についてコメントしており、償却及び減損アプローチを支持していた。

減損のみアプローチか、償却及び減損アプローチかに関しては、IFRS第３号は米国会計基準とコンバージョンが行われた基準であることから、今後は米国の財務会計基準審議会（FASB）と連携して検討が進むことが期待される。

最近の動向では、FASBにおいて、2020年７月以降、のれんの償却を再導入する方向での審議が行われ、2020年12月には10年を原則とした定額法によるのれんの償却再導入を暫定決定していたが、2022年６月にのれんの事後の会計処理に関するプロジェクトをテクニカル・アジェンダから取り下げる暫定決定がなされている。また、IASBは、2022年11月にDPへのフィードバックやリサーチの結果を踏まえ、減損のみアプローチを維持する暫定決定を決議している。これにより、プロジェクトでは、のれんの償却が再導入されないことを前提にその他の議論が進められている状況である。

CHAPTER

無形資産評価業務

CHAPTER II

1 パーチェスプライスアロケーション（PPA）の業務フロー

❶ M&Aのプロセスと無形資産評価の実施時期

パーチェスプライスアロケーション（Purchase Price Allocation、以下「PPA」という）とは、企業結合のプロセスにおいて、文字どおり取得価額を各資産負債に配分する作業である。したがって、取得価額が確定した後、つまりディールが終わった後に行われることが一般的である。

このことは、同じ価値評価であってもディール前（基本合意の前あるいは最終合意の前）に行われる企業価値の評価とは、大きく異なることを意味する。すなわち、企業価値評価はディールの前に「対象企業をいくらで取得するか」というビジネス目的から企業価値を計算するのに対し、無形資産評価はディールの後に、確定した企業価値を基に「何をいくらで計上するか」という会計目的に立ち、これを有形資産、無形資産（無形資産等）に配分する作業であるからである。

なお、次ページのスケジュールのとおり、無形資産評価はクロージング後に作業を開始することが一般的であるが、PPAの結果がディール後の財務諸表に重要な影響を及ぼすケースもあることから、無形資産償却見込み額をより早く把握し、経営意思決定に役立てるため、クロージング前の段階で評価作業を開始することも実務的には行われている。クロージング日の貸借対照表等の未確定の数値を仮置きして作業を開始し、初期的な分析により無形資産の金額やその償却影響額を大まかに把握し予算策定等に役立てようとするものである。

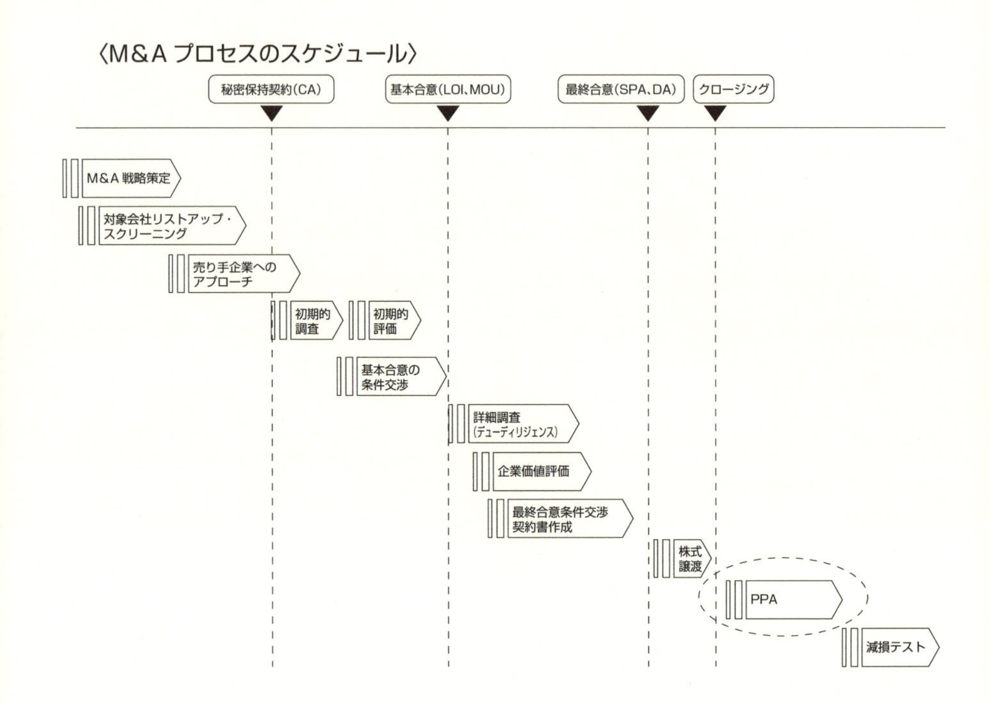

❷ 無形資産評価の作業スケジュール

無形資産評価実務の手続は大きく分けて２つのステップに分けられる。評価の前段階である①取得価額の確定と有形資産の時価評価、および②無形資産の識別・測定である。つまり、まず取得価額を確定し、これを有形資産に配分した後で、無形資産を評価するというプロセスを踏む。

1…配分金額の確定と貸借対照表

通常、無形資産の評価作業はM&Aのプロセスにおけるクロージング日（取得日）以降に行われる。これは、無形資産の評価作業は取得価額を基準日の貸借対照表項目に配分する作業であるため、取得日以降でなければ取得価額と基準日の貸借対照表が確定できないためである。この

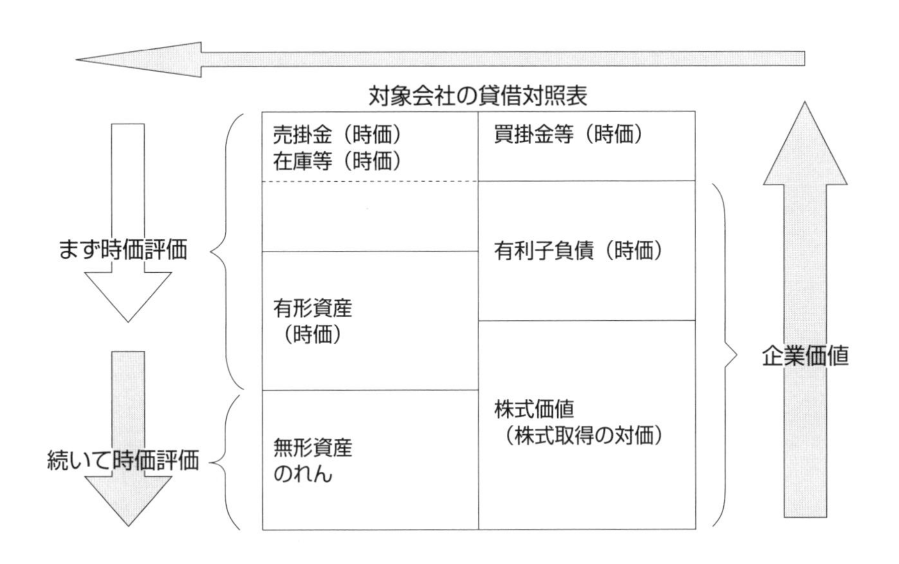

両者を入手することにより、取得価額（100％ベースの株式価値）と総資産の金額との間にどの程度の乖離があるかを把握することになる。

企業価値は、株式取得の対価から算定された100％ベースの株式価値に、引き受けた有利子負債を加算することによって算定される。したがって、取得者の取得持分が100％未満である場合には、一般的に非支配持分を調整することにより株式に対応する買収対価を100％ベースに換算し、その金額に有利子負債を加算することとなる。

このように企業価値は、株式価値と有利子負債の合計であるが、この金額は概念的に、運転資本がネットされている数値である。したがって、配分するべき総資産の金額を算定するためには、買掛金等の運転資本の貸方の金額を加算する必要がある。

〈数値例〉

企業会計基準第21号、ASC805,IFRS第3号	
株式価値	52,000
取得関連費用(注)	—
有利子負債(時価)	8,258
企業価値	**60,258**
買掛金等(時価)	4,634
資産に配分する金額	**64,892**
有形資産への配分	
現預金(時価)	1,421
売上債権(時価)	11,213
棚卸資産(時価)	11,558
その他流動資産(時価)	4,910
流動資産合計	29,102
有形固定資産(時価)	10,210
有形資産合計	**39,312**
無形資産への配分	
技術	2,360
顧客との関係	6,200
商標	3,800
無形資産合計	**12,360**
のれん	13,220
配分金額合計	**64,892**

注：取得関連費用は発生した事業年度の費用とされる。ただし、持分法適用関連会社の取得原価には、取得関連費用が引き続き含まれることに注意が必要である。

2…有形資産等の公正価値評価

無形資産の評価作業は、取得した企業価値（買収価格）を各資産負債に配分する作業であるが、当然のことながら企業価値は、無形資産のみならず、有形資産等（負債を含む）にも配分する必要がある。

詳細は後述するが、無形資産の評価には、時価ベースの有形資産等の残高が評価に用いられることが多いことから、理想的に有形資産等の公正価値評価は、無形資産を評価する前に実施されなければならない。一方、PPAは限られた期間において完了させなければならないことから、実務上は無形資産の評価も同時に進めるため、いったん有形資産の評価を帳簿価額などの仮の価格で置き、有形資産の評価が確定した後に数値を置き換えることが一般的である。

3…無形資産評価の手続

無形資産の評価作業は、大きく分けて無形資産の①識別と②測定という２つのステップを通して行われる。「識別」とは対象会社が有する無形資産は何かを把握する作業であり、「測定」とはその把握された無形資産の金額を算定する作業である。

a.識　別

国際財務報告基準、米国会計基準では、一般に以下のいずれかの要件をみたすものを無形資産として識別することが要求されている。

- 契約法律規準：契約または法律上の権利によって生じる資産
- 分離可能性規準：分離・分割が可能で、売却、譲渡、ライセンスの付与、貸与または交換が可能な資産（その意思が実際にあるかどうかは問われない）

一方で日本の「企業結合に関する会計基準」（企業会計基準第21号）では、受け入れた資産に法律上の権利など分離して譲渡可能な無形資産が含まれる場合には、当該無形資産は識別可能なものとして取り扱う、とされており、分離可能性規準を重視している。なお、特定の無形資産に着目して企業結合が行われた場合など、企業結合の目的の１つが特定の無形資産の受入れである場合には分離可能性規準を満たすものとされている。

では、具体的に上記の規準を満たす無形資産を識別するうえで、留意すべき事項は何であろうか。それはまず、買い手はなぜ対象会社を買収したのかという点である。換言すれば、買い手は対象会社の何に価値を見出して買ったのか、技術か、顧客・販売網か、またはブランドなのか、無形資産評価は実務上、そうした対象会社の強みがどこにあるのか、という点からスタートする。

さらに、対象会社に対するインタビューを通じて会社の強みは何であるか、バリュードライバーは何か、キャッシュ・フローの源泉は何か、ないしは具体的にどのような無形資産を保有しているかを詳細に把握するという作業も重要である。その際、次項で述べる測定の作業に用いることができる資料としてどのようなものを対象会社が保有しているかについても把握する必要がある。

b.測　定

識別された無形資産の測定は、次章以降で述べられる無形資産の評価手法を駆使して行われる。その際に考慮すべき重要な点は、対象会社はその測定に必要な資料・データを必ずしも保有していないという点である。このため、代替可能なデータを用いて、一定の仮定を置いて測定する場合が少なくない。その意味で、前項のインタビューにおいて、会社の強みが何であるのかを把握する際に、それを測定するためのデータとしてどのようなものを保有しているかという点もあわせて把握することが重要である。このことは、無形資産の識別をしながら、どのように測定するかという点まで考慮に入れながら作業を進める必要があることを意味する。

4…実際の作業スケジュール

対象会社の大きさやその他の要因に左右されるが、無形資産の評価作業の大まかな流れは以下のとおりである。PPAの結果を反映させる決算期のスケジュールと会計監査人によるレビューの必要日程を考慮し、作業スケジュールを検討することが重要となる。

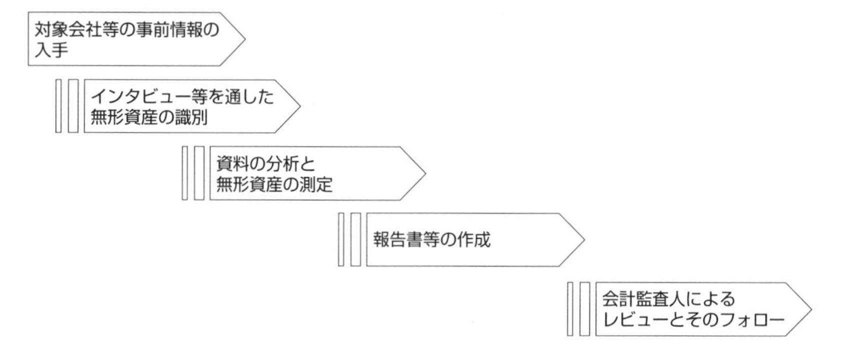

❸ 会計監査人によるレビュー

無形資産等の評価の結果は、財務諸表に反映されることから、会計監査人によるレビューを受けることになる。会計監査人は関与先の財務諸表の適正性について意見を表明する立場にあるため、貸借対照表に無形資産等が計上されていれば、その数値の適正性等をチェックする必要がある。その過程で、識別・測定の過程のレビューに加えて、必要に応じて評価者に対する質問等がなされることになる。

無形資産等およびのれんの金額の算定は会計処理のために行われるものであるため、算定結果を会計監査人が受け入れられなければ、その数値は何の意味も持たないことになる。したがって、無形資産等の評価にあたっては、常に会計監査人を意識して作業を実施する必要がある。例えば、どのような無形資産を識別するのか、識別する無形資産の評価アプローチは妥当か、有形資産についてどの範囲を評価の対象とするか、耐用年数は妥当か、無形資産の価値を計算する上でどの事業計画を用いるかなどの論点を意識して作業を実施する。場合によっては会計監査人にあらかじめ相談し、事前の了解を得ておくことも、後々に生じ得る問題を回避するうえで重要であるといえる。

米国証券取引委員会(以下「SEC」という)にファイリングしているアニュ

アルレポートの開示について、毎年SECから指摘事項の一覧が公表されるが、その中で企業結合は定番の項目である。また、最近ではアーン・アウト条項（条件付対価）や識別した無形資産に配分されない多額の負ののれんも指摘項目としてあがっている。アーン・アウト条項とは、買収金額の一部の支払いを、買収取引の実行後一定の期間内に、財務目標などの特定の条件が成立したことを条件に行う売主および買主の合意のことを指す。アーン・アウト条項については、対象会社の利益もしくは対象会社の株価等を指標として達成条件が設定されることが多いが、これらについては例えばモンテカルロ法によりアーン・アウト条項の公正価値を評価することが行われている。また日本会計基準ではアーン・アウト条項について、当該条件付対価の交付または引渡しが確実となった期においてのれんが追加的に認識されるのに対し、国際財務報告基準および米国会計基準では、取得日時点で条件付対価を公正価値により測定し、のれんの金額に反映させることが求められる。このようにアーン・アウト条項は取扱いが複雑なため、当然会計監査人も注意深くレビューすることが予想される。

一般的に会計監査人は、①公正価値算出の基となる前提の妥当性の検討および②会計監査人が独自で行う公正価値の見積もり金額との比較を行うことで公正価値の算出までのプロセスと結果の妥当性をテストする。

1…公正価値算出の基となる前提の妥当性

会計監査人は公正価値算出に使用された前提（基礎資料、評価モデル、事業計画等）の信憑性と妥当性を、客観性、合理性等の観点から判断する。特に、将来の不確定要素の前提（永久成長率等）が、公正価値の算出結果に大きな影響を与えていると判断した場合、公正価値算出に使用された前提が妥当であるか慎重に検討する。

前提に使用されたデータについても、会計監査人はそのデータが正確性と完全性を兼ね備え、監査の証拠として用いるに相応しいかを判断する。さらに、そのデータの出所の確認、再計算による正確性の確認、情報の一貫性、経営陣による見積りの妥当性のチェックも行われることがある。その際に、使用されたデータや前提について、別途、経営陣からの説明を求める場合もある。

2…会計監査人が独立して見積もった公正価値との比較

会計監査人が独立して見積った公正価値を評価人の算定結果と比較することで、公正価値の妥当性を検討することがある。その際には会計監査人独自の前提を採用するケースもある。会計監査人は独自に見積もった公正価値と会社（評価人）が算出した公正価値を比較し、差額に重要性がないことを確認することとなる。一方で会社（評価人）が公正価値の算出に用いたデータの正確性、完全性、妥当性が確認できれば、独自の見積もりではなく会社（評価人）の前提（データ）を使うこともある。

❹ 公正価値評価専門家（Fair Value Specialist）

一般に、無形資産等の評価業務は専門的な業務であるため、会計事務所等の無形資産等の評価の専門家が作業を実施し、報告書を作成する場合が多い。一方、多くの会計事務所が監査クライアントに対して、監査の独立性の観点から評価業務を提供しないことを方針としているため、当該会計監査人とは異なる会計事務所等が請け負うこととなる。

また、専門家が作成した報告書のレビューは同様に専門的な知識を要するため、特に対象項目が金額的に重要で監査意見の形成上主要な論点である場合において、内部評価専門家と呼ばれる会計監査人と同じ会計事務所等の無形資産等の評価の専門家を利用することが推奨されている。

内部評価専門家を採用するか否かは会計監査人である各監査チームの判断にゆだねられているが、評価結果の妥当性に対する監査上の対応が厳しく求められる傾向にあり、内部評価専門家が採用される機会は増加しているものと思われる。もし監査において内部評価専門家を採用することが決まった場合、内部評価専門家は監査チームの一員として、監査チーム内部または監査クライアントとのミーティング等に参加し、無形資産等の評価の妥当性の検討をすることとなる。

❺ 海外企業の買収における無形資産評価

海外企業の買収において、対象会社の株式取得のための会社（以下「取得目的会社」という）を設立するケースがある。そのケースにおいては、取得目的会社は取得後初めて取得対象会社を連結した連結財務諸表を作成することとなるため、無形資産等の評価を進めるうえではいくつかの留意が必要となる。

まずは、その取得目的会社が、どの国の会計基準を適用し、取得対象会社を連結するのか、また、当該会計基準で作成された連結財務諸表を日本における連結財務諸表においてどのように連結するのかという方針を確認する必要がある。適用する会計基準により識別する無形資産等が異なる可能性もあるからである。

また、取得目的会社の会計監査人は誰になるのか、無形資産等の評価の結果を誰がレビューするのかも見極めながら、作業を進めなければならない。この点は、取得会社の会計監査人と取得目的会社の会計監査人が異なる場合に特に留意が必要である。当該取得会社の会計監査人が取得目的会社の会計監査人と異なる場合は、その会計監査人と取得会社の監査人の両者の会計監査人からレビューを受けなければならないからである。すなわち、このM&Aにおける無形資産等の評価結果は、取得目的会社の連結財務諸表および、取得目的会社を連結する買い手の連結財務諸表の双方に修正が反映されることになるからである。

さらに、取得目的会社と対象会社が取得後合併する場合、あるいは、対象会社が取得目的会社の財務諸表のプッシュ・ダウンを受ける場合は、さらに注意が必要となる。すなわち、その場合は一般的には取得対象会社が取得者の事業計画を含む無形資産等の評価過程や結果を詳細に知ることとなるからである。

CHAPTER II

2 減損テストの業務フロー

企業結合に伴い認識されたのれんと無形資産の減損に係る取扱いは、国際財務報告基準、米国会計基準、日本会計基準でそれぞれ異なる。以下では、米国会計基準を中心にのれんと無形資産の減損に関連する業務フローについて述べる。

❶ のれんの減損テスト

1…米国会計基準

a. 概　要

米国会計基準におけるのれんの減損テストは、ASC350に基づいて実施される。ASC350は、個別かもしくは資産グループとして取得されたのれんとそれ以外の無形資産の会計処理と開示、およびそれらが財務諸表に認識された後の会計処理について規定している。

ASC350によると、企業結合によりレポーティングユニットののれん等の非償却性資産を認識した企業は、毎年、それらに関わる価値の毀損の有無について検討しなければならないとされている。

ASC350におけるのれんの減損テストは、定量テストを実施する前に、質的評価を実施する選択権が与えられている。すなわち質的評価に基づいて減損の兆候を判定し、レポーティングユニットの公正価値が簿価を下回る確率が50％超であると判断される場合、更なるのれんの減損テスト（定量テスト）が実施される。定量テストでは､のれんを含むレポーティングユニットの帳簿価額と公正価値を比較することにより、減損損失の金額を測定する必要がある。

質的評価において検討される可能性のある事象または状況については、基準上以下が例示されている。

A) 全般的な経済状況の悪化、資本へのアクセスの制限、為替レートの変動、またはその他の株式市場および信用市場の動向などのマクロ経済の状況

B) 事業体が活動している環境の悪化、競争の激化（絶対値および同業他社との比較の両方で）、事業体の商品若しくはサービスの市場の変化、または規制・政策動向などの、産業および市場の考慮事項

C) 利益やキャッシュ・フローに悪影響を及ぼす原材料、人件費またはその他のコストの増加のようなコスト要素

D) ネガティブもしくは減少したキャッシュ・フロー、または関連する前期間の実績および業績予想と比較した売上や利益の実績や計画値の減少などの、全般的な財務実績

E) マネジメント、主要人員、戦略、もしくは顧客の変化、倒産の意図、または訴訟など、事業体に固有のその他の事象

F) 純資産の構成もしくは簿価の変動、レポーティングユニットの全体もしくは一部の売却もしくは処分の50％超の可能性がある見込み、レポーティングユニット内の重要な資産グループの回収可能性についてのテスト、またはレポーティングユニットの構成要素である子会社の財務諸表におけるのれんの減損損失の認識など、レポーティングユニットに影響を及ぼす事象

G) 該当する場合、株価の持続的下落（絶対値および同業他社との比較の両方で検討する）

なお、質的評価及び定量テストの実施イメージは以下のとおりである。

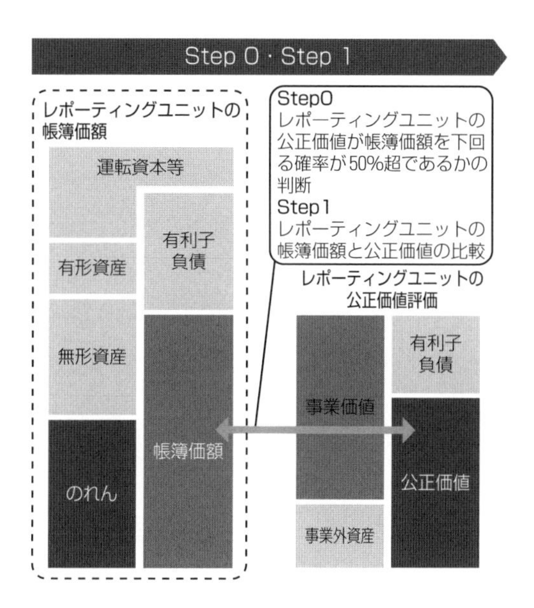

b.減損テストの実施時期

レポーティングユニットののれんの減損テストは、原則として毎期行われる。ただし、ある一定の事象（後述）が発生した場合には、毎期行う定期的なテスト以外にも、減損テストを実施する必要がある。

のれんの減損テストは、毎年同じ時期にテストするのであれば、年度中、どの時期に実施してもよいとされ、異なるレポーティングユニットを異なる時期にテストすることも認められる。

また、簡便的な取扱いとしてレポーティングユニットのテストの結果は、以下のすべての条件を満たした場合に限り、翌年度に繰り越すことが可能である。

- 直近のレポーティングユニットの公正価値の決定以降、レポーティングユニットを構成する資産および負債に重大な変更が生じていない（レポーティングユニットの構成の重大な変更の例には、直近の重要な買収もしくは対象会社のセグメント構成の再編等がある）

◆直近のレポーティングユニットの公正価値が帳簿価額を著しく上回っている
◆直近のレポーティングユニットの公正価値の決定以降発生した事象や環境の変化を分析した結果、レポーティングユニットの現在の公正価値が帳簿価額を下回る可能性が極めて低い

既述のとおり、レポーティングユニットの減損テストは毎期行われるが（年次テスト）、以下の事象が発生し、レポーティングユニットの公正価値より帳簿価額が上回る可能性が高い場合には、年次テスト以外にも、減損テストを実施する必要がある。

◆法的要因もしくは事業環境における著しい悪化
◆予期せぬ競争
◆重要な人物の喪失
◆レポーティングユニット自体か、その重要な部分の売却もしくは処分（可能性が高い場合を含む）
◆レポーティングユニットの重要な資産グループに対するASC360に基づく回収可能性に関するテストの実施
◆レポーティングユニットの構成要素である子会社ののれんの減損の認識

c．ASC350定量テスト

i　レポーティングユニットの公正価値算定

レポーティングユニットを決定し、資産、負債およびのれんを各レポーティングユニットに配分した後、ASC350に基づき対象となるレポーティングユニットの公正価値を算定することとなる。レポーティングユニットの公正価値算定に際し、一般的に用いられる算定方法については、「**d．iii　公正価値の測定の実施**」で述べる。

ii　レポーティングユニットの公正価値と帳簿価額との比較

既述の算定方法を用いてレポーティングユニットの公正価値を算定し、その公正価値とのれんを含めた帳簿価額を比較することにより、前

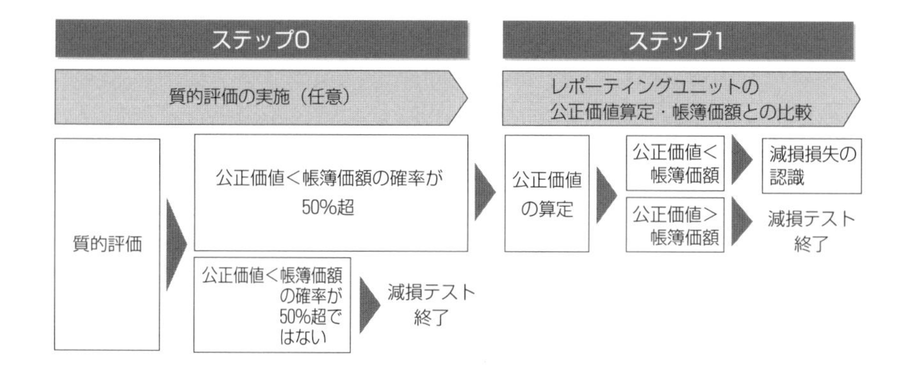

者＜後者の場合にレポーティングユニットの減損損失を認識する。減損損失が認識された後は、減損損失認識後の帳簿価額が新たな会計上の帳簿価額となり、それ以降、のれんの減損損失を戻し入れることは認められない。

d．実務における業務フロー

実務で一般的に行われているのれんの減損テストの業務フローは、以下のとおりである。

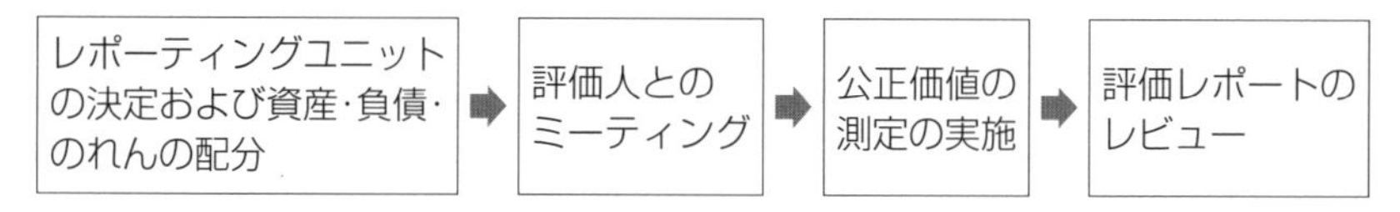

i　レポーティングユニットの決定および資産・負債・のれんの配分

ASC350に基づく減損テストを実施する際の前提として、減損テストを実施する企業は、事前に以下の事項を実施しなければならない。

- レポーティングユニットの決定
- 資産および負債のレポーティングユニットへの配分
- のれんのレポーティングユニットへの配分

〈レポーティングユニットの決定〉

ASC350に基づく減損テストを実施する前提として、まず、減損テストの対象となるレポーティングユニットを決定する必要がある。

ASC350によると、レポーティングユニットとは、事業セグメントかもしくはその1つ下のレベル（構成要素）を指すとされている。

事業セグメントの構成要素は、それが個別の財務情報が入手可能な事業を構成しており、事業セグメントの経営陣が定期的にその構成要素の経営成績を評価している場合に、その構成要素はレポーティングユニットとなる。

ただし、2つ以上の事業セグメントの構成要素が、互いに類似する経済的特性を有する場合には、それら複数の事業セグメントを1つのレポーティングユニットとして減損テストの対象としなければならない。

また、事業セグメントの構成要素のすべてが類似している場合や、その構成要素のいずれもレポーティングユニットとなり得ない場合、あるいはその事業セグメントが単一の構成要素のみから成る場合には、その事業セグメントを単一のレポーティングユニットとみなさなければならない。

ちなみに、対象企業を買収した後、グループ内再編等により買収した各事業が複数に分離されるケースが想定されるが、その場合には、再度それぞれの事業の特性を考慮し、レポーティングユニットの範囲を再検討する必要がある。

〈資産および負債のレポーティングユニットへの配分〉

レポーティングユニットの決定に続くプロセスとして、取得資産および引受負債を、それらが帰属するレポーティングユニットに配分しなければならない。ASC350では、以下の2つの条件を満たした場合に、企業が取得した資産および負債を、その取得日におけるレポーティングユニットへ配分しなければならないとしている。

- その資産がレポーティングユニットの事業に使用されるか、もしくはその負債がレポーティングユニットの事業に関連していること
- レポーティングユニットの公正価値を決定する際に、その資産もしくは負債が考慮されるであろうこと

また、上記の要件を両方満たした場合、特定のレポーティングユニットと直接関連のある資産および負債だけでなく、企業にとって全社共通の資産および負債についても、レポーティングユニットに配分されなければならない。それら特定のレポーティングユニットには、直接関連しない資産および負債は、異なるレポーティングユニットから享受する便益やレポーティングユニットの公正価値を用いて配分することができる。

ASC350では、それら複数のレポーティングユニットに関連している全社共通の資産および負債の個別のレポーティングユニットへの配分額の決定方法は、合理的でかつ立証可能なものである必要があると同時に、継続的に適用されるものでなければならないとしている。

仮に、特定のレポーティングユニットには直接関連しないが、当該レポーティングユニットからの便益を享受している資産もしくは負債が存在する場合、それらの資産および負債は、それぞれ異なるレポーティングユニットから享受している便益かもしくはその公正価値に基づいて配分することができる。

〈のれんのレポーティングユニットへの配分〉

ASC350に基づく減損テストにおいては、企業結合により取得されたすべてののれんは、取得日現在、1つ以上のレポーティングユニットへ配分されなければならない。被取得企業の資産もしくは負債と異なり、のれんに関しては、そのすべてが企業結合によるシナジーの便益を享受すると予測される取得会社のレポーティングユニットに配分されなければならない。

取得したのれんの総額は、複数のレポーティングユニットに配分してもよいが、レポーティングユニットへの配分額の決定方法は、資産もしくは負債の配分と同様、合理的で立証可能なものでなければならず、継続的に適用されなければならない。

なお、企業結合による取得資産や引受負債が配分されないレポーティングユニットにも配分されるのれんの金額は、“with-and-without” computation（あるなし法）により決定されることになる。つまり、企業結合前と企業結合後のレポーティングユニットの公正価値の差額が、そのレポーティングユニットに配分されるべきのれんの金額となる。

ii　外部評価機関とのミーティング

各レポーティングユニットへの資産・負債・のれんの配分が完了した後、公正価値の測定作業について、会社、会社の会計監査人、内部評価専門家、評価を委託された外部の評価機関（以下「外部評価機関」という）でミーティングを実施する。内部評価専門家は、会計監査人と共同で、外部評価機関が作成した評価報告書をレビューする役割を担う。

ミーティングでは、評価スコープ、評価手法、評価の前提条件、スケジュール等について話し合われる。

評価スコープに関しては、減損テストの対象となるレポーティングユニット、公正価値評価の対象とする各資産・負債および会社が外部評価機関へ委託する業務範囲についての確認が行われる。

なお、レポーティングユニットの中で、過去にのれんが全額減損済みであったり、のれんの額が極めて僅少で金額的に重要性のないレポーティングユニットがあるため、まず減損テストの対象とするレポーティングユニットを関係者で確認する。

以上の検討結果に基づき決定した外部評価機関へ委託する業務範囲は、会計監査人および内部評価専門家により確認される。なお、ASC350におけるレポーティングユニットの公正価値の測定は、会社自身が実施するケースも見られるが、評価のパラメーター設定等においては専門的知見やデータが必要になるため、重要な項目については外部評価機関に委託することが望ましい。

評価手法については、レポーティングユニット全体を評価する際に用いられる手法が議論の対象となる。一般的には、レポーティングユニットが非上場企業や事業の場合、その評価手法としてディスカウンテッド・キャッシュ・フロー法および株価倍率法が用いられることが多い。また、

実施プロセス	レポーティングユニットの決定	資産および負債のレポーティングユニットへの配分	のれんのレポーティングユニットへの配分
各プロセスにおける手続および留意事項	レポーティングユニットは、ASC280における事業セグメントと同じかそれより一段低いレベルである。 (ASC350-20-35-38)	以下の両方の要件を満たした場合の全社資産を含めた資産および負債は、1つ以上のレポーティングユニットに配分されなければならない。 (ASC350-20-35-39) 1. レポーティングユニットの事業に、その資産が使用されるか、またはその負債が関連している。 2. レポーティングユニットの公正価値を決定する際にその資産または負債が考慮されている。	のれんの減損テストのため、企業結合により発生したすべてののれんは、買収日現在、1つ以上のレポーティングユニットに配分されなければならない。 (ASC350-20-35-41)

レポーティングユニットが上場企業の場合は、時価総額を用いた市場株価法が主に用いられるが、別途ディスカウンテッド・キャッシュ・フロー法や、株価倍率法が併用されることもある。

評価の前提条件については、レポーティングユニットの決定および資産・負債・のれんの各レポーティングユニットへの配分方法の合理性について議論される。これに関しては、レポーティングユニット決定の説明資料、資産・負債・のれんの各レポートユニットへの配分の基準やその根拠資料の提出が会計監査人から会社に対して求められることがある。

また、前回と今回の減損テストの評価モデルで使用されている前提条件の継続性も検討の対象となる。原則として、評価モデル上のパラメーターは継続的に同じ前提条件に基づき採取されたデータが適用される必要がある。したがって割引率、永久成長率、コントロールプレミアム等の前提条件に変更がある場合は、その変更理由が合理的なものかどうかについて、会社および外部評価機関は内部評価専門家から説明を求められることがある。

iii　公正価値の測定の実施

ASC350に基づくのれんの減損テストで、レポーティングユニットの公正価値の測定に用いられる評価手法について各手法別に説明を行う。

〈市場株価法〉

ASC350によると、算定対象であるレポーティングユニットの市場株価が入手可能ならば、それは最善の公正価値の根拠となり得るとされている。

市場株価法で採用する株価の採用期間の決定にあたっては、株価推移の分析に加え、出来高、流動性、騰落率の分析により、計測期間における株価の異常性の有無を確認したうえで、評価基準日、もしくは評価基準日から一定期間（例えば１か月、３か月、６か月程度）の平均株価がレンジで用いられることもある。

上記のとおり、対象となるレポーティングユニットが上場企業の場合、市場株価法は公正価値を測定するうえで重要な評価手法とされている。ただし、市場株価法による評価結果として用いられる株式市場における取引価格には、買い手が、対象会社の支配権を獲得した効果によるコントロールプレミアムが含まれていない。一般的に、買い手が対象会社の過半数以上の株式を取得し、支配権を獲得した場合、対象会社の経営に直接的に影響力を及ぼすことが可能となるため、少数株主では享受できないシナジーおよびその他の便益が利用可能になることにより生まれる価値を獲得することができると考えられている。これらの効果に関わる（非支配）株主価値に対する価値の上乗せ分がコントロールプレミアムである。市場株価法では、株式市場における株価が対象会社（レポーティングユニット）の株式価値として認識されるため、評価額にコントロールプレミアムが含まれていないと考えられる。したがって、市場株価法により評価されたレポーティングユニットの価値は、必ずしもレポーティングユニット全体の公正価値を表しているとは限らない。

市場株価はレポーティングユニットの公正価値を測定するうえで重要なインプットである事実に変わりはないが、実務上、市場株価法を使用する際には、上記のとおり採用する市場株価が異常性を示していないかどうかという点も勘案したうえで、ディスカウンテッド・キャッシュ・フロー法等を併用し、市場株価法の評価結果を検証することが望ましい。

実務上は、評価対象となるレポーティングユニットが非上場企業である場合も多いことや、仮に上場企業であっても、評価対象となるレポーティングユニットが事業セグメントであったりするため、市場株価法をレポーティングユニットの評価方法として直接的に適用できるケースは限定されている。ただし、ASC820では、活発な市場で取引される同一資産または負債の市場価格というインプットは公正価値のヒエラルキーのレベル１に該当するとされる。

〈ディスカウンテッド・キャッシュ・フロー法〉

ディスカウンテッド・キャッシュ・フロー法は、ASC350で記述されている現在価値評価手法の１つである。

ディスカウンテッド・キャッシュ・フロー法では、評価対象となるレポーティングユニットが生み出す将来予測キャッシュ・フローをリスクに見合った割引率で割り引き、そのキャッシュ・フローの現在価値を公正価値とする。

一般的に、ディスカウンテッド・キャッシュ・フロー法による評価は、対象における状況を反映した将来予測を用いるものであり、支配権の効果であるコントロールプレミアムも反映されているものであることから、市場株価法が適用できない場合には、有効な公正価値の評価手法の

１つであると考えられている。

なお、ASC820でディスカウンテッド・キャッシュ・フロー法により測定された公正価値は、公正価値のヒエラルキーのインプットにより、レベル３に入るとされている。

〈株価倍率法〉

ASC350では、レポーティングユニットの公正価値を評価する際、その手法が公正価値評価の目的と整合的であれば、利益または収益あるいは類似の業績指標の倍数に基づく評価手法である株価倍率法も適用可能であるとしている。

株価倍率法の評価は類似会社等の市場株価を基礎とするものであるため、市場株価法と同様に、一般的に少数株主にとっての価値を表わしていると考えられる。したがって、株価倍率法による算定結果にコントロールプレミアムを加算することにより、支配権を考慮した評価結果となる。

実務上は、株価倍率法が単独で公正価値の評価結果に用いられることは少なく、市場株価法やディスカウンテッド・キャッシュ・フロー法の評価結果を検証する目的で用いられていることが多い。

〈レポーティングユニットの公正価値評価の際の留意事項〉

レポーティングユニットの価値評価手法としての市場株価法、ディスカウンテッド・キャッシュ・フロー法および株価倍率法は、一般的なM&A取引における事業価値の評価方法と変わりはない。ただし、レポーティングユニットを算定する場合に留意すべき点は、評価手法（過程）の一貫性と評価結果の合理性の検証に重点が置かれるという点である。

既述のとおり、ASC350に基づく減損テストは毎年実施されるべきものであるため、前回の算定過程との一貫性を保つ必要がある。例えば、前回と今回で減損テストを実施する外部評価機関が異なる場合、ディスカウンテッド・キャッシュ・フロー法の算定に用いる割引率が外部評価機関で異なることが想定されるが、特別な事業環境の変化等がない限り、適用する割引率分析の前提条件に大きな相違がないように留意する必要がある。具体的には、選定した類似会社、リスクプレミアム、個別リスクに関するプレミアム（規模リスク、会社特有のリスク）等が、評価機関により異なる場合が多いため、前回と今回で異なる割引率の構成要素や現時点における事業計画の達成リスク等を総合的に勘案し、最終的に割引率を決定する必要がある。

また、割引率と同様に評価結果の基礎データの合理性の検証についても留意すべきである。合理性の検証は、主に会社が作成したレポーティングユニットの事業計画が達成可能なものであるかという点に集約される。事業計画の達成可能性については、計画を作成した会社に説明責任があるが、理想的には第三者機関が会社作成の事業計画の達成可能性を検証することが望ましい。仮に、そうした第三者による検証が行われない場合には、ASC350の評価業務を実施する外部評価機関が、会社の経営陣に対するインタビューや業界の成長性を分析したアナリストレポートなどの利用により、会社の事業計画の成長率と整合性が保たれているかを検証する必要がある。算定対象のレポーティングユニットが帰属する業界の外部環境およびレポーティングユニット特有の要因を考慮し、会社の事業計画の達成可能性を検証した結果、事業計画と市場の成長率に乖離が見られる場合には、成長率の決定要因およびその根拠の合理性について会社に対して説明を求める必要がある。

さらに、今期の見込数値と前期の減損テストで使用した事業計画の数値を比較することも、事業計画の検証に有用な手法の１つである。もし、事業計画の予測初年度の見込数値が当初計画に対して未達成となるような場合は、事業計画の２年目以降の予測数値の達成可能性についても懐疑的になるべきであり、計画達成が困難と考えられる場合には、会社に対して事業計画の見直しを依頼し見直し後の計画を用いて、レポーティングユニットの公正価値を評価すべきである。

これらの検証作業は、ASC350が適用される会社の会計監査人も実施するであろう作業であるため、ASC350評価業務の早期の段階から、十分なデータが準備されていることが重要である。

iv　評価報告書のレビュー

評価人から報告書の提出を受けると、会社の会計監査人および前節で記載した内部評価専門家が評価報告書のレビューを実施する。大別すると、会計監査人は会社の事業計画の前提条件を、内部評価専門家は外部評価機関が作成した報告書の評価モデルの前提条件をレビューする。

会計監査人がレビューする主な内容は、会社の内部統制、経営陣（マネジメント）が事業計画を策定する際に用いた前提条件の合理性、その根拠資料の有無、年度間の前提条件の継続性等についてである。会計監査人は、特に、事業計画上で会社が設定した前提条件が、経済環境、業界の状況、過年度実績から考えて、現実的かつ整合的かどうかについて検討する。

内部評価専門家がレビューする主な内容は、外部評価機関の経験および能力、採用されている評価手法の適切性および継続性、評価の前提条件の実現可能性および整合性、キャッシュ・フローに影響を与えるであろう将来の潜在的なリスク、評価モデルの計算の正確性である。さらに内部評価専門家は評価モデル上で外部評価機関が設定している前提条件が、経済環境、業界の状況、会社の事業計画、過年度実績と整合的かどうかをレビューする。

会計監査人および内部評価専門家は、評価報告書のレビューの過程で、会社および外部評価機関に対して、書面やインタビューという形式で質問を行う。一般的に、会社および外部評価機関は、それらの質問事項に対して書面で回答する。このやり取りを何度か繰り返し、内部評価専門家のレビュー結果を基に、会計監査人が外部評価機関による評価結果の妥当性について最終的に判断する。

2…国際財務報告基準

国際財務報告基準においても、米国会計基準と同様、のれんは償却されず、減損テストの対象となる。のれんの会計処理はIAS第36号「資産の減損」に基づいて行われるが、米国会計基準と大きく異なる点は国際財務報告基準ではのれんの減損テストにおいて、質的評価が行われないという点である。すなわち、国際財務報告基準では、質的評価が行われず、現金生成単位の帳簿価額と回収可能価額を比較して、回収可能価額が帳簿価額を下回る場合には、直ちに減損損失が認識される。

それ以外に国際財務報告基準におけるのれんの減損テストの業務フローは、米国会計基準との間に大きな差異はない。テストは、米国会計基準の個所で解説した「１…ｄ．実務における業務フロー」と同じ手順で進められる。

なお、IAS第36号ののれんの減損処理の詳細については、「Ｉ-２❷無形資産およびのれんの取得後の会計処理」を参照のこと。

3…日本会計基準

わが国の企業結合会計基準では、のれんを20年以内でその効果の及ぶ期間にわたって、定額法その他の合理的な方法により償却することが求められている。

のれんの未償却残高は減損テストの対象となり、「固定資産の減損に係る会計基準」および「固定資産の減損に係る会計基準の適用指針」に基づき処理される。

日本会計基準ののれんの会計処理の詳細については、「Ｉ-４❷　のれんおよび無形資産に係る取得後の会計処理」を参照のこと。

❷ 無形資産の減損テスト

1…米国会計基準（ASC360, 350）

米国会計基準では償却性無形資産はASC360、非償却性無形資産はASC350に基づき減損テストが行われる。

償却性無形資産はASC360に基づき、対象無形資産に減損の兆候が認められた場合に、有形固定資産と同様に、「２ステップ法」で減損テストを行う。まず、対象無形資産の割引前キャッシュ・フローの合計額と帳簿価額を比較し（ステップ１）、帳簿価額が割引前キャッシュ・フローを上回る場合は、割引後キャッシュ・フローに基づく減損損失の測定を実施する（ステップ２）。減損損失が認識された場合、修正後の帳簿価額を残存年数にわたり、償却していく。

一方、非償却性無形資産はASC350に基づき、年１回一定の時期または減損の兆候が認められる場合に減損テストが行われる。非償却性無形資産の減損テストは、質的検討の後、最初から対象無形資産に係る割引後キャッシュ・フローと帳簿価額を比較することにより、減損損失を測定する。すなわち、非償却性無形資産に関しては、償却性無形資産の減損テストのように、割引前キャッシュ・フローと帳簿価額の比較を行わない。

2…国際財務報告基準（IAS第36号）

国際財務報告基準に基づく無形資産の減損テストは、のれんと同様、IAS第36号「資産の減損」に基づき実施される。IAS第36号によると、減損の兆候の識別、回収可能価額の見積り、減損損失の認識・測定というフローで実施される。

償却性無形資産に関しては、減損の兆候の識別は少なくとも毎期末に評価し、兆候があれば減損テストを実施する。減損テストの結果、回収可能価額が帳簿価額を下回る場合は、その差額を減損損失として認識する。非償却性資産に関しては、減損の兆候の有無に関わらず、毎期減損テストが行われる。(ただしまずは定性検討を実施)。減損テストの実施時期は年度のどの時点でも構わないが、毎期同じ時点でなければならない。

また、環境の変化等により減損の兆候が生じた場合には、その時期に関わらず、減損テストを実施しなければならない。

ASC350と異なり、以前に認識した資産(のれんを除く)の減損をもたらした要因が存在しないかあるいは減少していると認められるため、回収可能価額の見積りに変化がある場合は、過年度に認識されなかったとした場合の償却後帳簿価額を超えない範囲で、過年度に認識した減損損失を戻し入れる必要がある。

評価上の留意点は、米国会計基準の無形資産の減損テストと同様である。

3…日本会計基準

企業結合により取得された無形資産は、その有効期間にわたり、償却される。この点は、耐用年数が確定できない非償却性資産が存在する米国会計基準や国際財務報告基準と異なる点である。

日本会計基準における無形資産の減損テストの実施時期は、減損の兆候がある場合とされる。減損損失を認識すべきと判定された資産については、帳簿価額を回収可能価額まで減額し、当該減少額を減損損失として認識する。

なお、無形資産の減損損失の戻入は、認められていない。

〈のれんおよび非償却性無形資産、減損テスト比較〉

	日本会計基準	国際財務報告基準	米国会計基準
計算単位	事業または資産グループは、事業セグメント以下でなくてはならない。	資金生成単位は、事業セグメント以下でなくてはならない。	レポーティングユニットは、事業セグメント（オペレーティングユニット）か事業セグメントの1つ下のレベル。
減損テストの方法	3段階のアプローチ： ・ステップ0：減損の兆候の検討 ・ステップ1：割引前キャッシュ・フローに基づく回収可能性のテスト ・ステップ2：帳簿価額（のれんを含む）が回収可能価額を上回るか否かの検討	帳簿価額（のれんを含む）を回収可能価額と比較する1段階のアプローチ	2段階のアプローチ： ・ステップ0：質的評価の実施（任意） ・ステップ1：レポーティングユニットの帳簿価額が公正価値を上回るか否かの検討
減損損失の測定	回収可能価額と帳簿価額の差額。なお減損損失は、まずのれんに配分された後に、その他の資産に帳簿価額等の合理的な基準で比例配分される。	回収可能価額と帳簿価額の差額。なお減損損失は、まずのれんに配分された後に、その他の資産に基本的に帳簿価額を基準として比例配分される。	レポーティングユニットの公正価値とのれんを含めた帳簿価額の差額。ただし、のれんの減損損失は、レポーティングユニットに割り当てられた帳簿価額を上限とする。
減損損失の戻入	禁止されている。	のれんは禁止されている。無形資産は減損損失前の帳簿価額を限度として、認められている。	禁止されている。

〈償却性無形資産、減損テスト比較〉

	日本会計基準	国際財務報告基準	米国会計基準
計算単位	可能であれば、個別資産単位で減損テストを行う。もし、不可能な場合は、資産グループで行う。	可能であれば、個別資産単位で減損テストを行う。もし、不可能な場合は、資金生成単位で行う。	資産グループ（他のグループの資産と負債のキャッシュ・フローからおおむね独立したキャッシュフローが認識できる最小単位）
減損テストの方法	3段階のアプローチ： • ステップ0：減損の兆候の検討 • ステップ1：割引前キャッシュ・フローに基づく回収可能性のテスト • ステップ2：帳簿価額が回収可能価額を上回るか否かの検討	• ステップ1：減損の兆候の検討 • ステップ2：帳簿価額が回収可能価額を上回るか否かの検討	3段階のアプローチ： • ステップ0：減損の兆候の検討 • ステップ1：割引前キャッシュ・フローに基づく回収可能性のテスト • ステップ2：帳簿価額が公正価値を上回るか否かの検討
減損損失の測定	回収可能価額と帳簿価額の差額。	回収可能価額と帳簿価額の差額。	無形資産の帳簿価額と公正価値の差額。
減損損失の戻入	禁止されている。	減損損失前の帳簿価額（評価基準日までの減価償却費考慮後）を限度として、認められている。	禁止されている。

❸ 持分法適用会社の減損テスト

1…米国会計基準

持分法投資の減損テストは、持分法の投資簿価全体に対して行うものであり、持分法投資に内包されるのれんや無形資産に対して個別に行うわけではない（持分法投資ののれんの減損テストに関しては、ASC350は適用されない）。

持分法投資の減損処理は、持分法上の投資簿価と投資先の公正価値を比較し、投資簿価が公正価値を上回る金額を減損損失として認識する。投資先の公正価値は上場企業であれば、例えば株価をベースに、非上場企業の場合はディスカウンテッド・キャッシュ・フロー法や株価倍率法により算定された価値に基づき決定される。なお過年度に計上した減損損失の戻し入れは認められていない。

連結子会社ののれんの減損テストと異なり、持分法適用会社の場合は、コントロールプレミアムを考慮しないのが一般的である。したがって、ディスカウンテッド・キャッシュ・フロー法によって算定された価値から、コントロールプレミアムを控除（マイノリティディスカウントを考慮）する必要がある点に留意すべきであるが、持分比率や株主間契約等で一定の影響力が認められる場合には当該プレミアムを加味する場合がある。

2…国際財務報告基準

持分法投資の減損損失の判断は、IAS第28号「関連会社及び共同支配企業に対する投資」に基づいて行い、それにより減損が生じていると判断される場合に、IAS第36号に基づき減損損失が計上される。

評価上の留意点は、米国会計基準の持分法適用会社の減損テストと同様であるが、米国会計基準では禁止されている減損損失の戻入を実施することに留意が必要である。

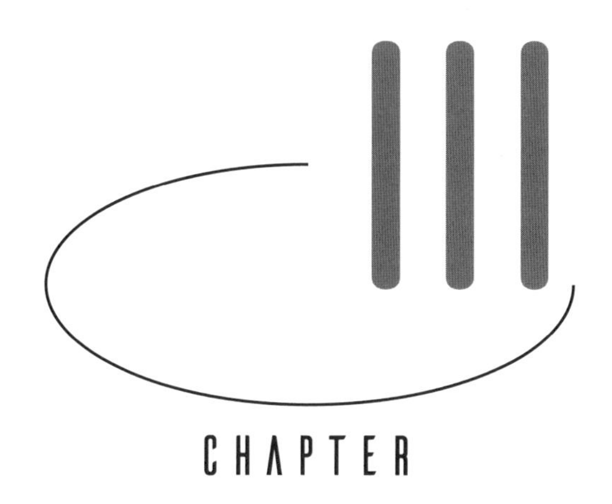

CHAPTER

無形資産評価の実務

CHAPTER III

無形資産の定義

無形資産は、物理的実態のない資産のうち金融資産以外の資産であり、以下の２つの特性のいずれかを有する資産と定義される。

① 法的権利を構成し、当該権利に基づいて将来獲得可能な経済的便益については法的に保護される

② 他の資産から分離して譲渡可能である。無形資産の所有者は無形資産を単独で、または関連する契約、資産もしくは負債と組み合わせて売却したり、貸与することができる

無形資産の多くは前者の法的権利の特性を有しているが、顧客リストのように後者の譲渡可能の特性を有している無形資産もある。わが国の会計上の無形資産は、財務諸表等規則による例示では、以下のうちソフトウェアおよびのれん以外はすべて法的権利を有するものである。

のれん、特許権、借地権（地上権を含む）、商標権、実用新案権、意匠権、鉱業権、漁業権（入漁権を含む）、ソフトウェア

無形資産は、その存在を示す文書が必ずある。例えば、顧客リストに関する無形資産は顧客台帳や顧客からの発注書などによってその存在が立証できる。また、無形資産は経済的寿命を有するのが一般的であり、無形資産から生じる将来の経済的便益がなくなったときにその価値は消滅するものである。ただし、無形資産としての価値はないが、法的権利としての無形資産の存在はあり得る。

企業の価値には影響を及ぼすが、前述した無形資産の特性を有していないため、まだ無形資産として認識できない次に示すような無形の経済

現象もあることに留意する必要がある。

- ◆高収益性
- ◆市場の潜在力
- ◆マーケットシェア

❶ 有形資産との違い

有形資産は、有形であるがためにその所有者は前述した無形資産の特性を当然のこととして享受できる。企業価値評価の観点からの有形資産と無形資産の大きな違いは、価値を生む源泉が異なることである。すなわち、有形資産はその物理的な特性が価値を創造するのに対して、無形資産はそれに関連する権利が価値を創造する点に大きな違いがある。無形資産の価値は無形資産を売却する権利、貸与する権利、利用する権利などに基づいて創造される。

❷ 無形資産の種類

無形資産は、その内容によって以下のように分類される（IFRS3 IE18〜、ASC 805-20-55-11〜）。

〈例示の一覧表〉

マーケティング関連無形資産	商標、商号、サービス・マーク、団体マークおよび認証マーク	＊1
	トレードドレス（独自の色彩、形またはパッケージ・デザイン）	＊1
	新聞名（マストヘッド）	＊1
	インターネット・ドメイン名	＊1
	競業避止協定	＊1

顧客関連無形資産	顧客リスト	＊2
	受注残	＊1
	顧客との契約および関連する顧客との関係	＊1
	契約によらない顧客との関係	＊2
芸術関連無形資産	演劇、オペラ、バレエ	＊1
	書籍、雑誌、新聞、その他の著作物	＊1
	音楽（作曲、作詞、CMソング）	＊1
	絵画、写真	＊1
	動画（映画、音楽ビデオ、テレビ番組）	＊1
契約に基づく無形資産	ライセンス、ロイヤルティ、使用禁止契約	＊1
	広告、建設、管理、役務・商品購入契約	＊1
	リース契約＊3	＊1
	建設許可	＊1
	フランチャイズ契約	＊1
	営業許可、放送権	＊1
	サービサー契約（ローン回収契約）	＊1
	雇用契約	＊1
	利用権（採掘、水、空気、伐採、配送）	＊1
技術に基づく無形資産	特許権を得た技術	＊1
	ソフトウェア、マスクワーク	＊1
	特許権が得られていない技術	＊2
	データベース	＊2
	企業秘密（秘密の製法、工程等）	＊1

＊1：契約法律規準を満たす無形資産
＊2：分離可能性規準を満たす無形資産
＊3：国際財務報告基準においてはリース契約の例示は削除され、また、米国会計基準においてはリース契約から貸手のオペレーティング・リース契約へと例示が修正されている。

❸ 無形資産の分類および内容

無形資産の分類とその内容について以下に解説する。

1…マーケティング関連の無形資産

商標、商号、ロゴなどがこの分類に属する。商標などは法的保護を受けるために、必ずしも登録する必要はないが、登録していれば、商標の侵害があったときには有利な法的手続が与えられる。わが国の商標の保護期間は10年であるが、10年目に更新することができ、更新する限り永遠に保護される。

2…顧客関連無形資産

顧客リスト、顧客との契約、顧客との関係等がこの分類に属する。

顧客リストは顧客に関する情報が文書化されている場合に、特定の業種において無形資産として認識される場合がある。

また、顧客との関係は、会社が過去において特定の顧客と継続して取引を実行している場合には、取得日時点における会社と顧客との間の契約の有無に関わらず、無形資産として認識される。

3…芸術関連無形資産

文学、音楽、演劇、絵画美術、映画、ソフトウェア、コンテンツ等に関する著作権がこの分類に属する。わが国では、著作権者は著作権法によって本人の生涯プラス50年間（映画は公表後70年間）保護される。著作権は法的保護を受けるために必ずしも登録する必要はないが、登録していれば著作権の侵害があったときには有利な法的手続が与えられる。また、著作権侵害訴訟を著作権者が提起する場合には著作権の登録が前提となっている。

4…契約関連無形資産

有利（不利）契約、ライセンス契約、フランチャイズ契約がこの分類に属する。

また、参入障壁が高い特定の産業においては許認可が契約関連無形資産として認識されることがある。

5…技術関連無形資産

特許権がこの分類に属する。わが国ではある技術の特許権を特許庁に出願して認可された時に、特許権として法的に保護される。したがって日本において、特許権申請中の技術は法的保護の対象にはならないが、特許庁が特許権の出願を認可した時から、その所有者は他の者が特許保護期間中に当該技術を使用して生産することや、当該技術を使用して生産した製品を販売することを排除する権利を有する。

❹ 無形資産の評価方法

無形資産価値の評価方法には大別してコストアプローチ、マーケットアプローチ、インカムアプローチの３つの方法がある。

コストアプローチは、買収者が仮に算定対象資産を複製する場合のコスト（複製原価）または、別のもので代替するコスト（再調達原価）で価値を測定する方法である。人的資産やソフトウェアを評価する際に、用いられることが多い。

マーケットアプローチは、類似した無形資産の取引価格から評価対象の無形資産の価値を類推する方法である。無形資産評価におけるマーケットアプローチは、企業評価におけるそれと違い、価値評価に必要とされる情報の入手が困難な場合が多いため、使用する市場取引データの信頼性および有用性が必要とされる。

インカムアプローチは、無形資産の価値を当該無形資産によって将来生み出される一連の経済的便益の現在価値の合計によって計算する方法である。なお、当該無形資産により生み出されたフリー・キャッシュ・フロー等を現在価値に割り引く際の割引率は、一般的に、企業価値評価の際に適用されるものよりも高い投資リスクを反映させたものが用いられる。

それぞれのアプローチに分類される評価方法は、以下のとおりである。

コストアプローチ	マーケットアプローチ	インカムアプローチ
◆複製原価法 ◆再調達原価法	◆売買取引比較法 ◆ロイヤルティ免除法	◆利益差分法 ◆利益分割法 ◆超過収益法 ◆ロイヤルティ免除法

前記アプローチの中で、特にインカムアプローチにおける無形資産の評価方法と企業価値の評価方法との違いが際立っている。主な違いとして次の３つがあげられる。

(i)　大部分の無形資産は経済的耐用年数が有限である。一方企業は通常、半永久的に存続するものと仮定される。したがって、無形資産評価に使用される将来事業計画は有限の期間が想定されるが、企業価値評価に使用する事業計画は半永久的な予測期間が想定されるのが一般的である。

(ii)　無形資産に対する投資は企業に対する投資よりも、通常、高いリスクが想定される。したがって、インカムアプローチによる無形資産評価に使用される割引率は、企業価値評価に使用される割引率よりも通常は高い（ただし、ベンチャー企業の評価と有名ブランドの商標の評価に適用される割引率を比較したときのように、ベンチャー企業の評価の方が高い割引率を適用される場合も当然あり得る）。また、無形資産を継続企業の一部として評価する場合と継続企業と切り離して１つの独立した単体として評価する場合とではリスクの度合が異なる。継続企業の一部として評価する場合は、当該企業との全体の割引率と関連させた割引率を適用することも可能であるが、将来、当該無形資産を売却するようなケースでは独立単体の無形資産として評価することが必要になり、その場合には追加の投資リスクを反映したより高い割引率を使用すべきである。

(iii)　無形資産評価では、当該無形資産に関連する利益のみを評価の対象とするのに対して、企業価値評価ではすべての資産が生み出す当該企業の利益が評価の対象になる。したがって、企業価値評価では、無形資産評価のように無形資産に帰属する利益を算出するために企業全体の利益を按分する必要はない。

1…コストアプローチ

コストアプローチは、経済的な代替原理に基づいて無形資産の価値を算定する方法である。つまり、コストアプローチは、投資家が評価対象の無形資産に対して、それと同じ効用または機能を有する無形資産を代替取得する場合に発生するコスト以上のコストを支払わないことを前提とした評価方法である。代替コストは、投資家がそれ以上支払わない最大値を表しているので、評価対象の無形資産が最高の有用性を有していない場合には、相当の減額調整をする必要がある。無形資産の価値の減額調整が必要となる主な原因を以下に示す。

- ◆物理的減価　：無形資産の場合はあまり発生しない
- ◆機能的減価　：技術革新等により市場で相対的に要求される機能が働かなくなる場合、成果が生じなくなる場合に発生するもの。修復可能な陳腐化に該当
- ◆経済的陳腐化：需要の減少、産業構造の変化等コントロールできない外的要因によって発生するもの。修復不能な陳腐化に該当

上記の減額調整額を算定するにあたり、対象無形資産の経過年数および残存耐用年数を把握することが重要である。

減額の対象となる欠陥が無形資産に含まれているケースで、その欠陥を修復するのに要する材料、経費、人件費コストが、修復することによって見込まれる経済的利益より多く発生することが考えられる場合、修復不能な減価という。また、修復することによって経済的利益がコストより多く見込まれる場合には修復可能な減価といい、一般的に機能的減価や技術的減価がそれに該当する。

無形資産評価に適用される具体的なコストアプローチとしては、複製原価法と再調達原価法がある。

a.複製原価法

複製原価法とは、現在の価格で、評価対象無形資産と全く同じ複製を製作するのに要するコストに基づいて無形資産の価値を算定する方法である。この方法では元の無形資産を複製するのに当時要した材料、デザイン、レイアウト、作業の品質および標準と同じものを使って複製することを意味している。したがって、現行の対象無形資産に含まれている欠陥で減額すべき部分も引き継がれ、修復不能な減価として減額調整の対象とされる。

b.再調達原価法

再調達原価法とは、現在の価格で、評価対象無形資産と同じ効用を有する無形資産を製作するのに要するコストに基づいて無形資産の価値を算定する方法である。この方法では、対象無形資産と同じ効用のものを複製するために現在の作成方法や標準、デザイン、レイアウト、作業の品質を使って複製することを意味している。したがって、再調達コストは製作コストとは違い、修復不能な減価は取り除かれており、対象無形資産を白紙の状況から現行のエンジニアや技術を使って再生するのに要するコストと考えられる。

c.コストの把握

無形資産をコストアプローチによって評価する場合、以下のような要素がコストを構成するものと考えられる。

- 直接コスト：材料、人件費、経費
- 間接コスト：法務、登録、エンジニア、管理費用
- 開発者利益：無形資産の創造者の時間と努力に対するリターン
- 企業家インセンティブ：無形資産の開発を誘引するに必要な利益

コストアプローチは人的資産、ソフトウェア、社内マニュアルなどの評価に適している。例えば、人的資産の場合は採用コスト、教育研修コスト、特別手当などを費やせば今と同じ水準の労働力が複製できるとする考え方である。

しかし、商標の場合には広告宣伝費や販売促進費を費やしても現在と同じ商標の地位が確立され、同じ経済的便益が得られるとは限らない。また、特許の場合も特許発明のために費やした試験研究費や開発費と同じコストを費やしても現在の特許が発明されるとは限らないし、将来同じ経済的便益が得られるわけではない。したがって、商標や特許権の評価の場合は、コストアプローチは不適当な場合が多い。

2…マーケットアプローチ

マーケットアプローチは、類似した無形資産の売買取引価格やライセンス取引価格から評価対象無形資産の価値を類推する方法である。したがって、無形資産の取引リストに掲載されている類似の無形資産や、すでに実行されている類似無形資産に関する売買取引やライセンス取引に関する取引を選定し、評価対象無形資産と比較検討する必要がある。類似無形資産取引を選定する場合に考慮すべき要点は、以下にあげられる。

- ◆類似無形資産の経済的利益の生成能力
- ◆類似無形資産が対象とするマーケット
- ◆類似無形資産の過年度または予想利回り
- ◆類似無形資産の予想残存耐用年数
- ◆類似無形資産の取引が実行された時期
- ◆類似無形資産の陳腐化の程度
- ◆類似無形資産に関する特殊な取引条件

上記の要点について、類似無形資産と評価対象無形資産を比較分析した結果、相違が発生した場合は適宜調整する必要がある。

通常、以下の理由によりマーケットアプローチを無形資産の評価に利用するケースは、少ないと考えられる。

- ◆無形資産が、単独でその他の資産と切り離して売却されるケースが少ない。すなわち、利益を生成する一体の資産を取引対象とすることが多く、買収価格を、評価対象無形資産を含む各資産に配分する必要がある

◆有形資産の取引の場合以上に無形資産の取引に関するデータは独占的な性格になりがちなため、無形資産の売却やライセンスに関する第三者取引データを収集、検証、確認することは難しい
◆たとえ無形資産単独の類似取引があっても、当該無形資産に付属して締結されるサービス契約や競業避止協定が存在する場合が多いので、当該取引価格を見積もることが難しい場合がある

上記のような状況はあるものの、評価対象無形資産に類似する無形資産の売買やライセンス取引に関する活発なマーケットが存在する場合は、マーケットアプローチは有効な評価方法と考えられる。米国のように無形資産を単独で売買するのが慣行となっている業界では、当該無形資産の評価にマーケットアプローチを適用することがよく行われている。例えば、銀行業界における預金関連顧客、ローンポートフォリオ、クレジットカード、不動産業界における借地権、占有権、空間権、水利権、鉱物権、開発権、航空機業界におけるエアポート着陸権、航空ルート、航空機予約システム、駐機権、ゲート使用権、許認可における権利、酒類ライセンス、フランチャイズ権、開発許可などは他の資産と分離して単独で売買されており、マーケットアプローチの適用が可能な第三者間取引のマーケットが存在している。

しかし、前述したように企業価値に適用されるマーケットアプローチと違い、一般的には無形資産に適用されるマーケットアプローチに必要な情報が市場株価やＭ＆Ａ取引のように容易に収集できない場合が多く、実務においては企業価値評価のように多用されることが少ない。

マーケットアプローチに属する評価方法を以下に示す。

a.売買取引比較法

この方法は、無形資産の価値を当該無形資産と類似の無形資産の実際の売買取引に基づいて評価する方法である。この方法は評価資料が入手可能であれば、評価方法としては最も直接的で実証的な方法である。

この評価方法は、次の手続に従って実施される。

(i) 評価対象の無形資産とその無形資産が関連するマーケットの特徴の比較分析

(ii) 評価対象の無形資産と類似売買取引との比較分析ならびに差異調整項目の定量化

(iii) 評価倍率の算定と無形資産に関連した財務数値に対する倍率の適用による無形資産の評価額の算定

b.ロイヤルティ免除法

この方法は、評価対象の無形資産の所有者がその使用を第三者より許可されたものと仮定した場合に、第三者に対して支払うであろう類似無形資産のライセンス実施料率によって算出されるロイヤルティコストが免除されたものとして評価する方法である。この方法は将来ロイヤルティの見積算定額を資本還元して無形資産を評価する点でインカムアプローチとも考えられる。

この評価方法は、次の手続に従って実施される。

(i) 類似のライセンス契約の内容について以下の点をチェックすると同時に、評価対象無形資産に対する投資リスクとリターンに比較して類似性があるか否か検討する。

◆類似ライセンス契約の対象資産の法的権利内容

◆類似ライセンス対象資産に関わるメンテナンス（製品宣伝、品質管理など）の内容

◆類似ライセンス契約の効力発生日、終了日、独占使用の程度

(ii) 評価対象の無形資産から創造される売上高または利益に対して、上記の検討の結果推定されるロイヤルティレートを適用して、無形資産が生みだすロイヤルティを算定する

(iii) ロイヤルティに対する資本還元率（割引率）の算定

(iv) 無形資産に関連する利益に資本還元率を適用して無形資産の評価額を算定する

3…インカムアプローチ

インカムアプローチは、無形資産の価値を当該無形資産によって将来生み出される一連の経済的便益の現在価値の合計によって計算する方法である。インカムアプローチは、コストアプローチやマーケットアプローチと違って大抵の種類の無形資産に適用できる評価方法であり、無形資産の原則的評価方法である。

a. インカムアプローチの計算要素

インカムアプローチには3つの計算要素がある。

◆予想利益

◆予想期間

◆割引率

i　予想利益

インカムアプローチで採用される予想利益には、会計上の利益やキャッシュ・フローが用いられるのが一般的であるが、無形資産の価値を算定するためには無形資産に帰属する利益（貢献利益）をまず計算する必要がある。この利益を算定するために通常、会計上の利益やキャッシュ・フローに対して調整を加える。この調整が必要な理由は、企業価値評価のために入手される損益計算書は無形資産を使用して事業活動を行っている会社や事業部門全体を対象としたものである場合が普通であるが、評価対象の無形資産によって生み出される利益は、会社や事業部門全体の利益の一部を構成しているにすぎないため、事業全体の利益を無形資産に帰属する利益へ配分する調整計算が必要になるためである。

無形資産が貢献した利益を算定するために、評価対象の無形資産を使用して製品やサービスを創造するために同時に使用される運転資本、有形資産、評価対象無形資産以外の無形資産から想定される利益を無形資産が属する事業全体の利益から控除する必要がある。当該控除額は一般にキャピタルチャージや貢献資産コストといわれている。上記に述べた利益調整の具体的な計算過程は以下に示される。

(i) 評価対象の無形資産が属する事業全体の利益の生成に関与する資産を識別する。

(ii) キャピタルチャージの対象となる資産の評価額を見積もる。資産の評価は原則、公正価値評価によるが、公正価値の算定が困難な場合は便宜的に帳簿価額によって評価されることがある。

(iii) キャピタルチャージの対象となる資産の投資利回りを算定する。この投資利回りは、資産に対する投資リスクを反映した利回りを見込む必要がある。例えば、運転資本は流動性が高いので他の有形資産よりリスクが低い。また、無形資産は有形固定資産よりリスクが高いと考えられる。

(iv) 各資産の評価額にそれぞれの投資利回りを乗じてキャピタルチャージを算定し、無形資産の属する事業全体の利益からこれを控除して無形資産の評価の対象となる貢献利益を算出する。

(v) さらに上記で算定した各資産のキャピタルチャージの売上高または全体利益に対する比率（キャピタルチャージ比率）の平均予想値を推測して各予想期間のキャピタルチャージを算出する。

ii 予想期間

無形資産を評価する際に使用する将来の予想利益の予測期間は、評価対象の無形資産が利益またはキャッシュ・フローを将来生み出すことが期待される期間である場合が多い。また、この期間は無形資産の使用年数ということもできる。使用年数としては経済的使用年数、技術的使用年数、法的使用年数、契約上の使用年数などが考えられる。

契約更新が可能な長期役務提供契約に関わる無形資産を評価する場合の無形資産の使用年数は、残存契約期間に契約更新による予想契約延長年数も加えて使用年数を推定することがある。この場合、契約更新後の無形資産の内容について、契約に基づく無形資産から顧客関連無形資産に変わっていることも検討する必要がある。この契約更新期間の無形資産の内容の変化に伴って、無形資産に関する将来予想利益の水準が低くなる可能性もあるし、契約更新のリスクを反映して割引率を高くすることが必要な場合もある。

次に、予想期間の測定方法は、以下のように分類される。

◆統計的手法によって測定できる無形資産

顧客関係、購買契約、フランチャイズ契約

◆法定期間、約定期間が定められているもの

特許技術、著作権、賃借権、供給契約、販売契約、ライセンス契約、フランチャイズ契約、購買契約

◆技術的、経済的陳腐化を考慮して主観的分析によって決められるもの

特許権が得られていない技術、商標

主観的分析によって予想期間決定する場合は、次の点を留意する必要がある。

(i) 特許権の法的保護期間は特許出願の日より20年間と定められているが、上記有効期間以内に経済的、技術的陳腐化が進行する場合は経済的寿命を予測する必要がある。この場合特許権が長年にわたり商標価値に変わることがある。

(ii) 商標は、商標が使用され維持される限り存在するので半永久的とも考えられるが、継続的な広告宣伝をしなければ経済寿命は有限になる。

特に主観的判断が入る場合は、将来利益の期間のうち利益発生の不確実性の高い期間については事業計画を見直したり、割引率にリスクを反映させたり、場合によっては除外する必要がある。

iii 割引率

割引率を算定する前に、以下に示すように無形資産の評価目的を確認する必要がある。

(i) 評価対象無形資産を、それが属する継続事業の構成要素の一部として評価する。これは無形資産の継続使用を前提とした評価である。

(ii) 評価対象無形資産を、それが属する継続事業とは独立した経済主体として評価する。これは当該無形資産の交換を前提とした評価である。

上記(i)の場合は、無形資産が属する事業体に適用される割引率と資産構成の関係を考慮して無形資産の割引率が推計され適用される。上記(ii)の場合は無形資産に特有のリスクを反映した割引率が適用される。

ただし、上記(i)の場合でも評価対象の無形資産によって生成される製品やサービスの機能や、マーケットによっては事業全体のリスクとは異なるリスクを織り込んだ割引率を用いる必要がある。

b.インカムアプローチによる評価方法

企業または事業が生み出す利益のうち、無形資産によって生み出される利益を分離して抽出する方法によって、以下の３つの評価方法に分類される。すなわち、無形資産の貢献利益を算定する方法の違いにより評価方法が異なる。

① 評価対象無形資産による利益とこれによらない場合の利益の差額に基づいて評価する方法（利益差分法）

② 全体の利益から評価対象無形資産が寄与する利益を分離して評価する方法（利益分割法、超過収益法）

③ 実際のロイヤルティ収入またはロイヤルティの仮定支出に基づいて評価する方法（ロイヤルティ料率法、ロイヤルティ免除法）

i 利益差分法

無形資産が利益を増加させるのは、その無形資産によって収入が増加したり、費用が減少したりすることによって行われる。つまり、無形資産によって販売数量、販売単価、顧客数、契約、マーケットシェア、販売期間の拡大効果がもたらされ、収入が増加するし、また無形資産によって貸倒、製造コスト、原料コスト、設備費用、労務費用、管理費用、広告宣伝費、賃借料、修繕維持費、支払利息、資本コストが低減したり、生産効率や生産水準が向上することによって、費用が減少するのである。

いずれにしても、この評価方法は評価対象の無形資産がある場合の収入・費用または利益、と無形資産がない場合の収入・費用または利益を比較してその増減差額を無形資産に関わる利益とみなし、それを現在価値に割引計算して無形資産を評価する方法である。

ii　利益分割法

この方法は、評価対象の無形資産が使用されている事業部門の全体の利益に対して無形資産の寄与割合を見積もって直接当該無形資産に割り当てる方法である。この場合の利益としては通常、営業利益、営業キャッシュ・フロー、ネット・キャッシュ・フローが使用されるが、売上高も使用される場合がある。全体の利益は、当該利益を生み出すのに貢献している評価対象の無形資産とそれ以外の有形資産および無形資産に分割される。

分割割合を決定する場合には無形資産の種類、事業内容、産業別に以下の要因を考慮して、決定する必要がある。

- 第三者間で結ばれたロイヤルティ契約や他の無形資産譲渡契約で示されている分割割合を参照する
- 評価対象の無形資産が、当該事業部門でどのように使用されているか分析する
- 評価対象の無形資産とその他の有形・無形資産が当該事業部門の利益にどれだけ貢献しているかを分析する

無形資産が寄与した利益からキャピタルチャージを控除した後の利益の分割の比率は、その無形資産の使用者がその無形資産の所有者に進んで支払うロイヤルティレートを想定して決定されるのが一般的である。

iii　超過収益法

これは、企業または事業全体の利益から無形資産に寄与する利益を抽出して、それを資本還元する方法である。

この方法では、以下の算式に示すように、評価対象の無形資産を使用して営業活動をした結果、企業または事業が生み出した利益は、当該無形資産の他に運転資本、有形固定資産、評価対象無形資産以外の無形資産も寄与した結果生み出された利益であるため、無形資産が寄与した部分の利益は、企業または事業が生み出した利益から運転資本、有形固定

資産、評価対象以外の無形資産に要求される期待収益を差し引いた残余利益として計算される。このように企業または事業部門から控除する評価対象の無形資産以外の貢献資産に関わる期待利益は、前節で説明したようにキャピタルチャージといわれる。

評価対象の無形資産が寄与する利益＝企業または事業部門の利益
－運転資本の公正価値×当該運転資本に対する期待収益率
－事業用の有形固定資産の公正価値×当該有形固定資産に対する期待収益率
－評価対象以外の無形資産の公正価値×当該無形資産に対する期待収益率

上記の算式の運転資本、有形固定資産、無形資産は公正価値が原則ではあるが、公正価値を入手することが困難なときは帳簿価額を簡便的に使用する場合がよくある。

また、各資産に適用される期待収益率については、リスクに応じて運転資本、有形固定資産、無形資産の順に高くなるのが一般的である。運転資本のうち、金融資産は金融市場の類似の金融商品の利回りを参考に期待収益率を推定することができ、また、棚卸資産は回転期間が同程度の短期借入金や国債利回りをベースとして分析し、有形固定資産の場合は長期借入金や長期国債利回りの利率をベースとして分析することになるが、いずれにせよ一定のエクイティの期待リターンも考慮する必要がある。無形資産は内容にもよるが、有形固定資産より高い期待収益率を適用するのが一般的である。

iv　ロイヤルティ免除法

ロイヤルティ免除法は、ロイヤルティレートを使用して無形資産が貢献した利益を求めることによって無形資産の価値を算定する方法であるが、さらに以下のロイヤルティに対する考え方の違いによって２つの方法に分類される。

- ◆無形資産の所有者が第三者にその使用を許可することによって実際にロイヤルティ収入を得るか、または得ることを想定されたロイヤルティ収入に基づいて無形資産を評価する方法（ロイヤルティ料率法）
- ◆無形資産の所有者がそれを他の第三者からライセンスされて事業を進行すると仮定した場合に支払うべきロイヤルティ費用を想定して無形資産を評価する方法（ロイヤルティ免除法）

これらのロイヤルティは、マーケットから導き出される数値を前提にしているためこの方法はマーケットアプローチに分類されるという考え方もある。

CHAPTER III

2 マーケティング関連無形資産の評価方法

マーケティング関連無形資産は、商品およびサービスの市場や販売促進に使用される資産である。代表的な例は、商標があげられる。

❶マーケティング関連無形資産の種類

マーケティング関連の無形資産は以下に説明する商標、商号、標章等といったものがこの分類に属する。商標などは法的保護を受けるために、必ずしも登録する必要はないが、登録していれば、商標の侵害があったときには有利な法的手続が与えられる。

商標は言葉、名称、表象もしくは図案であって、自分の商品を識別し、他者により製造された商品と区別するために使用するものである。

標章のうち、役務標章（サービス・マーク）は商品ではなく、サービスを識別するものを示している。一方、団体標章は特定の団体の商品やサービスを識別するものとして使用される。また、証明標章は商品やサービスの産地やその他の特徴を証明するものとして使用される。

米国やその他の諸国でも、商標、役務標章（サービス・マーク）、団体標章、証明標章は、監督官庁に登録することや商業的な継続使用あるいは他の手段により、法的保護を受けることができる。いったん、登録あるいは他の方法により法的保護を受けた場合、商標やその他のマーケティング関連の無形資産はのれんとは別に、契約法律規準に適合した無形資産として認識することになる。あるいは分離可能性規準に適合した場合も、商標やその他のマーケティング関連無形資産は同様にのれんとは別に無形資産として認識することになる。

1…商　標

商標は製品の識別に使われる。後述する「役務標章（サービス・マーク）」はサービスの識別に使われている。両者はこの点を除いては同じであり、一般的にはどちらも商標とか標章と呼ばれている。

最も一般的な商標は、社名であり、通常は識別できる字体、ロゴの形になっている。また、形状、図案、色彩の組み合わせも商標となる。

2…商　号

商号は企業、協会またはその他の団体の名称であり、組織の識別を目的として用いられている。商号は、その会社の製品を識別するために使用されている商標と同じこともあれば、異なる場合もある。

商号は、通常は大きな価値をもつ資産ではないと一般的に言われている。なぜならば、消費者は通常、商標によって商品やサービスを識別するため、それらを生産している会社の実際の名前を全く知らないこともよくあるからである。

3…役務標章（サービス・マーク）

商標は製品の識別に使われているのに対し、役務標章は製品ではなく、サービスの識別に使われている。

4…団体標章

団体標章は名称が付された製品やサービスが、特定の団体の会員である何者かにより、製造または提供されていることを示している。

5…証明標章

証明標章は「JIS規格」といった一般に知られた規格に合致している製品に示されているような、具体的な性能、特徴を具備している製品を識別するものである。

6…トレード・ドレス

トレード・ドレスは、市場における商標の認知度をさらに高める独自の表示である。製品のトレード・ドレスといった場合、その製品の全体的イメージを表示するものであり、その大きさ、形状、色彩、表面の感じが含まれている。一般にはトレード・ドレスは包装を表わすが、最近では、製品自体の外観の表示にも使用される場合もある。

7…新聞名

新聞名は一般に認知され、識別されている。例えば、「日経新聞」があげられる。

8…インターネットのドメイン名

インターネットのドメイン名は広く一般に認知され、識別されている。例えば、https://www.yahoo.co.jp/などがあげられる。

9…競業避止協定

競業避止協定とは、会社（使用者）が社員（労働者）に対して負わせるライバル会社（競業会社）への転職禁止、ライバル事業（競業）の開業等の禁止といった義務である。ノウハウ（知識、経験、技術）や機密等が外部に漏れることによって、会社が重大な損害を被ることになるのを防ぐ目的で使用する。

❷マーケティング関連無形資産の評価方法

1…コストアプローチ

一般的に、コストアプローチでマーケティング関連無形資産を評価することはまれであるが、商標の場合、商標を確立するのに要した費用に関する情報が得られれば、再調達原価法を利用することにより商標の価値評価は可能である。再調達原価法は、現在の評価対象資産と同じ機能を有する資産を生成するために必要なコストを評価額とする評価方法であり、取得コストのみならず、過去に発生したコストの集計およびその後のインフレ要素、さらに減価要素が反映される必要がある。

また、商標の場合、コストとしては市場および広告、宣伝担当者への人件費、商標の選定、メディアを使った広告キャンペーンの展開、パッケージ・デザインの策定、商標登録等の販売促進費、広告宣伝費などによって算定されるが、商業化によって得られる利益、投資リスク、利益の成長の見通しなどの重要な要素が考慮されない点で注意が必要である。

2…マーケットアプローチ

マーケットアプローチは、同種あるいは類似無形資産の実際の市場取引を参考にマーケティング関連無形資産を評価する方法である。

マーケティング関連無形資産に関する活発な市場取引が存在していること、取引内容が公開されていること、独立当事者間取引であること、評価時点と異なる時点で取引が行われている場合には、その時間軸の考慮等の検討が必要である。必要な情報が入手しづらいという点では、マーケティング関連無形資産をマーケットアプローチで評価することは難しいと考えられる。

3…インカムアプローチ

マーケティング関連無形資産を保有することから、その残存耐用年数に応じ、生ずるであろう将来の経済的便益の割引現在価値合計で評価するインカムアプローチが最も多く採用される。インカムアプローチの中でマーケティング関連無形資産の評価には、ロイヤルティ免除法、利益分割法、利益差分法などの手法が用いられる。

a.ロイヤルティ免除法

マーケティング関連無形資産を評価するのに最も一般的なインカムアプローチは、ロイヤルティ免除法である。

ロイヤルティ免除法は、評価対象の無形資産が第三者間売買取引として承認されると仮定した場合、第三者のロイヤルティレートを適用し、導き出された評価対象の無形資産のロイヤルティ予想収入を割引現在価値にする方法である。ロイヤルティ予想収入の割引現在価値を導き出すという観点から、インカムアプローチに分類される。一方、このロイヤルティはマーケットから導き出される数値を前提としていることから、マーケットアプローチの観点も含まれていると考えることができる。

b.利益分割法

商標の価値を利益分割法を用いて評価することがある。利益分割法は全体の利益から評価対象の無形資産が貢献する割合を見積もり、その貢献割合を全体の利益に乗じることによって、直接当該無形資産に割り当て、その割り当て額を資本還元して評価する手法である。この手法はインカムアプローチに位置付けられる。

実務的には営業利益（またはEBIT）あるいはEBITDA（利払前、税引前、減価償却、その他償却前利益）に、分割割合を用いる。分割割合は、例えば、商標であれば、商品の属性、市場分析、産業分析、他商品の比較、利益率の分析、消費者への認知度、商標保護の範囲、ブランドとしての潜在性等を含めリスクとリターンの特徴に基づき決定される。また、商標の使用によって生じる将来の経済的便益にその分割割合を乗じ、資本還元する手法で求めることもある。

あるいは、商標を使用することから生じる将来の経済的便益から、商標以外のキャピタルチャージ（Ⅴ-4で後述）を控除したその便益を、商標のライセンサーとライセンシーに仮説的に分割することもある。これは、商標を所有している独立の第三者が、使用者に対して、あるロイヤルティレートでライセンスする、あるいはその関連する利益を分割することを前提としている。

c.利益差分法

マーケティング関連無形資産がある場合とない場合とを想定して、利益差分法を用いることがある。

利益差分法は無形資産がある場合の収入、費用または利益と、無形資産がない場合の収入、費用または利益との増減差額を無形資産に係る利益とみなし、その利益を資本還元する評価方法であり、インカムアプローチとして位置付けられる。

❸マーケティング関連無形資産の評価事例

1…商　標

a.ロイヤルティ免除法

ロイヤルティ免除法とは、評価対象の無形資産の所有者がその使用を第三者よりライセンスされたものと仮定した場合に、第三者に対して支払うことが想定されるロイヤルティコストを類似ライセンス契約から推定して評価する方法である。この方法は、ロイヤルティの見積算定額を資本還元して無形資産を評価しているので、ここではインカムアプローチとして位置付ける。

この評価方法は、以下の算定手順により実施される。

類似のライセンス契約の内容について以下の点を検討するとともに、評価対象資産に対する投資リスクとリターンに類似性があるか否かを検討する。

- ◆類似ライセンス契約の法的権利内容
- ◆類似ライセンス契約に関するメンテナンス（宣伝、品質管理など）の内容
- ◆類似ライセンス契約の効力発生日、終了日、独占使用の程度

評価対象資産の無形資産から創造される売上高または利益に対して、上記の検討の結果から推定されるロイヤルティレートを適用して、無形資産が生み出すロイヤルティを算定する。

- ◆ロイヤルティに対する資本還元率
- ◆無形資産に関する利益に資本還元率を適用して無形資産を評価

i　ロイヤルティレート

市場レートまたは業界標準を使用することが考えられる。ロイヤルティ免除法を用いた評価においては、ロイヤルティレートの決定も重要な要素となる。ロイヤルティレートは、主に下記の要素を検討して決定

されるが、その際には、検討結果に結びつく資料・文書の入手も大切な作業である。

計算例：商標の評価－ロイヤルティ免除法

▶**前提条件**

◆商標は登録後、更新する限り保護され、永遠に使用することが可能であるため、商標より生み出されるキャッシュ・フローは恒久に続くものとすると仮定している。

◆ロイヤルティレート：2%

◆税率：30%

◆償却による節税効果：公正価値の概念に基づき想定される一般的な買い主が日本企業である場合、商標を無形資産として取得した場合の一般的な税務上のベネフィットをモデル上考慮する必要がある。商標を個別的に取引した場合は税務上10年の償却期間が認められているが、のれんは、日本の税務上、一般的に資産調整勘定として認識され、5年で償却が行われる。下記の計算では、節税効果の期間を5年と仮定している。

(単位：百万円)			20X1	20X2	20X3	継続価値
売上高(全社ベース)			1,000	1,000	1,000	1,000
ロイヤルティ収入	ロイヤルティ	2.0%	20	20	20	20
ー）税金相当額		30.0%	(6)	(6)	(6)	(6)
税引後利益			14	14	14	14
継続価値						117
割引期間			0.500	1.500	2.500	2.500
現価係数			0.945	0.844	0.753	0.753
割引率		12.0%				
永久成長率		0.0%				
現在価値			13	12	11	88
現在価値の合計			123			
＋）償却による節税効果			37			
商標の算定価格			160			

① 評価対象となっているマーケティング関連分野のロイヤルティレートに関する専門的調査・統計資料
② 評価対象となっているマーケティング関連分野のロイヤルティレートに関する評価対象会社や買い手による分析資料
③ 評価対象会社や買い手が過去に類似商標のライセンス供与を行った際に採用したロイヤルティレート
④ 評価対象会社へのインタビュー
⑤ 計画上の営業利益率

ii 経済的寿命と耐用年数の考え方

経済的寿命とは、ある資産を利用することによって利益が生み出される期間をいう。したがって、経済的寿命は資産を利用することによって利益が生じなくなった時点、または他の資産を利用することによってより大きな利益が生み出されることになった時点で終了する。

耐用年数は、ある資産が収益能力とは関係なく、除却するまでの期間であるため、意味が異なる。

マーケティング関連の無形資産の経済的残存期間は、法律や契約規定によって制限されているかどうか確認する必要がある。例えば、商標の経済的寿命は、法的保護を受けているために、登録していれば、商標の侵害があったときには有利な法的手続が与えられる。その保護期間は10年である。10年目に更新することができ、約定期間を更新することができるため、その経済的残存期間は影響を受けるものと考えられる。ただし、マーケティング関連無形資産の経済的寿命は、これらの契約上の約定期間のみならず、様式や嗜好の変化とともに商標も変化することを考慮する必要がある。また、経営陣が事業イメージを刷新する必要性によっては、商標は変化するかもしれない。商標は経済的寿命が必ずしもないとも考えられる一方、必ずしも永遠であるとは言い切れない側面にも注意を払う必要がある。

公正価値の概念に基づき想定される一般的な買い主が日本企業である

場合、商標を無形資産として取得した場合の一般的な税務上のベネフィットをモデル上考慮する必要がある。

日本の場合の商標の保護期間は10年であり、10年目に更新することができ、以後更新する限りにおいては永遠に保護されるため、商標は償却期間が特定化できない、非償却性無形資産となる可能性もある。

b.利益分割法

利益分割法とは、全体の利益から評価対象の無形資産が貢献する割合を見積もり、その貢献割合を乗じることによって、直接当該無形資産に割り当て、その割当額を資本還元する評価方法である。ここでいう利益は営業利益の場合もあり、EBITDA、キャッシュ・フロー、あるいは売上の場合もあり、適切な選定が必要である。売上を使用する場合には、税引後営業利益やフリー・キャッシュ・フローまで導く必要がある。全体の利益を評価対象の無形資産に帰属する利益とそれ以外の有形資産、ならびに評価対象外の無形資産に帰属する利益と二分割するという方法といえる。

分割割合は無形資産の種類、無形資産を使用している事業セグメントにおける事業内容、その事業セグメントが事業を運営している業界等に基づきさまざまである。例えば、25％、33％、50％といった簡便ケースはまれに参考として用いられる。分割割合を見積もる際には、次の要因を考慮する必要がある。

- 評価対象の無形資産が、事業セグメントでどのように使用されているかの分析
- 評価対象の無形資産とそれ以外の有形資産および評価対象以外の無形資産が当該事業セグメントの利益にどれだけ貢献しているかの比較分析
- 有形資産と評価対象以外の無形資産のリターンがどの程度まで分割割合を許容できるかの分析
- 業界内での同業他社と比較しての利益水準

計算例：商標の評価－利益分割法

▶前提条件

◆商標は登録後、更新する限り保護され、永遠に使用することが可能であるため、商標より生み出されるキャッシュ・フローは恒久に続くものと仮定している。

◆利益分割割合：25%

◆税率：30%

◆償却による節税効果：下記の計算では節税効果の期間を５年と仮定している。

(単位：百万円)		20X1	20X2	20X3	継続価値
売上高		1,000	1,000	1,000	1,000
営業利益率	8.0%				
		80	80	80	80
利益分割割合	25.0%				
		20	20	20	20
ー）税金相当額	30.0%	(6)	(6)	(6)	(6)
税引後利益		14	14	14	14
継続価値					117
割引期間		0.500	1.500	2.500	2.500
現価係数		0.945	0.844	0.753	0.753
割引率	12.0%				
永久成長率	0.0%				
現在価値		13	12	11	88
現在価値の合計		123			
＋）償却による節税効果		37			
商標の算定価格		160			

c.超過収益法

商標の評価は、今まで紹介してきたロイヤルティ免除法によって算定し、必要に応じて利益分割法によって検証することが一般的である。まれではあるが、超過収益法によって商標を算定するケースもあるので、その事例を見てみよう。

計算例：商標の評価ー超過収益法

▶**前提条件**

◆税率：30%

◆償却による節税効果：下記の計算では、節税効果の期間を5年と仮定している。

(単位：百万円)		20X1	20X2	20X3	継続価値
売上高		10,000	10,000	10,000	10,000
EBITDA		500	500	500	500
EBITDAマージン		5.0%	5.0%	5.0%	5.0%
調整					
技術ロイヤルティレート	1.0%	(100)	(100)	(100)	(100)
調整後EBITDA		400	400	400	400
キャピタルチャージ					
運転資本	0.5%	(50)	(50)	(50)	(50)
有形資産	0.5%	(50)	(50)	(50)	(50)
人的資産	0.3%	(30)	(30)	(30)	(30)
キャピタルチャージ計		(130)	(130)	(130)	(130)
税引前キャッシュ・フロー		270	270	270	270
税金相当額	30.0%	(81)	(81)	(81)	(81)
税引後キャッシュ・フロー		189	189	189	189
継続価値					1,575
割引期間		0.500	1.500	2.500	2.500
現価係数		0.945	0.844	0.753	0.753
割引率	12.0%				
永久成長率	0.0%				
現在価値		179	159	142	1,186
現在価値の合計		1,667			
+）償却による節税効果		495			
商標の算定価額		2,162			

＊有形資産のキャピタルチャージには減価償却費分が含まれる。

＊今回の計算例とは異なるが、営業利益およびNOPATを基に、税引後のキャピタルチャージを控除して計算する方法が一般的である。

d.利益差分法

同様にまれなケースとして、商標を利益差分法によって算定することもある。その事例についても見てみよう。

計算例：利益差分法商標の評価

▶前提条件

◆税率：30%

◆償却による節税効果：下記の計算では、節税効果の期間を5年と仮定している。

(単位：百万円)		20X1	20X2	20X3	継続価値
商標権のある場合のキャッシュフロー		370	370	370	370
商標権のない場合のキャッシュフロー		100	100	100	100
キャッシュフロー差額		270	270	270	270
税金相当額	30.0%	(81)	(81)	(81)	(81)
税引後キャッシュ・フロー		189	189	189	189
継続価値					1,575
割引期間		0.500	1.500	2.500	2.500
現価係数		0.945	0.844	0.753	0.753
割引率	12.0%				
永久成長率	0.0%				
現在価値		179	159	142	1,186
現在価値の合計		1,667			
+）償却による節税効果		495			
商標の算定価額		2,162			

e.商標と防衛的価値（defensive value）

ASC805およびIFRS第3号は、競争的地位を守るため競合他社に使用されないように保有するといった防衛的価値を提供するような資産（defensive intangible asset）について、取得企業がそれらをどのように使用するかどうかに関係なく、市場参加者の最有効使用を仮定し公正価値を測定することを要求している。例えば、同業種のA社、B社がそれぞれ認知度の高い商標を持っていたとしよう。A社がB社を買収し、買収後には、A社は自らの商標を継続して使用するが、B社の商標を使用しないと決定したとしよう。B社の商標が市場参加者の観点から価値があるとすると、A社が取得し使用しないとしたB社の商標は、防衛的価値を有していることになる。したがって、B社の商標は、無形資産として認識し、評価する必要がある。

なお、市場参加者がB社の商標は無価値であるとするなら、市場参加者もその商標を放棄することが明らかであることから、商標の防衛的価値はないものとみなされる。

2…競業避止協定

利益差分法は評価対象の無形資産がある場合の収入、費用または利益と、無形資産がない場合の収入、費用または利益とを比較してその増減差額を無形資産に係る利益とみなし、その利益を資本還元して無形資産を評価する方法である。

競業避止協定の評価に利益差分法を用いた事例を見てみよう。

なお、マーケティング関連無形資産の経済的残存期間は法律や契約規定によって、制限されているかどうか確認する必要がある。競業避止協定については契約上の約定期間に依存するものと考えられる。

計算例：競業避止協定の評価―利益差分法

▶前提条件

◆税率：30%

◆償却による節税効果：公正価値の概念にもとづき想定される一般的な買い主が日本企業である場合、競業避止協定を無形資産として取得した場合の一般的な税務上のベネフィットをモデル上考慮する必要がある。下記の計算では節税効果の期間を5年と仮定している。

(単位：百万円)		20X1	20X2	20X3	20X4
売上高		1,000	1,000	1,000	1,000
競業避止協定がない場合、影響を受ける売上高	50.0%	50.0%	50.0%	50.0%	50.0%
競業避止協定がない場合、実際に従業員が競業しようとする確率	50.0%	50.0%	50.0%	50.0%	50.0%
競業避止協定がない場合、競争の影響を受ける売上高		25.0%	25.0%	25.0%	25.0%
競業避止協定に帰属する売上高		250	250	250	250
営業利益率	10.0%	25	25	25	25
税金相当額	30.0%	(8)	(8)	(8)	(8)
税引後利益		18	18	18	18
割引期間		0.500	1.500	2.500	3.500
現価係数		0.945	0.844	0.753	0.673
割引率	12.0%				
永久成長率	0.0%				
現在価値		17	15	13	12
現在価値の合計		56			
+）償却による節税効果		17			
競業避止協定の算定価額		73			

Column 買収候補先企業の“感性（ブランド）”を理解してビッドに勝つ

M&Aにおけるブランド価値の可視化

本コラムでは、ケースを参考に、M&Aにおける“感性（ブランド）”の活用の可能性をご提示する。

買い手候補A社は、高級日用品の有名ブランドを全国で卸・小売展開するB社の買収を検討し、オークションに参加していた。A社は、ビジネスデューデリジェンス（以下、ビジネスDD）に加えて、ブランドにフォーカスを当てた分析とその結果を踏まえた買収後の改善・成長施策を検討するために、ブランド評価（ブランドDD）も実施した。ブランドDDでは、定性面も含めた多様な観点により、本質的な価値をとらえることができる。ブランドDNA（ブランドDNAとは、ブランドが培ってきた志であり、提供するコアバリューといえるもの）や事業コンテンツ（商品･サービスや顧客とのタッチポイントなど）の本質的な価値を明確にすることで、定性的な観点も含めた現状分析やリスク抽出が可能となり、事業の成長余地や未来に対する可能性など、将来に向けた価値創造の施策検討が可能である。

ブランドDDがもたらす効能

ブランドDDを実施することの最大のメリットは、現在の事業価値・ブランド価値の源泉を明確にすることで、定性的な観点も含めた現状分析やリスク抽出が可能となり、また、事業の成長余地や未来に対する可能性など、将来（PMI）に向けた価値創造の施策検討が可能になることである。加えて、ブランドDDをクリエイティブワークと連動させることで、PMIにおいて施策を迅速に具現化でき、経営のPDCAサイクルを加速することで事業計画の達成の確度を高めることが可能となる。

対象会社が選定する“ベストオーナー”

対象会社のオーナーは、A社の最終意向表明を受けて、A社であれば出資後も事業（ブランド）を大切に育ててくれると確信し、売却先をA社に決めた。実は入札価格は他の買い手候補よりも低かったようだが、ブランドDDでの施策提案がオーナーの意思決定を後押しすることができた。このように、対象会社の“感性（ブランド）”を理解することで、対象会社のオーナーへ真剣に検討してくれていることを伝えられ、対象会社のオーナーの心を動かすことができる。

M&Aにおいて、特にオーナー企業の場合では、大切に育ててきた我が子といっても過言でない“会社・事業（ブランド）”への深い理解、共感をしてくれる相手を売却先に選ぶことは当然ではあるものの、これまでは経済的価値が優先されてきたケースも多いと思われる。対象会社から“ベストオーナー”として選ばれるためにも、通常のビジネスDDだけに留めず、今回のようにブランディング視点からの施策提案をすることも有効である。

顧客関連無形資産の評価方法

顧客関連無形資産の評価方法には、コストアプローチ、マーケットアプローチおよびインカムアプローチの３つの手法があるが、最も多く用いられているのが､インカムアプローチの一種である超過収益法である。以下で顧客関連無形資産の種類、評価方法、超過収益法を用いた顧客との関係の評価事例について解説する。

❶ 顧客関連無形資産の種類

ASC805およびIFRS第３号に例示されている顧客関連無形資産は、以下のとおりである。

- ◆顧客リスト
- ◆受注残
- ◆顧客との契約および関連する顧客との関係
- ◆契約に拠らない顧客との関係

1…顧客リスト

ASC805およびIFRS第３号によると、顧客リストは顧客名および連絡先に関する情報から構成されており、注文履歴や人口統計情報等顧客についての情報を含むデータベースの形態をとるものとされる。

顧客リストは、無形資産の認識要件の１つである契約法律規準により認識されるものではなく、顧客リスト自体に価値があり、頻繁に貸与交換されることで、無形資産のもう１つの認識要件である分離可能性規準を満たすことにより、無形資産として認識される。

無形資産として認識可能な顧客リストは、少なくともそれまでの顧客との取引関係を文書化している必要があると考えられる。

以下は、顧客に関する情報として含まれるべき情報の例である（必ずしもすべてを含む必要はない)。

◆顧客名

◆顧客番号

◆顧客の住所

◆顧客が最初に購入した日

◆過去の購入履歴

2…受注残

ASC805によると、注文書や発注書のような契約により、取得した注文や製造の受注残が発生している場合、その受注残は無形資産の認識要件の契約法律規準を満たしていると考えられる。また、受注残は、その後の購入や販売の注文が解約可能であったとしても、無形資産として認識される。IFRS第3号にも受注残について、同様の記述がある。

なお、顧客との関係等の無形資産を超過収益法により算定する際には、それらの無形資産から生み出された収益から受注残の収益を控除して計算する点に留意する必要がある。受注残を控除するのは、顧客との関係と受注残の価値を重複して認識しないようにするためである。

3…顧客との契約および関連する顧客との関係

ASC805およびIFRS第3号によると、会社が契約を通して顧客との関係を構築している場合、顧客との関係は、契約上の権利から発生しているものとされる。すなわち、顧客との契約および関連する顧客との関係は、無形資産の認識要件である契約法律規準を満たす無形資産に該当する。

ASC805では、以下の要件を両方満たす場合に、顧客との関係が存在するとしている。

◆会社が顧客に関する情報を有しており、当該顧客に対し定期的に接触している
◆顧客が会社に対し直接、接触する能力を有する

もし会社が日常的に取引関係のある顧客と契約の締結により取引を実行することを慣行としている場合には、取得日時点における会社と顧客との間の契約の有無に関わらず、無形資産の認識要件である契約法律規準を満たす顧客関係が存在するものと考えられる。

したがって、販売員やサービス担当による定期的な顧客への接触のように、契約以外の手段によっても、顧客との関係は発生する可能性がある。

すなわち、会社が取引や営業活動を通して、顧客に対して定期的に接触しているという事実が存在し、双方向のコミュニケーションが可能な状態にあれば、仮に取得日時点で有効な取引契約が存在しなくてもその顧客関係を無形資産として識別できる可能性があると考えられる。

4…契約に拠らない顧客との関係

無形資産としての顧客との関係は、当事者間の契約が存在する場合にのみ認識されるものではない。たとえ契約および契約に準ずるものが存在しない場合でも、分離可能性規準を含む無形資産認識要件を満たせば、無形資産として認識される可能性がある。

特定の契約に拠らない顧客との関係について、売却または移転したことを示す同一または類似する資産の交換取引が存在する場合には、分離可能性規準を満たしていると考えられる。

例えば、銀行と預金者との関係は、分離可能性規準に基づき認識される“契約に拠らない顧客”との関係の例である。

❷ 顧客関連無形資産の評価方法

顧客関連無形資産の評価方法には、コストアプローチ、マーケットアプローチ、そしてインカムアプローチがある。これらの評価方法のなかで、

インカムアプローチが、通常、顧客関連無形資産の評価に用いられる。

また、コストアプローチは、ロイヤルティプログラムに加入する顧客関連無形資産の価値を評価する場合に使用される。

マーケットアプローチは、類似する無形資産の取引情報が入手可能な場合等、ある特定の状況で用いられることがあるが、この手法は顧客関連無形資産の評価手法として多用されることはない。

1…インカムアプローチ

顧客関連無形資産の評価には、通常インカムアプローチが用いられ、そのなかでも最も一般的な手法が超過収益法である。超過収益法は、将来予測期間にわたって、顧客との関係が生み出すと期待される将来キャッシュ・フローの現在価値を測定することにより無形資産の価値を算定する手法である。

具体的には、事業全体の収益から、評価対象となる基準日時点の顧客関連無形資産が生み出すことが期待される将来予測収益を特定し、それに将来の顧客減少率（attrition rate）を加味する。次に、顧客減少率を反映させた顧客関連無形資産の収益から、営業費用（新規顧客獲得に要した費用は足し戻す）および税金を控除し、税引後利益を計算する。さらに税引後利益から顧客関連無形資産以外の資産に関連したキャピタルチャージを控除することにより、税引後キャッシュ・フローを計算し、適切な割引率で現在価値を計算する。ここで適用する割引率は、対象となる業界における市場参加者にとっての顧客関連無形資産のリスクおよび利回りを勘案し、決定する必要がある。

最後に、割引後キャッシュ・フローに、当該無形資産の償却により買い手が享受できると想定される節税メリットの金額を加算することにより、顧客関連無形資産の価値が算定される。

2…コストアプローチ

コストアプローチは、評価対象となる顧客との関係の構築およびその顧客との関係を維持するために要したコストの情報がすべて入手可能な場合に適用される。

算定に必要な情報の例として、新規顧客を獲得するために要したコスト（広告宣伝費、顧客訪問時に発生した費用、ダイレクトメール等の郵送費）や獲得した顧客を維持するために要したコスト（顧客訪問時に発生した費用、顧客に提供した特典、値引き等）がある。それ以外にも、評価基準日時点で存在する既存顧客に関連して発生したコストがあれば、それらをすべて把握し、無形資産の価値に含めなければならない。

しかし、実際に会社がそれらの顧客関連コストデータを管理（もしくは記録）しているケースはほとんどないため、実務上、コストアプローチが顧客関連無形資産の評価に用いられることはロイヤルティプログラムに係る顧客関連無形資産を評価する場合を除きそれほど多くない。

3…マーケットアプローチ

顧客関連無形資産は一般的にインカムアプローチにより評価されることが多いが、まれにマーケットアプローチが用いられることがある。

マーケットアプローチによる評価方法は、実際の市場の取引で売買された顧客関連無形資産に支払われた対価に基づく倍率を用いて、評価対象となる顧客関連無形資産の価値を算定するものである。

しかし、当該手法も、市場において適切で信頼性の高い顧客関連無形資産の取引データを入手することが困難なため、実際に適用されることは極めて少ない。

❸ 顧客関連無形資産の評価事例とポイント

次に、顧客関連無形資産の評価手法として、最も一般的に用いられる超過収益法のポイントについて解説する。

認識要件を満たした顧客関連無形資産を評価する際に、留意すべき点は以下の2点である。

◆会社と顧客との間に継続的、安定的な関係が存在しなければならない
◆顧客関連無形資産の耐用年数は、原則として有限とする

1…既存顧客にかかる収益の特定

超過収益法における顧客関連無形資産の評価に用いられる収益は、将来予測期間にわたり、継続的、安定的にもたらされるものでなければならない。その観点から、評価対象となる顧客は、個人顧客であればロイヤルティプログラムにおけるアクティブな会員のように将来的に反復して購入が見込める顧客であり、法人顧客であれば販売契約を締結している取引先、契約がなかったとしても一定期間取引関係が成立しており、将来も取引関係の維持が期待できる継続顧客となる。したがって、法人であれ個人であれ単発の、つまり一時的な取引が行われたに過ぎない顧客については評価対象から除かれる。

顧客との関係が無形資産として特定され得るのは、会社もしくは店舗と顧客との間に、目に見えない直接的な顧客との関係が構築されていると考えられる場合である。したがって、会員制度の存在しないファストフード店を訪れる顧客は、原則として、顧客関連無形資産の評価対象とはなり得ず、それらの顧客から生み出された収益は商標またはのれん等の価値に含まれる。同様に、評価基準日以後に、会社が獲得した新規顧客も評価基準日時点で、顧客との関係が構築されていないため、のれんとして認識される。すなわち、超過収益法による顧客関連無形資産の評価は、評価基準日に存在する既存顧客から生み出されるであろう将来予測期間の収益のみを用いて行い、新規顧客に関連した収益は計算に含めない。

また、顧客との関係に帰属するキャッシュ・フローの算定に際し、会社の事業計画において予測期間の売上高が持続的に成長するモデルが描かれている場合、売上高の増加が、既存顧客に対する売上高の増加を見

込んだものなのか、新規顧客獲得による効果を見込んだものなのかを、会社に対するインタビューにより明らかにし、既存顧客と新規顧客に関連する収益を可能な限り正確に分離する必要がある。

2…顧客減少率の算定

超過収益法により顧客関連無形資産を評価するうえで、顧客減少率の算定は最も重要な作業の１つである。取得した顧客関連無形資産は、時間の経過に伴い経済的価値が減少すると考えられる。したがって、評価基準日時点で存在する顧客関連無形資産が生み出す将来の売上高にも、時間の経過に伴う減少率（顧客減少率）が加味されなければならない。

顧客減少率は、会社と顧客の関係は有限であるとの考えに基づくものである。いったん、取引関係が発生した顧客であっても、取引契約期間の終了とともに、取引関係が終了する場合がある。また、契約が更新された場合や、顧客との関係が契約に拠らない場合であっても、何らかの理由により、顧客との取引が失われた時点で、当該顧客との関係は終了する。このように、評価基準日に存在する顧客との関係は有限であり、いずれ価値が失われるとの前提に基づいて、顧客減少率は検討される。

顧客減少率を検討する際は、被取得会社の過去の顧客の減少率のトレンドを分析する必要がある。

実務上は、過去３～10年間における既存顧客に対する売上高や既存顧客数の年間平均顧客減少率を算定する。

過年度の顧客推移データから計算された顧客減少率を、将来の顧客減少率と想定し、既存顧客にかかる収益にそれを加味することにより、将来予測期間における既存顧客のみに帰属する収益が算定される。

評価基準日時点における既存顧客から発生した収益に、年間平均顧客減少率（20％の場合）を加味した収益の推移を示したイメージ図は、下記のとおりである。

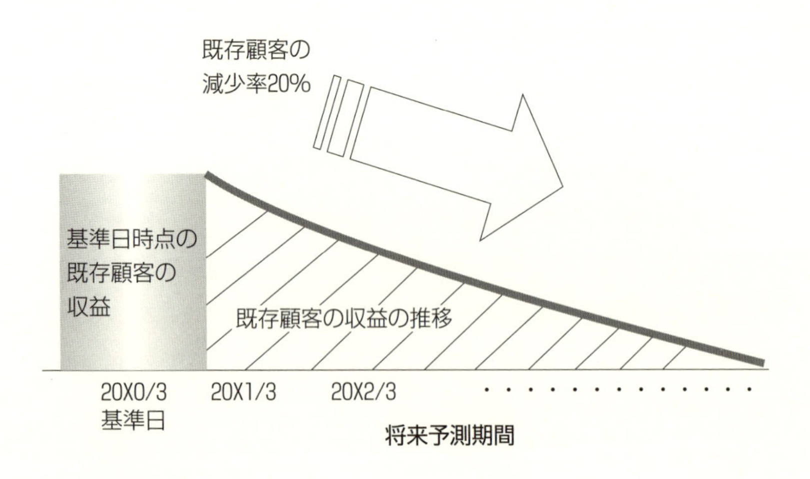

3…耐用年数の考え方

顧客関連無形資産の耐用年数は、過年度の顧客推移から計算した年間平均顧客減少率を用いることにより簡便的に計算する手法がある。例えば、年間平均顧客減少率が20%の顧客との関係の平均残存耐用年数（定額法の場合）は、5年（1/20%）と計算されることがある。

それ以外の方法としては、無形資産の割引後（もしくは割引前）キャッシュ・フローの合計に対する予測期間の単年度の割引後（もしくは割引前）キャッシュ・フローの金額の比率が重要性を持たなくなるまでの期間を耐用年数とするケースがある。

決定した耐用年数は、会社の経営陣とのディスカッション等により、それが会社側の認識および業界平均の水準と乖離がないかどうかを確認する必要がある。なお、顧客関連無形資産に関しては、当該無形資産を保有する会社が製造業の場合、主力製品のライフサイクルが顧客関連無形資産の耐用年数よりも短い場合には、当該製品のライフサイクルを耐用年数の上限と考える場合もある。

4…キャピタルチャージ

超過収益法では、顧客関連無形資産を評価するうえで、当該無形資産が生み出したキャッシュ・フローからキャピタルチャージを控除する必要がある。

キャピタルチャージとは、顧客関連無形資産がキャッシュ・フローを生み出す際に、同時に使用される時価ベースの運転資本、有形固定資産およびその他の固定資産（負債との純額）に関わる期待リターンである。キャピタルチャージは、顧客関連無形資産が使用したそれぞれの資産の時価と期待収益率に基づき算定される。

また、有形固定資産のキャピタルチャージには“return on assets”と“return of assets”の２種類がある。“return on assets”は、顧客関連無形資産がキャッシュ・フローを生み出すために、有形固定資産を使用した場合の有形固定資産に帰属するリターンに相当する。一方、資産の陳腐化は“return of assets”として、例えば、有形固定資産の減価償却費が該当し、事業計画の全体のキャッシュ・フローから顧客関連無形資産が生み出したキャッシュ・フローの計算上控除される。

5…節税メリット

一般的に、無形資産の価値を超過収益法により評価する際は、税引後のキャッシュ・フローの割引現在価値として計算される。したがって、最終的な顧客関連無形資産の評価額は、当該無形資産を税務上償却した場合に享受できると想定される節税額の現在価値を含んだものでなければならない。

具体的には、想定される一般的な買い手が日本の法人であると想定した場合に、当該顧客関連無形資産が日本の税務上、資産調整勘定として認識され、償却が行われるという前提に基づき償却から得られる節税額の現在価値を、当該無形資産の節税メリットとして無形資産の価値に加算する。

6…計算例

以下は、カード会社のカード会員顧客との関係の価値の計算例である。

計算例－顧客との関係の評価：超過収益法

▶前提条件

算定対象無形資産	顧客との関係
算定基準日	20X0年３月31日
実効税率	30%
割引率	15%
割引期間	期央主義
無形資産の税務上の償却年数	５年

(単位：百万円)		20X0年	20X1年	20X2年	20X3年	20X4年	20X5年	20X6年	20X7年	20X8年	20X9年	20Y0年
カード会員に係る営業収益		1,000	1,100	1,200	1,300	1,350	1,250	1,300	1,400	1,500	1,600	1,600
手数料収入		400	320	256	205	164	131	105	84	67	54	43
金融収入		500	400	320	256	205	164	131	105	84	67	54
年会費収入		100	80	64	51	41	33	26	21	17	13	10
基準日時点の既存カード会員に対する営業収益		1,000	800	640	512	410	328	262	210	168	134	107
減少率	20%		20%	20%	20%	20%	20%	20%	20%	20%	20%	20%
営業費用		810	640	499	410	332	269	210	170	134	109	86
営業利益		190	160	141	102	78	59	52	40	34	26	21
営業利益率		19%	20%	22%	20%	19%	18%	20%	19%	20%	19%	20%
税金相当額	30%		(48)	(42)	(31)	(23)	(18)	(16)	(12)	(10)	(8)	(6)
税引後利益			112	99	71	55	41	36	28	24	18	15
キャピタルチャージ												
運転資本	3%		(24)	(19)	(15)	(12)	(10)	(8)	(6)	(5)	(4)	(3)
有形固定資産	1%		(8)	(6)	(5)	(4)	(3)	(3)	(2)	(2)	(1)	(1)
投資その他の資産	2%		(16)	(13)	(10)	(8)	(7)	(5)	(4)	(3)	(3)	(2)
人的資産	1%		(8)	(6)	(5)	(4)	(3)	(3)	(2)	(2)	(1)	(1)
計			(56)	(45)	(36)	(29)	(23)	(18)	(15)	(12)	(9)	(7)
税引後キャッシュ・フロー			56	54	36	26	18	18	13	12	8	7
割引期間			0.500	1.500	2.500	3.500	4.500	5.500	6.500	7.500	8.500	9.500
現価係数			0.933	0.811	0.705	0.613	0.533	0.464	0.403	0.351	0.305	0.265
割引率	15.0%											
永久成長率	0.0%											
現在価値			52	44	25	16	10	8	5	4	2	2
現在価値の合計			169									
償却による節税効果			43									
顧客との関係の算定価額			212									

＊商標は無形資産として識別されなかったと想定。
＊営業貸付金のキャピタルチャージは運転資本に含まれる。

CHAPTER III

芸術関連無形資産の評価方法

無形資産の１つに芸術関連無形資産がある。芸術関連無形資産は、その資産を基とした契約上の権利あるいは法的権利から生ずる経済的価値であり、その権利価値に着眼した無形資産である。

❶ 芸術関連無形資産の特徴

芸術関連無形資産として識別の対象となるのは、契約または著作権のような法律上の権利により、その経済的便益が保護されているものである。なお著作権は、商標権や特許権と同じ知的財産権の１つである。商標権や特許権は登録が権利発生の要件である一方、著作権は、著作者が作品を創造した時点で、権利が発生し、権利を得るための手続きは必要とされ、登録、権利発生の要件ではない点に大きな違いがある。わが国では著作権を登録することができるが、これは第三者対抗要件の具備を目的として行われているものである。

❷ 芸術関連無形資産の種類

芸術関連無形資産は著作権で保護される著作物と類似する。例を以下記載する。

1…演劇、オペラ、バレエ

演劇関連として演劇、オペラ等が、舞踊関連として日本舞踊、バレエ、ダンス等（振り付けを含む）。

2…書籍、雑誌、新聞、その他文学作品

文芸関連として小説、脚本、論文、俳句、詩、雑誌・新聞等の記事原稿、広告作品。

3…楽曲、歌詞、CM用楽曲

音楽関連として、楽曲、歌詞、CM用楽曲のレコーディングテープ等。

4…絵画美術

絵画美術関連として、絵画、版画、彫刻、デッサン、書、漫画等。

5…写　真

画像、写真関連として、写真、グラビア等。

6…地図、図形

地図、図形関連として、地図、学術的な図面、図表、模型、設計図等。

7…動画、音声を伴う映像作品等

動画、音声を伴う映像作品として、劇場用映画、テレビ映画、ビデオ、ゲームソフト等。

❸芸術関連無形資産の評価方法

無形資産の評価方法として、理論的には、コストアプローチ、マーケットアプローチおよびインカムアプローチの３つの方法がある。以下では、この３つの方法による評価について述べるが、一般的にマーケット・アプローチが利用されることは少ない。むしろ著作権の有効期間にわたって、その経済的便益が保護されることから、例えば著作物の直接商品化によって得られる収益、あるいは著作権の一部または全部の利用権のライセンス供与（使用許諾の付与）によって得られる収益等に着目して評価を行うインカムアプローチが一般的である。この点、本章の冒頭

にも述べたように、著作権が商標権や特許権等と類似した知的財産権の一種であることから、その評価方法も商標や特許権等と類似している。

1…コストアプローチ

コストアプローチは、芸術関連無形資産の対象となる資産を制作するのに費やした費用、あるいは再度、同じものを制作するのにかかると想定される費用を評価額とするものである。

芸術関連無形資産、特に知的財産としての資産をコストアプローチで評価する場合、その無形資産の価値は制作費用に加えて、その作者・制作者に対する創作報酬等も考慮する点に留意する必要がある。なお、著作権のような無形資産に係る費用の大半は、作者・制作者に対する創作報酬の支払が占めていることが多いため、芸術関連無形資産の評価にあたっては重要な要素となる。なお、コストアプローチでは、その無形資産の将来獲得できるであろう収益を考慮しないため、インカムアプローチで評価する場合と比較して、評価結果が小さくなることが多い。このため実務では、コストアプローチで算定された無形資産価値を下限値を示す「参考値」として位置づけることが多い。

2…マーケットアプローチ

芸術関連無形資産の評価方法としてマーケットアプローチを利用する場合には、評価対象と類似性の高い著作権（芸術関連無形資産）に関する売買取引の事例に基づき算定する方法が一般的である。すなわち売買取引価格をもとに倍率を算出し、その倍率から評価対象となる芸術関連無形資産の価値を算定するものである。しかしながら、以下の２点の理由からマーケット・アプローチによる評価は一般的には困難である。

①　芸術関連無形資産の売買取引に関する公表データが少ないこと
②　個々の芸術関連無形資産の固有性が高いため、倍率の計算の基礎となる、比較可能なドライバー（本１冊当たり、楽曲１曲当たり、絵１枚当たり等）の選択が難しいこと

3…インカムアプローチ

著作権とは、その対象となる著作物に関して、著作者による一定期間の排他的な利用（複製、上演、上映および譲渡等）を認めるものである。インカムアプローチは、この「著作者による一定期間における排他的な利用」による将来収益に着目して、著作権により保護されている芸術関連無形資産の価値を評価するものである。

芸術関連無形資産の評価に際して代表的なインカムアプローチによる評価手法として、利益分割法、利益差分法およびロイヤルティ免除法がある。著作物の第三者による利用に際しては、ライセンスの供与（使用許諾の付与）という形式をとり、その対価としてライセンス料（ロイヤルティ）を徴求することが多い。この点に着目して評価実務ではロイヤルティ免除法を使用することが多い。

a.利益分割法

この手法は、芸術関連資産を保有している企業・事業部門の全体の収益を、各資産の貢献度割合をもとに芸術関連資産と、それ以外の有形・無形資産に分配し、無形資産の価値を分析する手法である。

b.利益差分法

この手法は、対象となる芸術関連資産にかかる権利（著作権等）がある場合に得られる収益と、その権利がなかった場合に得られる収益の差額をもって、無形資産価値を測る手法である。

c.ロイヤルティ免除法

この手法は、対象となる芸術関連無形資産をライセンス供与した場合に得られるであろうロイヤルティ収益を基に無形資産価値を算定する手法である。

ここで紹介した手法では、いずれも芸術関連無形資産の経済的耐用年数の推定が重要となる。というのも、いずれの評価方法においても、その収益に着目して無形資産の価値を算定しているが、その収益は、想定される経済的耐用年数の期間に限られるためである。著作権等のような法的権利では、その法的権利期間が設定されていることが一般的であるが、実際に収益を稼得できる期間（すなわち経済的耐用年数）は法的権利期間に比べて短いことが多い。芸術関連無形資産の経済的耐用年数とは、その芸術関連無形資産の人気や商業的価値を維持できる期間を指すが、著作権の保護期間である著作者の没後50年間（または公表後50年間、なお映画は70年間）を通して、商業的価値を維持することはまれである。

❹ 芸術関連無形資産の評価事例

ここでは、ある音楽会社が持つ楽曲の無形資産の評価を検討する。楽曲は通常バルクで取引されるため、ここでも１曲ずつではなく集合体としての楽曲の無形資産価値を評価する。

a.インカムアプローチ

楽曲の無形資産の評価では、インカムアプローチであるロイヤルティ免除法が一般的に使用される。この手法では、対象となる楽曲を第三者にライセンス供与した場合に得られるであろうライセンス収入（ロイヤルティ収入）を、類似性の高いライセンス契約から推定し、これに期待投資利回りで割引いて無形資産価値を評価する手法である。

この評価方法に基づく具体的な流れは以下のとおりである。

b.耐用年数の考え方

楽曲は、著作権でその楽曲の作詞家・作曲家の没後50年間はその利用権が保護されているが、無形資産としての価値を算定する場合は経済実態のある期間が耐用年数となる。つまり、楽曲により収益を期待できる期間を耐用年数と想定して分析期間を設定する。なお楽曲の多くは１年足らずで姿を消すことも多いため、その経済的耐用年数は、法的な保護期間よりもはるかに短期となる可能性が高い。

楽曲の法的権利関係の把握

◆著作権のタイプ
◆権利問題

楽曲の利用関係者の把握

楽曲の利用状況の把握

市場ライセンス料の分析

◆類似楽曲をもとにライセンス料等を分析

楽曲の売上げ継続期間の検討

割引率（期待収益率）の算定

想定ライセンス料に割引率(期待収益率)を適用することによる無形資産の価値算定

c.計算例

著作権者として、ある音楽会社が所有する楽曲の無形資産価値を算定した例である。

計算例－楽曲の評価－ロイヤルティ免除法

		20X1年3月期	20X2年3月期	20X3年3月期	20X4年3月期
逓減率	50%		0.50	0.25	0.13
売上		1,000	500	250	125
売上原価	30%	300	150	75	38
売上総利益		700	350	175	87
販売管理費		225	138	94	72
営業利益		475	212	81	15
ライセンス料	10%	48	21	8	2
割引率	10%	0.953	0.867	0.788	0.716
現在価値		45	18	6	1
楽曲の算定価額		70			

＊税金および節税メリットは考慮していない。

まず、楽曲の著作権の法的な権利関係を把握する。権利の種類・数によって想定ライセンス契約から受けられるライセンス料のレベルが異なることがあるため確認が必要となる。

楽曲の利用関係者を把握し、類似性の高いライセンス契約を抽出し、想定されるライセンス料を検討する。このケースでは、営業利益に対して貢献レートをかけてライセンス料を算出する。

また、楽曲の種類（ジャンル）ごとに、過去の楽曲の利用状況、すなわち発売されてからの売上動向を把握する。この売上動向を参考に、売上が毎期減少する「逓減率」を分析し、対象楽曲の売上継続期間を推定する。

対象楽曲のライセンス料の算定には、まず楽曲にかかる将来営業利益の予測を行う。対象の楽曲が現時点で生み出している売上は人気が下降することにより減少するため、過去の売上動向から求めた売上の逓減率により、現在の売上が下降線をたどるよう将来期間の売上を想定する。

次に、原価の構成要素および原価率の動向を基に原価を想定し、また販売管理費も同様に想定して、営業利益を求める。この営業利益に市場ライセンス料率を乗じて想定ライセンス料を算出する。

経済的耐用年数は、先ほどの逓減率により売上が大方なくなるまでとし、ここでは現在の売上の1割程度に落ち込む4年目までを経済的耐用年数とした。

この経済的耐用年数の期間における想定ライセンス料収入を対象楽曲の割引率（期待収益率）で割引現在価値計算して無形資産の価値を算定する。楽曲の割引率（期待収益率）は、取引の特性として投資効率を分析できる情報が公開されておらず、情報が入手しにくいため、楽曲の著作権を保有している会社の自社の過去の楽曲にかかる収益率や、公開されている音楽関連企業の資本コストを参考に推測するのが一般的である。

CHAPTER III

5 契約に基づく無形資産の評価方法

無形資産の１つとして契約に基づく無形資産があげられる。法的に有効な契約により保護されている権利から生ずる価値を無形資産と見る考え方である。一般的に契約は、締結する当事者双方とも何らかの経済的なメリットを得ることを目的に取り交わされるが、そのメリットは締結後にマーケットや当事者のニーズや環境変化によって有利にも不利にも変化する。契約に基づく無形資産はこの契約の有利・不利性に着目している。

❶ 契約に基づく無形資産の特徴

契約に基づく無形資産の特徴として、以下が挙げられる。

① 契約当事者間で結ばれた書面上の契約により、条件が定義されている

② 有期契約であることが多いが、契約書上あるいは慣例として更新可能なことが多い

既述のとおり、契約に基づく無形資産とは、契約の有利・不利性に着目して、その無形資産の価値を算出するものであるが、この「契約の有利・不利性」とは、次の２つに大きく区分される。１つ目は、販売特約店契約のような商品やサービスを寡占ないし独占的に販売・仕入を行うことができる権利である。２つ目は、商品やサービスを有利な条件で仕入（販売）できる権利である。例えば市場価格より割安で原材料を購入

できる仕入取引契約等が該当する。

なお、ASC805では、例えば金融商品にかかるサービシング契約について、サービシング契約のみを切り離せる場合には、契約に基づく無形資産として認識できるものとしている。「切り離せる」場合とは、金融商品を売却あるいは証券化する際に、サービシング業務のみを切り離せる場合や、金融商品とは別にサービシング業務のみを購入する場合を指す。一方で、サービシング契約が金融商品に内在している場合（切り離すことができない場合）には、契約に基づく無形資産として認識しない。例えば企業買収に際して、抵当権付住宅ローンやクレジットカード債権、その他の金融商品をサービシング契約付きで取得した場合には、サービシング契約を別個に無形資産として認識する必要はない。これは金融商品の公正価値には、そのサービシング契約の公正価値も含まれていると整理しているためである。

さらに、ASC805では、契約に基づく無形資産を認識する場合、資産としてだけではなく、必要に応じて負債としても認識することが求められている点に留意する必要がある。例えば、賃貸借契約やリース契約、顧客契約等の契約には、契約締結時の諸事情やマーケット環境の変動等により、有利にも不利にもなり得るのであるが、ここでは有利な場合のみを無形資産として評価するのではなく、不利な場合も無形資産のマイナス（つまり無形負債）として認識することとなる。

❷ 契約に基づく無形資産の種類

無形資産となり得る契約の例として、代表的なものを以下に列記する。

1…ライセンス、ロイヤルティ、スタンドスティル契約

ライセンスは、知的財産権の保護による収益機会がもたらす価値を無形資産として評価するものであり、ライセンス収入を基に価値を算出することが一般的である。ロイヤルティも、ライセンスと同様のアプロー

チで無形資産として評価する。

スタンドスティル契約（競業避止協定等）は、他者との取引の差し止めや独立して自社の競合となることを阻止することにより、自社の商圏を保護することを目的とした契約である。競合による損失を回避できる部分を無形資産として評価する。

2…広告、建設、管理、役務・商品納入に関する契約

広告契約、建設契約は今後の契約期間に一定の収益を維持できる権利を無形資産として評価するものである。

管理契約、役務・商品納入契約は、市場価格よりも有利な条件でサービスや商品の提供を受けられるメリットを無形資産として評価する。なお既述のとおり、市場価格より不利な条件の場合には、負債となる。

3…リース契約

リース契約は、市場リース料と比較して有利な条件でリースできる場合、そのメリットを無形資産として評価する。なお不利な条件の場合には、そのデメリットを負債として評価する。

なお、国際財務報告基準におけるリース及び米国会計基準における貸手のオペレーティング・リース以外のリースとして会計処理される場合には無形資産の評価は行われない点に留意されたい。これは「4…賃貸借契約」においても同様である。

4…賃貸借契約

賃貸借契約も、リース契約と同様、市場賃料よりも有利な条件で賃借をしている場合、そのメリットを無形資産として評価する。一方で不利な条件の場合には、そのデメリットを負債として評価する。

5…建設許認可

建設許認可は対象地での建設権であり、建設権を持つことによる収益機会を無形資産として評価する。

6…フランチャイズ契約

フランチャイズ契約は、商圏の確保あるいは独占的な商品納入または

サービス業務の提供による収益機会の獲得に伴う価値を無形資産として評価する。

7…営業権、放映権

営業権や放映権は、対象となる商圏でのサービス・取引権限の付与による収益機会の獲得を無形資産として評価するものである。

8…利用権（採掘、採水）

利用権は、使用権限の付与された権利から生じるメリットを無形資産として評価する。

9…サービサー契約（抵当回収契約等）

サービサー契約は、提供者として今後の契約期間に一定の収益を獲得できる権利を無形資産とする。

10…雇用契約

雇用契約は、雇用主にとって一定期間、有利な条件での雇用を確保できる権利を無形資産とする。

以上、代表的な無形資産を例示したが、契約は当事者にとってメリットがあるため締結していることが一般的であり、理論的にはすべての契約にそれぞれ無形資産があることになる。しかし評価実務においては、評価時点において類似の契約と比較して著しい優位性がある場合に無形資産として認識することが多い。

❸ 契約に基づく無形資産の評価方法

無形資産の評価方法には、コストアプローチ、マーケットアプローチおよびインカムアプローチがある。しかしながら金銭消費貸借契約に表象される債権のような契約を除き、例えば商品仕入契約が市場で売買されることはないため、契約に基づく無形資産の評価では、インカムアプローチが一般的である。

1…コストアプローチ

コストアプローチは、契約に基づく無形資産の対象となる契約の締結に際して費やしたコストを評価額とするものである。例えば取引先業者と商品仕入契約の締結に際しては、取引先の特定および信用力調査、そして対象契約内容の条件交渉、契約書の作成等に要する費用が発生する。したがって商品仕入契約をコストアプローチにより無形資産として評価する場合には、これらの費用の合計をもって、その価値とする。なお、これらの費用にはこの契約締結に直接関与した従業員の時間や外部リーガルアドバイザー等への報酬といった直接費の他に、本部関連部署等の配賦経費等の間接費も考慮する点に留意する必要がある。

また、コストアプローチによる評価結果に共通した事項であるが、積み上げたコストの合計額と、将来の収益獲得能力は必ずしも比例関係にない点に留意する必要がある。契約に基づく無形資産の本質は、市場価格と比較して有利な部分（有利性）を無形資産の価値として認識する点にある。コストアプローチでは「将来、その有利性をどのくらい享受するか」という点を反映することができないため、評価実務においては、その分析結果は「参考値」という位置づけとすることが多い。

2…マーケットアプローチ

マーケットアプローチの考え方は、類似取引を基にその無形資産の価値を評価する方法である。したがって「契約」そのものを売買するマーケットが存在することが前提となるが、契約当事者の合意をなしに第三者に譲渡することは不可能としていることが通常である。このため契約に基づく無形資産の評価では、マーケットアプローチを使用することは少ない。

3…インカムアプローチ

インカムアプローチは、評価対象の契約による経済的効果が契約期間中にどのくらいあるのか、という点に着目した評価方法である。すなわち、契約期間中（想定される将来の更新期間を含む）に期待される契約の有利性（不利性）の経済的効果を投資利回りで現在価値に割り戻す方法である。契約に基づく無形資産の本質は、「将来期間において、契約の有利性をどのくらい享受するか」という点にあるため、インカムアプローチを評価方法として使用することが一般的である。

インカムアプローチによる評価でも、評価対象となる「契約」が、あるものを専有・独占できることによる有利性の場合と、一般的な契約条件との比較により生ずる有利性の場合とによって、無形資産としての評価の仕方が分かれる。前者は契約締結できること自体が価値であり、契約にかかるコストとのネット・キャッシュ・フローがその経済的効果となる。仮に独占的商品供給契約を締結していた場合は、その契約を基に仕入れた商品の売却代金から商品原価ならびに契約締結にかかる費用を相殺したネット・キャッシュ・フローが経済的効果となる。一方で後者は、他の一般的な契約条件と比較してその有利差を経済的効果とみなす。例えば、締結している賃借契約が市場賃料と比べて有利な場合、その有利差額から契約締結にかかる費用を相殺したキャッシュ・フローが経済的効果となる。

なお、国際財務報告基準および米国会計基準において借手側のリースとして会計処理される場合には無形資産の評価は行われない点に留意されたい。以下、リースおよび賃借契約について本章で記載がある個所においては同様である。

契約に基づく無形資産の価値は、インカムアプローチでは経済的効果を表すキャッシュ・フローの割引現在価値により算出するが、その際の割引率は当該経済的効果を得るために期待される期待収益率を使用する。評価対象の契約における商品・サービスに対する市場の期待収益率がある場合は、その期待収益率を割引率として採用する。例えば、賃貸借契約にかかる割引率として、その対象賃貸借物件や類似物件における期待収益率を採用することがあげられる。ただし、このような評価対象の契約における商品・サービスに市場の期待収益率があることは少ない。

このため割引率として契約当事者の企業あるいは事業の期待収益率を採用していることが多い。契約の多くは、企業の事業活動の一環として締結されていることから、その前提として契約に基づく無形資産の期待収益率も、企業あるいは事業の期待収益率に近似するという考え方である。

❹ 契約に基づく無形資産の評価事例（賃貸借契約）

賃貸借契約にかかる無形資産とは、評価対象である賃貸借契約が評価基準日時点における一般的な条件より有利であるかが焦点となる。

a. 評価方法の検討

契約に基づく無形資産の評価方法として、インカムアプローチが一般的であることは述べたが、賃貸借契約にかかる無形資産においても、契約期間における対象契約の有利性を評価に反映させるため、インカムアプローチを使用する。具体的には契約期間中（想定される将来の更新期間を含む）の賃料（現行賃料）と、評価基準日における市場賃料を比較して、その差を割引現在価値計算することにより、賃貸借契約にかかる無形資産価値を評価する。

なお、例えば評価対象となる賃貸借契約が多く、賃貸借契約ごとに市場賃料の評価を行うことが作業期間およびコストの面から現実的ではない場合がある。そのような場合には、市場賃料相場が直近期間において大きく変動していなければ、現行賃料と市場賃料に重要な乖離がないとみなして、評価の対象外とする等の方法が実務的には行われることが多い。

対象賃貸借契約の対象不動産および法的権利内容の分類

◆対象不動産のタイプ
◆契約期間（契約開始日・終了日）
◆更新権の有無および条件
◆解約権の有無および条件
◆賃料交渉権の有無

契約の更新可能性・更新期間・更新賃料についての検討

市場賃料の検討

◆個別契約内容（坪賃料単価、対象床面積等）および対象不動産の種類・所有／使用状況の分析
◆積算法･取引事例法・収益還元法等により市場賃料を分析

現行賃料と市場賃料の比較に基づく有利・不利の差額（経済的効果）を算出

対象賃貸借契約の残存期間の検討

対象賃貸借契約に対する期待収益率の算出

有利・不利の差額を基に無形資産を評価

b.耐用年数の考え方

契約に基づく無形資産は、経済的効果の持続する期間にわたる価値の割引現在価値で求められるため、その対象契約の残存年数を耐用年数とすることが多い。ただし、契約の更新が見込まれる場合には、その更新期間も含めて耐用年数とすることもある。

c.計算例

賃借人としての賃貸借契約の無形資産価値を算定した例である。

計算例：賃貸借契約による無形資産の評価—利益差分法

物件#	現行賃料(百万円/年)	市場賃料(百万円/年)	有利(不利)乖離額(百万円)	契約残存期間(年)	20X1年3月期	20X2年3月期	20X3年3月期	20X4年3月期	20X5年3月期	20X6年3月期	20X7年3月期	20X8年3月期	20X9年3月期	20X0年3月期
1	36	54	18	5	18	18	18	18	18					
2	42	60	18	4	18	18	18	18						
3	48	72	24	4	24	24	24	24						
4	60	84	24	6.5	24	24	24	24	24	24	12			
5	60	72	12	8.5	12	12	12	12	12	12	12	12	6	
6	72	96	24	6	24	24	24	24	24	24				
7	72	54	(18)	6.5	(18)	(18)	(18)	(18)	(18)	(18)	(9)			
8	96	72	(24)	10	(24)	(24)	(24)	(24)	(24)	(24)	(24)	(24)	(24)	(24)
賃料乖離額小計					78	78	78	78	36	18	(9)	(12)	(18)	(24)
税金相当額				30%	(23)	(23)	(23)	(23)	(11)	(5)	3	4	5	7
税引後賃料乖離額合計					55	55	55	55	25	13	(6)	(8)	(13)	(17)
割引期間					0.5	1.5	2.5	3.5	4.5	5.5	6.5	7.5	8.5	9.5
割引率				10%	0.953	0.867	0.788	0.716	0.651	0.592	0.538	0.489	0.445	0.404
現在価値					52	47	43	39	16	7	(3)	(4)	(6)	(7)
現在価値の合計					185									
償却による節税効果					58									
賃貸借契約にかかる無形資産の算定価額					244									

償却による節税効果

単位:百万円		20X1年3月期	20X2年3月期	20X3年3月期	20X4年3月期	20X5年3月期
当期償却期間(年)		1.0	1.0	1.0	1.0	1.0
償却率		0.2	0.2	0.2	0.2	0.2
累計償却率		0.2	0.4	0.6	0.8	1.0
実効税率	30.0%	30.0%	30.0%	30.0%	30.0%	30.0%
税効果考慮後償却率		0.06	0.06	0.06	0.06	0.06
割引期間		0.5	1.5	2.5	3.5	4.5
割引率	10.0%	0.953	0.867	0.788	0.716	0.651
割引後・税効果考慮後償却率		0.057	0.052	0.047	0.043	0.039
合計		0.239				
償却による節税効果		58				

ここではある企業が賃借している物件の賃貸借契約における無形資産を検討する。

まず、各賃貸借契約をレビューし、対象不動産タイプ、現行賃料、賃借総面積、契約期間、解約条項、更新条項、賃料改定条項、その他制約条項を把握する。また、現地調査および不動産登記簿謄本等で不動産の所有関係・不動産全体および賃貸借対象部分の使用状況を把握する。

対象賃借契約にかかる対象賃借不動産の契約条件、権利関係、使用状況等を把握したうえで、対象賃借不動産に類似する不動産にかかる市場賃料を参考に対象賃借不動産の市場賃料を算出する。この市場賃料には、専門家による市場賃料の鑑定結果を利用することが望ましい。市場賃料の鑑定は一般的に、コストアプローチ（積算法）、マーケットアプローチ（取引事例比較法）、インカムアプローチ（収益還元法）による分析結果を総合的に勘案して実施される。

次に、対象賃借不動産の市場賃料と現行賃料を比較する。

〈賃借人としての契約有利性の関係〉

現行賃料	＜	市場賃料	（有利な契約）
現行賃料	＞	市場賃料	（不利な契約）

前ページの事例では、物件１～６は賃借人にとって有利な契約であるが、物件７～８は不利な契約である。実際には乖離差が鑑定された市場賃料の鑑定結果と比べてどのくらいのレベルであるかを踏まえ、通常の交渉の中で制約される範囲を越えると見られる現行賃料の賃貸借契約の有利・不利性を無形資産・負債として認識する。

次に、この有利・不利な賃料がどのくらいの期間継続するかを把握する。賃貸借契約書の原契約および更新にかかる覚書等をレビューし、契約の実質有効期間を把握する。この際、これまでの更新履歴、対象賃借資産の利用の状況、賃料水準、賃貸人との契約交渉にかかる力関係等を勘案し、更新が考えられるのであれば更新期間を見込んで契約の有効期間を見積もる。更新が見込まれなければ、契約満了時までが有効期間と見積もられる。なお計算例では、無形資産の評価基準日から契約満了日までの契約の残存期間を耐用年数としている。

市場賃料と現行賃料との有利・不利の差額が、この耐用年数の期間を通して継続すると想定し、さらに、これを対象賃貸契約の期待収益率（割引率）で割り戻して無形資産の価値を算出する。この際に使用する割引率は、市場における賃貸借取引のほか、対象賃貸契約における期待投資利回りを総合的に検討して設定する。

各賃貸借契約について、賃借人にとって有利な契約であればプラスの価値、すなわち無形資産となり、不利な契約であればマイナス、すなわち負債として認識されることになる。

CHAPTER III

6 技術に基づく無形資産の評価方法

❶ 技術に基づく無形資産の概要

技術に基づく無形資産は、評価対象会社の競争力となるもしくは潜在的に競争力となり得る、革新的・先進的な技術や高度な技術を指す。技術という言葉から、技術に基づく無形資産はハイテク産業においてのみ認識されると思われがちであるが、評価対象会社に競争力や製品の差別化をもたらすような技術力は算定価値のある無形資産として認識されるのが一般的であるため、技術に基づく無形資産はハイテク産業に限らず比較的幅広い産業において認識される無形資産といえる。また、このような技術力は契約やその他の法的権利によって保護されていることも珍しくないため、各国の企業結合会計基準における無形資産認識要件のうち、契約法律規準を満たすことで無形資産として認識される場合がしばしば見受けられる。契約法律規準を満たす無形資産とは、契約または法律上の権利によって生じる無形資産のことである。

❷ 技術に基づく無形資産の種類

1…開発段階による分類

技術に基づく無形資産をその開発段階によって分類すると、すでに開発の終了した“既存の技術”と“開発中の技術”とに大別される。技術に基づく無形資産のうち既存の技術は、さらに製品技術と技術とに分けられる。製品技術は、取得日時点で利益を生み出している既存商品として具現化され、技術は、プラットフォームや基盤技術といった、多くの製品や製品群に継続使用・再利用されるようなベースとなる技術・ノウハウを指す。

一方、開発中の技術は、将来の商品やサービスとして具現化されるまでの進行途中で完成にいたっていない研究開発プロジェクトを指す。その中で実現可能な技術とは、製品もしくは製品群の中で継続的な利用および再利用により価値を生み出す基礎技術とされる。実現可能な技術が会計上の認識条件を満たす場合には、In-Process Research and Development（“IPR&D”）（以下「仕掛中の研究開発」という）として無形資産に計上されることになる。

2… 既存技術の種類

技術に基づく無形資産のうち既存の技術の種類としては、主に、特許権を取得した技術、特許出願中・未出願の技術、ソフトウェアおよびマスクワーク、データベース、企業秘密が挙げられるが、以下でその具体的内容を紹介していく。

a. 特許権を取得した技術

算定対象会社の技術力となるような技術に基づく無形資産は、前述のとおり契約やその他の法的権利によって保護されているケースが珍しくない。その中でも多く見受けられるのが、対象となる技術が特許権で保護されているケースである。この場合には、各国の企業結合会計基準における無形資産識別要件のうち契約法律規準を満たすことで無形資産として識別されることになる。

b. 特許出願中・未出願の技術

上記の特許権を取得した技術とは反対に、評価対象となる技術が開発終了後間もない場合などには、特許権の登録出願中であったり、特許については未出願である場合もある。このような技術については、各国の企業結合会計基準における無形資産識別基準のうち分離可能性規準を満たすことで無形資産として識別されることになる。分離可能性規準を満たす無形資産とは、分離・分割が可能で、売却、譲渡、ライセンスの付与、貸与または交換が可能な資産のことで、その意思があるかどうかは要件としては問われない。

c.ソフトウェアとマスクワーク

ソフトウェアやマスクワークも技術に基づく無形資産の１つである。

ソフトウェアは、コンピュータに指示を出すプログラムを指す場合もあるが、広義にはハードウェア以外のすべてをソフトウェアと呼ぶ場合もある。機能面からソフトウェアを分類すると、基本ソフトウェアとアプリケーションソフトウェアに大別され、無形資産の観点から分類すると、販売用もしくはライセンス用ソフトウェアと、社内利用ソフトウェアの２つに分かれることになる。一方、マスクワークとは、ステンシルや集積回路の一環として読み取り専用のメモリーチップに搭載されるソフトウェアのことを指す。

ソフトウェアやマスクワークは、上述の特許権や著作権といった法的権利で守られている場合もあり、例えば米国においてはマスクワークを半導体チップ保護法によって保護することが可能で、その場合には、各国の企業結合会計基準における無形資産識別要件のうち、契約法律規準を満たすことで無形資産として識別されることになる。また、法的に保護されていない場合でも、分離・分割が可能で、売却、譲渡、ライセンスの付与、貸与または交換が可能と判断される場合には、分離可能性要件を満たすことで無形資産として識別されることになる。

d.データベース

データベースとは情報の集合体のことで、コンピュータディスクやファイル等といった電子形式で保管されることが多く、データベースへのアクセスや操作､データベースのメンテナンスは､ソフトウェアを使って行われる。

買収によって取得したデータベースが製作者作成の原版を含んでいる場合には、著作権によって保護されることになるため、各国の企業結合会計基準における無形資産認識要件のうち契約法律規準を満たすことで無形資産として認識される。しかし、実際にはほとんどのデータベースは、顧客情報リスト、棚卸資産データ、受注リストといった、企業における日常業務の結果として出来上がるものであり、その中でも専門的な内容を含むデータベース、例えば信用調査情報、科学的データ、会社保有の所有権・各種権利リスト、住所録、財務調査情報等は、商品としての潜在的価値を持つことになる。このようなデータベースは法的権利で保護されていない場合が多いが、部分的にもしくはデータベース全体での売買、第三者へのライセンス供与、貸与を行うことが可能であり、無形資産識別要件のうち分離可能性規準を満たすことで無形資産として識別される。

e. 企業秘密

企業秘密とは、下記に記載する性質をもった製法、工程、配合、プログラム、図案、方法、技術、プロセス等に関する会社が所有する情報を指す。

- 一般に知られていないことから経済的価値をもたらす、もしくは潜在的にもたらす可能性がある
- 秘密を維持するための取組みがなされている

買収によって取得された企業秘密が、米国における統一トレードシークレット法やその他の法律・規則によって保護されている場合には、各国の企業結合会計基準における無形資産識別要件のうち契約法律規準を満たすことで無形資産として認識されるが、より一般的なのは分離可能性規準を満たすことで無形資産として識別される場合であろう。

❸ 技術に基づく無形資産の評価方法

無形資産の評価方法としては、既述のとおり、コストアプローチ、マーケットアプローチ、インカムアプローチの３つの方法が主に採用されるが、マーケティング、顧客、芸術、契約、技術のうち、どのタイプの無形資産を評価するかによって適当な評価方法は異なってくる。技術に基

づく無形資産の評価に際しては、一般的に上記３つの評価方法のどれもが採用されているが、各評価アプローチを補足する情報の質および量や評価対象となる技術の種類によって、最終的にどのアプローチによる評価方法が重視されるかは変わってくる。

そこで、コストアプローチ、マーケットアプローチ、インカムアプローチそれぞれの評価方法による技術に基づく無形資産の評価について、以下で考察していく。

1…コストアプローチ

技術に基づく無形資産の評価にコストアプローチを適用する場合の一般的な手法としては、複製原価法（“Reproduction Cost”）と再調達原価法（“Replacement Cost”）の２つがあげられる。また、これらの手法で評価される技術に基づく無形資産としては、ソフトウェアやデータベースが実務上多く見受けられる。

複製原価法は、評価対象となっている技術に基づく無形資産と全く同一の技術を複製する場合の総コストを無形資産の価値とする算定方法であり、評価対象となっている技術を作り出す際に用いた科学的調査、設計、開発方法と全く同じ手法を採用して同一の技術を複製する場合にかかる総コストを算定することになる。

再調達原価法は、評価対象となっている技術に基づく無形資産を別のもので代替する場合の総コスト、もしくは評価対象となっている技術に基づく無形資産と同等の機能をもった技術を作り出す場合の総コストを計算することで、無形資産の価値とする算定方法である。評価対象となっている技術に基づく無形資産と同等の機能をもった技術を作り出す場合には、全く新規に技術が開発された場合の総コスト、つまり、新規再調達コストが算定されることになるため、評価対象となっている技術が新規に作り出された当時と評価基準日時点とを比較した場合の経済的価値の減少を下記のような要素を踏まえたうえで考慮する必要がある。

◆機能的陳腐化

◆技術的陳腐化

◆経済的陳腐化

2…マーケットアプローチ

技術に基づく無形資産の評価方法として評価担当者が最初に検討するのは、一般的にマーケットアプローチである。これは、技術の評価指標としては市場での取引価格が最善であるという考え方が広く認識されているためである。

しかし、実際には、無形資産が市場で取引されること自体が少ないため、マーケットアプローチの一つであるロイヤルティ免除法を除くと、使用されることの少ない手法といえる。特に、社内開発ソフトウェアや社内でカスタマイズされたソフトウェアの評価においてマーケットアプローチが採用されることはまれであり、その理由は下記のとおりである。

◆類似したソフトウェアの取引に関する情報は入手できないこと

◆類似したソフトウェアが取引されるのは、一般的に事業全体を取得する場合で、ソフトウェアはその一部に過ぎないこと

◆社内開発されたり、社内でカスタマイズされたソフトウェアについて、市場における類似ソフトウェアを探すのは困難であること

マーケットアプローチのうちロイヤルティ免除法で評価される技術に基づく無形資産としては、特許権を取得した技術や特許権申請中の技術があげられる。なお、ロイヤルティ免除法については、次の「3…インカムアプローチ」において説明する。

3…インカムアプローチ

インカムアプローチにおいては、無形資産を保有・利用することによって得られる将来の経済的便益の現在価値を無形資産の価値として算定する。その経済的便益をはかる尺度としては、以下のものがあげられる。

◆売上高

◆売上総利益

◆営業利益

◆税引前・税引後利益
◆営業キャッシュ・フロー、純現金収支（ネット・キャッシュ・フロー）
◆ライセンス収入、ロイヤルティ収入
◆節約可能なコスト

また、技術に基づく無形資産の評価にインカムアプローチを適用する場合の一般的な手法としては、以下の手法がある。

a. 超過収益法

超過収益法は、企業全体、事業全体または評価対象となる無形資産に関連して生み出される将来収益を特定し、その将来収益から評価対象の無形資産以外の資産が寄与した結果生み出された利益を差し引いた残余利益を求め、その残余利益を評価対象資産に固有の割引率で現在価値に割り引くことによって無形資産の価値とする算定方法である。評価対象の無形資産以外の資産が寄与した利益はキャピタルチャージといわれ、各資産の公正価値に各資産特有の期待収益率を乗じることで求められる。

上述のとおり、超過収益法は評価対象となっている無形資産に関連する収益源が特定可能な場合に使用される手法であるため、超過収益法で評価される技術に基づく無形資産としては、販売やライセンス供与によって収益を獲得する販売用ソフトウェアやデータベース、主に将来販売予定の製品やサービスとして具現化される仕掛中の研究開発があげられる。

b. ロイヤルティ免除法

ロイヤルティ免除法は、評価対象の無形資産を保有していなかった場合に、第三者から当該無形資産をライセンスされ、その資産を利用することで獲得した収益に応じて支払うことになるロイヤルティに着目し、評価対象の無形資産を保有することで削減されるロイヤルティコストを無形資産の価値とする算定方法である。具体的には、評価対象無形資産の耐用年数にわたる売上計画にロイヤルティレートを適用することで削減可能なロイヤルティコストを推計し、そのロイヤルティコストを評価対象の資産に固有の割引率で現在価値に割り引くことになる。

評価対象会社の持つ技術力が特許権登録されている場合や特許権出願中の場合には、各国の企業結合会計基準における特許権を取得した技術や特許出願中の技術としてロイヤルティ免除法で評価するのが最も適していると考えられる。なお、算定過程で使用されるロイヤルティレートは、比較可能なもしくは類似の無形資産に実際に適用される市場でのロイヤルティレートを分析することで決定されることから、ロイヤルティ免除法はマーケットアプローチに分類される場合もある。

c.利益差分法およびコスト差分法

利益差分法は、評価対象無形資産によって獲得される追加的な経済的便益に着目し、評価対象無形資産を保有している場合に生み出される経済的便益を、保有していない場合に生み出される経済的便益と比較することで、その差額を無形資産の価値とする算定手法である。

一方、コスト差分法は、評価対象無形資産によって削減される投資や営業費用といった経済的コストに着目し、評価対象無形資産を保有している場合に必要となる経済的コストを、保有していない場合に必要となる経済的コストと比較することで、その差額を無形資産の価値とする算定手法である。

実務上で利益差分法やコスト差分法を用いて技術に基づく無形資産を評価することは、評価に必要な情報の入手が困難な場合が多い等の理由から、超過収益法やロイヤルティ免除法に比べると少ないといえる。

❹技術に基づく無形資産の評価事例とポイント

技術に基づく無形資産のうち、無形資産評価の実務において頻繁に認識・評価される無形資産には、特許権を取得した技術および特許出願中の技術、ソフトウェア、仕掛中の研究開発があげられる。そこで以下では、これらの各技術に基づく無形資産について、実際の計算例をあげながら評価におけるポイント・留意点を解説していく。

1…特許権を取得した技術および特許出願中の技術

a.評価対象資産の識別・認識

評価対象会社の競争力となる技術力やノウハウを特定し、それらの技術力やノウハウが特許権登録されている場合や特許出願中の場合には、既述のとおり各国の企業結合会計基準における無形資産識別基準である契約法律規準や分離可能性規準を満たすことになり、「特許権を取得した技術」や「特許出願中の技術」として認識されることになる。この際、評価対象会社によっては特許権を取得した技術および特許出願中の技術の両方を保有している場合や、技術に基づく無形資産として認識すべき特許権が複数種類存在する場合もある。このような場合には、以下のような要素を検討・考慮して1つの技術に基づく無形資産として認識するか、複数の無形資産に分けて認識するかを決定する。

- 各技術に帰属する将来収益を正確に特定・分離することは可能か
- 各技術の経済的特性に類似性はあるか

下記「h.計算例」においては、評価対象会社の競争力の源泉となる技術として、特許権を取得した技術、識別・認識した場合を想定している。

b.評価アプローチ

特許権を取得した技術や特許出願中の技術は、技術が寄与する売上高の特定や比較検証可能なあるいは類似技術のロイヤルティレートの選定が可能な場合には、「❸2…マーケットアプローチ」で既述のとおり、ロイヤルティ免除法で評価するのが最も適している。ロイヤルティ免除法は、無形資産を第三者からライセンスされた場合に、第三者に対して支払うことが想定されるロイヤルティコストを推計して無形資産の価値とする手法である。下記「h.計算例」においても、ロイヤルティ免除法を用いて無形資産価値を算定している。

c.耐用年数の考え方

特許権を取得した技術および特許出願中の技術の耐用年数は、評価対象となっている技術が陳腐化するまでの期間に着目し、一般的に特許権の残余権利有効期間が参考となる。ただし、技術の陳腐化までの期間、言い換えれば、代替技術が現れるまでの期間、既存の技術で今後競争力を維持可能な期間、もしくは既存の技術が今後収益へ貢献する期間が、必ずしも特許権の残余権利有効期間に一致するとは限らないため、評価対象会社から入手した特許権の残余権利有効期間に関する情報とともに、評価対象会社へのインタビュー等も考慮したうえで耐用年数を決定することが必要である。なお、日本および米国における特許権の最大有効期間は、原則、出願から20年である。

下記「h．計算例」においては、特許権の残余有効期間と技術の陳腐化までの期間を考慮した結果、特許権を取得した技術の耐用年数は10年に決定されたと仮定している。

d．売上高の特定

特許権を取得した技術や特許権出願中の技術の評価においては、ロイヤルティ免除法を採用するのが一般的であることは前記「b．評価アプローチ」で述べたとおりであるが、その際に重要なポイントの1つとなるのが、評価対象の技術が寄与する売上高を特定することである。なぜなら、下記「h．計算例」に示すとおり、ロイヤルティ免除法においては、評価対象の技術が寄与する売上高に一定のロイヤルティレートを乗じることで免除されるロイヤルティコストを計算するからである。評価対象の技術に帰属する売上高の特定は、評価対象会社へのインタビューや入手した資料の検討により行われるが、評価対象会社によっては、特定された売上高に親会社、子会社、関連会社といったグループ会社に対する売上高が含まれている場合がある。このような場合には、その売上高が純粋に評価対象技術の技術力に起因するものなのか、あるいはグループ会社であるという評価対象会社との関係性に起因するものなのかを、当該売上高の金額的重要性なども含めて評価検討したうえで、ロイヤルティ免除法での計算対象とする売上高を決定する必要がある。

下記「h．計算例」においては、評価対象である特許権を取得した技術が寄与する売上高は、評価対象会社の全売上高であると仮定した。

e.ロイヤルティレートの選定方法

ロイヤルティ免除法を用いた評価においては、ロイヤルティレートの決定も重要な要素となる。ロイヤルティレートは、主に下記の要素を検討して決定されるが、その際には、検討結果に結びつく資料・文書の入手も大切な作業である。

◆評価対象となっている技術分野のロイヤルティレートに関する専門的調査・統計資料

◆評価対象となっている技術分野のロイヤルティレートに関する評価対象会社や買い手による分析資料

◆評価対象会社や買い手が過去に類似技術のライセンス供与を行った際に採用したロイヤルティレート

◆計画上の営業利益率

◆評価対象会社へのインタビュー

なお、下記「h．計算例」の計算例においては、統計資料や評価対象会社から入手した類似技術のライセンス契約書を検討した結果、ロイヤルティレートは3.5％と決定されたと仮定している。

f.陳腐化率の考え方

特許権を取得した技術および特許出願中の技術の算定過程においては、計算されたロイヤルティ収入に対して陳腐化率が毎期考慮される。陳腐化率は、算定基準日現在に存在する技術がもたらす会社の競争力や収益への貢献度は、実際には時間の経過とともに徐々に低下し、新たな技術が台頭していくと考えられることから設定されるもので、これは、前記「c．耐用年数の考え方」と共通するものである。したがって、一般的に陳腐化率は耐用年数をもとに決定され、評価対象となっている技術の収益への貢献度はその耐用年数の期間で低下していくとの前提で設定される。ただし、毎期の陳腐化率の設定にあたっては、入手可能な情報や評価対象会社へのインタビュー、評価対象会社の置かれた外部および内部環境等を考慮し、毎期一定の陳腐化率とするのか、それとも将来の計画年度によって陳腐化率を変動させるのかについても検討する必要がある。

下記「h．計算例」においては、上記10年の耐用年数に基づき、毎期一定の陳腐化率である10％（＝1/10年）を採用したと仮定している。

g．その他の留意点

特許権を取得した技術および特許出願中の技術の評価におけるポイントのうち、上記a．～f．には含まれなかったその他の留意点としては、以下があげられる。なお、下記「h．計算例」においては、以下にあげる留意点に該当する要素はないと仮定している。

i　評価対象会社の貸借対照表に計上済みの特許権

各国の企業結合会計基準に基づく無形資産の公正価値評価においては、のれんとは別の無形資産を公正価値で認識する場合が一般的であるが、特許権の場合には被取得会社の貸借対照表にすでに特許権が計上されていることも少なくない。このような計上済みの特許権についても取得日現在の公正価値に置き換える必要があるが、同時に、別途インタビュー等によって識別・認識された特許権を評価する場合には、新たに認識される特許権なのか、あるいは、被取得会社の貸借対照表にすでに計上済みの特許権なのかを識別し、同一の特許権を二重に評価することのないよう留意する必要がある。

ii　特許権関連費用の考慮

特許権を取得した技術および特許出願中の技術をロイヤルティ免除法で評価するにあたっては、特許権の出願に関する費用や、取得した特許権の維持・更新にかかる費用を考慮・控除する場合がある。これについては、各評価案件ごとに金額的重要性等を検討し、当該費用を評価上考慮するか否かについて決定する必要がある。

h. 計算例

a.～g.において解説してきたポイント・留意点・前提条件に基づき、特許権を取得した技術および特許出願中の技術を評価する場合の実際の計算例を以下に示す。

計算例：特許権を取得した技術および特許出願中の技術の評価－ロイヤルティ免除法

▶前提条件

算定対象無形資産	特許権を取得した技術および特許出願中の技術
算定基準日	20X0年3月31日
実効税率	40%
割引率	11%
割引期間	期央主義
無形資産の税務上の償却年数	5年
その他	上記a.～g.参照

単位（百万円）		20X1年3月期	20X2年3月期	20X3年3月期	20X4年3月期	20X5年3月期	20X6年3月期	20X7年3月期	20X8年3月期	20X9年3月期	20Y0年3月期
売上高(全社ベース)		8,600	9,030	9,482	9,956	10,453	10,976	11,525	12,101	12,706	13,341
ロイヤルティ収入 ロイヤルティレート	3.5%	301	316	332	348	366	384	403	424	445	467
陳腐化率	10.0%	95%	85%	75%	65%	55%	45%	35%	25%	15%	5%
陳腐化考慮後ロイヤルティ収入		286	269	249	226	201	173	141	106	67	23
－）税金相当額	40.0%	114	107	100	91	80	69	56	42	27	9
税引後利益		172	161	149	136	121	104	85	64	40	14
割引期間		0.5	1.5	2.5	3.5	4.5	5.5	6.5	7.5	8.5	9.5
現価係数		0.9492	0.8551	0.7704	0.6940	0.6252	0.5633	0.5075	0.4572	0.4119	0.3710
割引率	11.0%										
現在価値		163	138	115	94	75	58	43	29	16	5
現在価値合計		738									
+)償却による節税メリット[A]		333									
技術価値		1,071									

【注記】

[A]：特許権を取得した技術は、税務上資産調整勘定として認識され５年で償却が行われると仮定し、償却から得られる節税額の現在価値を算定している。
なお、償却に伴う節税効果の考え方とその計算方法については、「Ⅴ　無形資産評価における論点」を参照のこと。

2…ソフトウェア

a．評価対象資産の識別・認識

評価対象会社において、評価対象会社の運営（工程）上もしくは収益上重要なソフトウェアがある場合には、評価対象会社の貸借対照表に資産計上されている／いないに関わらず無形資産として識別されることになる。評価対象会社の運営上重要なソフトウェアとは、例えば生産プロセスや販売プロセスといった評価対象会社の重要なプロセスの基幹となっているソフトウェアがあげられ、収益上重要なソフトウェアとは、例えば評価対象会社の主力商品としての販売用ソフトウェアがあげられる。さらに、識別されたソフトウェアが各国の企業結合会計基準における無形資産認識要件である契約法律規準もしくは分離可能性規準を満たす場合には、当該ソフトウェアは技術に基づく無形資産として認識されることになる。

下記「g．計算例」においては、評価対象会社の業務上重要なシステムに搭載されている複数のソフトウェアを識別・認識した場合を想定している。

b．評価アプローチ

ソフトウェアに適した評価アプローチは、評価対象となっているソフトウェアが各国の企業結合会計基準における２つの無形資産認識要件（契約法律規準あるいは分離可能性規準）のうちどちらの認識要件を満たすかによって、下記のとおり異なる。

i　契約法律規準にあてはまる場合

「❷2…c．ソフトウェアとマスクワーク」で既述のとおり、特許権、著作権や米国の半導体チップ保護法で保護されているソフトウェアについては、契約法律規準を満たすことで無形資産として認識されるが、このようなソフトウェアは前記「１…特許権を取得した技術および特許出願中の技術」と同様にロイヤルティ免除法で評価するのが適している。

ii　分離可能性規準にあてはまる場合

法的に保護されていないソフトウェアについても、分離可能性規準を満たすことで無形資産として識別されることになるが、法的に保護されていないソフトウェアのうち、ソフトウェアが寄与する将来収益が把握可能な場合や、ソフトウェアに市販可能なアプリケーションが含まれる場合には、インカムアプローチが適していると考えられる。一方、ソフトウェアが直接寄与する将来収益が把握できない場合には、コストアプローチが適している。コストアプローチは、買い手が評価対象資産を複製する場合のコスト＝複製原価、または別のもので代替する場合のコスト＝再調達原価を、無形資産の価値とする手法である。

実務上ではコストアプローチでソフトウェアを評価するケースが比較的多く見受けられることから、以下ではコストアプローチでソフトウェアを評価する場合について解説をしていく。したがって、下記「g．計算例」においても、評価対象ソフトウェアは業務支援システムに搭載されており、ソフトウェアが直接寄与する将来収益を特定することは不可能であると仮定し、コストアプローチを用いてソフトウェアを算定している。なお、コストアプローチによるソフトウェア評価においてはソフトウェアやシステムに対する専門的および技術的知識が要求されることから、無形資産評価の専門家だけではなく、技術的な専門家を含めて評価作業を行うことが必要である。

c．耐用年数の考え方

コストアプローチで評価されるソフトウェアの耐用年数は、評価対象となっているソフトウェアの利用可能期間に基づいて決定される。実務上では、評価対象会社から想定利用可能期間に関する情報等を入手し検討を行うことになるが、ソフトウェアを構築した当初の耐用年数は、時間の経過とともに減少する一方、ソフトウェア構築当初から評価基準日までの間に行われてきたソフトウェアの改修や機能追加はソフトウェアの耐用年数を延長させることになることから、プラスとマイナス双方の要素を検討したうえで耐用年数を決定することが必要である。

下記「g．計算例」においては、評価基準日時点での残存利用可能期間を５年と仮定している。

d.評価上の基礎数値の決定方法

コストアプローチによるソフトウェアの算定において最初に行うのは、各種基礎数値の設定と、それに基づく新規再調達コスト（＝評価対象ソフトウェアと同等のソフトウェアを新規に開発した場合のコスト）の算出である。下記「**g．計算例**」においては、ソフトウェアのプログラムステップ数、ステップ数に基づく生産性指標、１工数当たりの単価を評価上の基礎数値として採用した場合を想定し、新規再調達コストを計算している。実務においては、ステップ数、モジュール数、行数といったソフトウェアの規模を表わす指標は、通常評価対象会社から入手した資料に基づき決定され、生産性指標や工数単価については、同様の資料に加え、専門的な統計調査資料に基づいて決定されることが多い。

e.陳腐化率の考え方

コストアプローチによるソフトウェアの算定過程においては、評価上の基礎数値をもとに計算された新規再調達コストに対して陳腐化率が考慮される。陳腐化率は、ソフトウェアの新規再調達コストが同等のソフトウェアを新規に開発した場合の価値を表わすため、ソフトウェアの構築当初から評価基準日までの時の経過に伴う利用価値の減少を加味する必要があると考えられることから設定されるものである。この考え方は、前記「**c．耐用年数の考え方**」と共通するものであり、実際の陳腐化率の設定にあたっては、評価対象会社へのインタビュー、耐用年数の決定に際して入手した情報、ソフトウェアの機能面、技術面、経済面での陳腐化要素等を検討する必要がある。

下記「**g．計算例**」においては、ソフトウェアを構築した当初の耐用年数を10年、前記「**c．耐用年数の考え方**」のとおり評価基準日時点での残存利用可能期間を５年と仮定し、これらを基に陳腐化率を50％と設定した。

f.評価対象会社の貸借対照表に計上済みのソフトウェア

各国の企業結合会計基準に基づく無形資産の公正価値評価において

は、のれんとは別の無形資産を公正価値で認識する場合が一般的であるが、ソフトウェアの場合には、被取得会社の貸借対照表にすでにソフトウェアが計上されていることも少なくない。このようなソフトウェアも取得日現在の公正価値に置き換える必要があるが、同時に、別途インタビュー等によって識別・認識されたソフトウェアを評価する場合には、新たに認識されるソフトウェアなのか、あるいは被取得会社の貸借対照表にすでに計上済みのソフトウェアなのかを識別し、同一のソフトウェアを二重に評価することのないよう留意する必要がある。

g.計算例

a.～f.において解説してきた評価におけるポイント・留意点・前提条件に基づき、ソフトウェアを評価する場合の実際の計算例を以下に示す。

計算例：ソフトウェアの評価－コストアプローチ法

▶前提条件

算定対象無形資産	ソフトウェア
実効税率	40%
割引率	11%
割引期間	期央主義
無形資産の税務上の償却年数	5年
その他	上記a.～f.参照

単位（百万円）

システム名	[A] 規模 (ステップ数)	[B] 生産性指標 (ステップ/人月)	[C] 工数単価 (百万円/人月)	[D]=[A] / [B] × [C] 新規再調達コスト	[E] 陳腐化率	[F]=[D] × [E] 再調達コスト
システムA	10,000	800	0.9	12	50.0%	6
システムB	3,000	800	0.9	4	50.0%	2
システムC	7,000	800	0.9	8	50.0%	4
合計	20,000					12

▶工数単価［C］の前提条件

	人月単価 (百万円/人月)	作業割合	工数単価 (百万円/人月)
要求分析	1	8.0%	0.1
設計	1	26.0%	0.3
開発	0.9	53.0%	0.5
運用移行	0.9	13.0%	0.1
合計		100.0%	0.9

3…仕掛中の研究開発

仕掛中の研究開発については、“AICPA Accounting and Valuation Guide Assets to Be Used in Research and Development Activities”（以下「AICPAガイダンス」という）において、その定義、会計処理方法、評価方法、監査上の留意点といった詳細な内容が解説されている。以下では、このAICPAガイダンスに基づき仕掛中の研究開発の認識や評価方法について解説していく。

a．評価対象資産の識別・認識

仕掛中の研究開発は、特に医薬・医療業界、ソフトウェア産業や精密機器業界における買収案件において技術に基づく無形資産として認識されるが、AICPAガイダンスによると、評価対象会社における仕掛中の研究開発プロジェクトが無形資産として認識されるためには、以下の２つの認識条件を満たさなくてはならない。仕掛中の研究開発の適切な評価において、これら認識条件を満たすか否かを十分に検討することは非常に重要なポイントの１つであり、評価担当者による専門的な判断が要求される。

ｉ　実在性（Substance）

実在性とは、被取得会社が、以下のすべての要件を満たすような研究開発活動を行っていることを意味している。

- 研究開発活動において、相当程度の労力・費用がすでに発生している
- 研究開発活動が何らかの価値の創造をもたらしている

実務において研究開発活動の実在性の有無を決定する際には、以下に例示される資料を検討することになる。

- 被取得会社作成の、仕掛中の研究開発プロジェクトに関する進捗報告書
- 被取得会社全体の研究開発に関する予算、計画書、関連する進捗報告書
- 仕掛中の研究開発プロジェクトにおいて、取得日までに発生した費用および今後の研究開発活動完了までに発生が予想される費用

◆デューディリジェンスレポート
◆その他外部の市場調査会社やアナリストによる評価報告書

ii　未完成（Incompleteness）

未完成とは、買収によって取得された研究開発活動に取得日現在で技術面などのリスクがいまだ存在している、あるいは必要な監督官庁の認可が未取得であり、取得会社においてリスク解消や認可取得のための追加的な研究開発費用の発生が必要になると予測されることを意味している。具体的には、米国で販売予定の医薬品が米国におけるFDA（Food and Drug Administration, 米国食品医薬品局）の認可を得ていない場合などがあげられる。

実務において研究開発活動の完了の有無を決定する際には、以下に例示される資料を検討することになるが、上記「i　実在性（Substance）」の検討において使用する資料と重複する部分もあることから、並行して検討するのが効率的と考えられる。

◆仕掛中の研究開発プロジェクトに関する、開発の達成度や未達成度を示す開発進捗報告書
◆未解決の技術的リスクや、未取得の認可に関する資料
◆仕掛中の研究開発プロジェクトにおいて、今後完了までに発生が予想される開発費用および時間
◆仕掛中の研究開発プロジェクトが成功する可能性

下記「f．計算例」においては、評価対象会社が製品Aとして将来商品化予定の仕掛中の研究開発を有していると想定し、当該製品技術Aは上記すべての認識条件を満たしたものと仮定している。

b．評価アプローチ

仕掛中の研究開発は、将来の製品やサービスとして具現化され、それらが寄与することで生み出される収益を特定することが可能なことから、超過収益法で評価するのが最も適しており一般的である。超過収益法は、企業や事業全体または評価対象となる無形資産に関連して生み出

される利益から、算定対象の無形資産以外の資産が寄与した結果生み出された利益（キャピタルチャージ）を差し引いた残余利益を、算定対象の無形資産の価値とする算定手法である。

下記「f．計算例」においても、超過収益法を用いて仕掛中の研究開発（製品A）の公正価値を算定している。なお、控除すべきキャピタルチャージについては、運転資本、固定資産、人的資産を想定し、各資産からの期待収益率の対売上高比を、それぞれ0.2％、0.3％、1.0％と仮定した。

c．耐用年数の考え方

一般的に、認識された仕掛中の研究開発の耐用年数は、関連する研究開発努力が完了するかもしくは中止されるまで、確定できない（indefinite-lived）ものとして非償却性資産に分類される（IFRS3（R）およびASC805）。一方で、わが国のように、仕掛中の研究開発を償却性資産として扱い、耐用年数に応じて償却される場合もある。

下記「f．計算例」においては、認識された仕掛中の研究開発（製品A）の耐用年数を確定できないものとした。

d．技術別損益計画の入手

評価対象会社の技術が、既存の技術、開発中の技術、次世代技術といった複数の種類から構成されており、なおかつ開発中の技術を仕掛中の研究開発として超過収益法で評価する際には、技術別の売上高計画ばかりでなく、技術別の損益計画を入手することが重要である。なぜなら、超過収益法による仕掛中の研究開発の評価においては、仕掛中の研究開発が寄与する売上高、仕掛中の研究開発完了までにかかる費用（以下「開発完了までの費用」という）、研究開発完了後に発生する営業費用（以下「開発完了後の営業費用」という）をそれぞれ別々に特定することが必要となるからである。ここでいう「開発完了までの費用」には当然研究開発費用のみが含まれ、反対に「開発完了後の営業費用」には研究開発費用は一切含まれないことになる。また、技術別損益計画上の開発完了までの費用は、前記「ａ．評価対象資産の識別・認識」の２つの認識条件の検討において別途入手した資料に記載の、今後の研究開発完了までに発生が予想される費用と一致しなければならない点に留意すべきである。

下記「ｆ．計算例」に、評価対象会社から入手すべき技術別損益計算書の一例を示す。なお、同計算例における仕掛中の研究開発（製品A）の評価は、当該技術別損益計算書に基づいて算定した場合を想定している。また、当該技術別損益計画に基づいて評価対象会社の技術別売上高の推移をグラフ化すると、以下の図のとおりとなる。

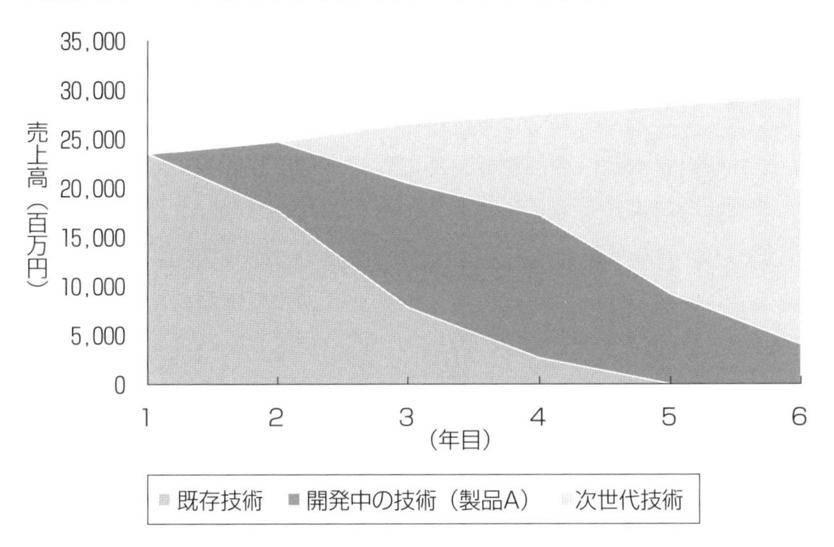

ｅ．その他の留意点

仕掛中の研究開発の評価におけるポイントのうち、上記ａ．～ｄ．には含まれなかったその他の留意点としては、以下があげられる。なお、下記「ｆ．計算例」においては、以下にあげる留意点に該当する要素はないと仮定している。

i　仕掛中の研究開発で使用される、個別に完成している無形資産

AICPAガイダンスでは、例えば個別の特許権があっても特定の仕掛中の研究開発のためだけに直接関係するものであれば、当該特許権も含め基本的に1つの仕掛中の研究開発として認識される。

ii　研究開発活動の範囲から除かれるもの

AICPAガイダンスでは、研究開発活動から除外されるものが例示されている。具体的には商業生産のための品質管理活動、トラブルシューティング、既存製品の改良等のための継続的な活動等が該当する。

iii　他の技術への依存

評価対象会社が、製品技術やコア（または基礎）技術といった既存の技術を有している場合や、複数の開発中の技術（仕掛中の研究開発）を有している場合には、評価対象である仕掛中の研究開発に伴う将来収益に、それらの技術が寄与することで生み出された収益が含まれている可能性がある。具体的には、仕掛中の研究開発の基礎技術として既存技術が使用されているケース等があげられる。このような場合には、超過収益法による仕掛中の研究開発の評価過程において、他の技術に依存することで生み出された将来収益分をキャピタルチャージとして控除する必要がある。

iv　評価対象会社における技術関連契約

評価対象会社において、評価対象会社が契約当事者となっているクロスライセンス契約、共同特許、技術ライセンス契約（ライセンシー側）、特許実施権許諾契約（ライセンシー側）等がある場合には、契約に伴って供与された技術が評価対象である仕掛中の研究開発のベースもしくは一部として利用されているケースがある。このような場合には、供与された技術への依存による影響を、実際の支払ロイヤルティ等に基づいて評価上考慮する必要がある。

f.計算例

a.～e.において解説してきた評価におけるポイント・留意点・前提条件に基づき、仕掛中の研究開発を評価する場合の実際の計算例を以下に示す。

計算例：仕掛中の研究開発（製品A）の評価－超過収益法

▶**前提条件**

算定対象無形資産	仕掛中の研究開発（製品A）
算定基準日	20X0年3月31日
実効税率	40%
割引率	13%
割引期間	期央主義
無形資産の税務上の償却年数	5年
その他	上記a.～e.参照

▶**技術別損益計画**

単位（百万円）	20X1年3月期	20X2年3月期	20X3年3月期	20X4年3月期	20X5年3月期	20X6年3月期
売上高－既存技術	24,600	18,081	8,136	2,848	-	-
売上高－開発中の技術（製品A）	-	7,749	13,561	15,663	10,266	4,532
売上高－次世代技術	-	-	5,424	9,967	19,066	25,680
売上高合計	24,600	25,830	27,121	28,478	29,332	30,212
開発完了までの費用－既存技術	-	-	-	-	-	-
開発完了までの費用－開発中の技術（製品技術A）	650	500	-	-	-	-
開発完了までの費用－次世代技術	-	550	759	-	-	-
開発完了までの費用合計	650	1,050	759	-	-	-
開発完了後の営業費用－既存技術	17,220	12,295	5,533	1,851	-	-
開発完了後の営業費用－開発中の技術（製品技術A）	-	5,269	9,221	10,181	6,468	2,810
開発完了後の営業費用－次世代技術	-	-	3,689	6,479	12,011	15,922
開発完了後の営業費用合計	17,220	17,564	18,443	18,511	18,479	18,732

営業費用合計－既存技術	17,220	12,295	5,533	1,851	-	-
営業費用合計－開発中の技術（製品技術A）	650	5,769	9,221	10,181	6,468	2,810
営業費用合計－次世代技術	-	550	4,448	6,479	12,011	15,922
営業費用合計	17,870	18,614	19,202	18,511	18,479	18,732
営業利益－既存技術	7,380	5,786	2,603	997	-	-
営業利益－開発中の技術（製品技術A）	－650	1,980	4,340	5,482	3,798	1,722
営業利益－次世代技術	-	－550	976	3,488	7,055	9,758
営業利益合計	6,730	7,216	7,919	9,967	10,266	11,480

単位（百万円）		20X1年3月期	20X2年3月期	20X3年3月期	20X4年3月期	20X5年3月期	20X6年3月期
売上高		-	7,749	13,561	15,663	10,266	4,532
開発完了までの費用		650	500	-	-	-	-
完成完了後の営業費用		-	5,269	9,221	10,181	6,468	2,810
営業費用合計		650	5,769	9,221	10,181	6,468	2,810
営業利益		－650	1,980	4,340	5,482	3,798	1,722
－）税金相当額	40.0%	－260	792	1,736	2,193	1,519	689
税引後営業利益		－390	1,188	2,604	3,289	2,279	1,033
キャピタルチャージ	対売上高比						
運転資本	0.20%	-	15	27	31	21	9
固定資産	0.30%	-	23	41	47	31	14
人的資産	1.00%	-	77	136	157	103	45
キャピタルチャージ計		-	116	203	235	154	68
キャピタルチャージ調整後利益		－390	1,072	2,401	3,054	2,125	965
割引期間		0.5	1.5	2.5	3.5	4.5	5.5
現価係数		0.9407	0.8325	0.7367	0.6520	0.5770	0.5106
割引率	13.0%						
現在価値		－367	892	1,769	1,991	1,226	493
現在価値の合計		6,004					
＋）償却による節税メリット［A］		2,562					
技術価値		8,565					

【注記】

［A］：当該無形資産は、税務上資産調整勘定として認識され５年で償却が行われると仮定し、償却から得られる節税額の現在価値を算定している。なお、償却に伴う節税効果の考え方とその計算方法については、「**Ⅴ 無形資産評価における論点**」を参照のこと。

人的資産の評価方法

❶ のれんとしての計上

ASC805、IFRS第３号および企業結合会計基準においては、人的資産（Assembled Workforce）は無形資産の識別要件（契約法律規準または分離可能性規準）を満たしているか否かにかかわらず、のれんに含めて計上することとされている。したがってこの人的資産は、無形資産の評価の実務においては、算定されるが、財務諸表に区分して計上されることはなく、最終的にはのれんに含まれることになる。

❷ 算定目的

ではなぜ、のれんに含まれてしまうものをあえて算定する必要があるのか。それは、超過収益法による無形資産の算定上、人的資産の使用コストをキャピタルチャージとして考慮する必要があるからである。つまり、人的資産の価値は他の無形資産を超過収益法で算定するためにのみ算定されるものであり、仮に超過収益法で無形資産を評価する必要がない場合は、人的資産の価値は算定する必要はないといえる。

❸算定方法

M&Aにおける買い手は、対象会社の組織化され、訓練された人的資産を取得することになるため、人的資産を組織化するためのコストを節約することが可能となる。したがって、人的資産の価値は一般的にコストアプローチによって算定される。概念的には、評価基準日時点の対象会社の組織人員を、新たに再構築するとした場合のコストである。つまり、①組織人員の全員を採用し、②現在の組織として機能するまでに教育訓練したとした場合に生ずるコストが人的資産の価値である。

1…採用費

従業員を採用するには一定のコストがかかる。求人広告にかかるコストはその典型例であるが、この他に、マネジメント層や専門性の高い職種の場合には、人材紹介者やヘッドハンターに対して年間給与の一定割合を支払って採用する場合があるため、これらのコスト（あくまでも仮想のコストである）を集計する必要がある。

2…教育研修費

当該コストは概念的には、例えば部長職として中途採用した者が採用されてから部長として機能し始めるまでのコスト（アイドルコスト）である。

クロージング日現在の在籍人員の賞与や法定福利費等も含めた年間の総人件費を12で除し、１か月分の人件費を算定し、これに、アイドルタイム月数を乗ずることによって、教育研修費が算定される。アイドルタイムとは、業務未経験の人員を配置した場合に現状の人員と同じレベルで業務ができるようになるまでに要する期間である。

アイドルタイムは一般的には役職が高くなるほど、短いとされる。給料の高い者ほど採用されてから機能し始めるまでの期間は短いという意味である。

なお､教育研修費には対象となる従業員のアイドルコストのみならず､

従業員をトレーニングするために発生した上司や年長の従業員のコストも含めなければならない。

計算例：人的資産の評価ーコストアプローチ

（単位：百万円）

教育研修費

役職	人数	年間給与総額 a	福利厚生費 法定福利費等 b	年間人件費計 a+b=c	月額人件費 c/12=d	アイドルタイム e	教育研修費 f=d×e
取締役	5	100	20	120	10	1	10
部長	20	250	50	300	25	2	50
課長	55	440	88	528	44	3	132
社員	300	1,700	340	2,040	170	4	680
派遣社員	100	350	0	350	29	2	58
合　計	480	2,840	498	3,338	278		930

採用費

役職	人数	年間給与総額に対する割合 g	採用費計 h=a×g	採用費（求人広告等）i	採用費 j=h+i
取締役	5	30%	30	0	30
部長	20	20%	50	3	53
課長	55	0%	0	5	5
社員	300	0%	0	5	5
派遣社員	100	0%	0	5	5
合　計	480		80	18	98

コスト計

役職	教育研修費合計 f	採用費合計 j	総合計 k=f+j
取締役	10	30	40
部長	50	53	103
課長	132	5	137
社員	680	5	685
派遣社員	58	5	63
合　計	930	98	1,028

❹ 税金と償却による節税効果

前記の算定シートにおいては総合計（k）に償却による節税メリット（n）を加算せずに、算定シートの総合計の数値（k）のみをもって価値としている。これは、コストアプローチは複製原価（Reproduction Cost）または再調達原価（Replacement Cost）によって価値を算定するものであり、そもそも時価であり、税効果を考慮する必要がないためである。

CHAPTER

有形固定資産の評価

不動産・動産の時価評価

パーチェスプライスアロケーションは、取得した企業価値（買収価格）を各資産に配分するものであり、土地、建物、機械装置等を含む有形固定資産にも配分する必要があるため、有形固定資産をすべて時価評価する必要がある。

不動産としては土地、建物、建物付属設備、動産としては機械装置、工具器具備品、車輌運搬具、船舶等があげられる。

不動産の価格、特に土地価格については一物四価と言われることがある。日本においては実際の取引価格に加え、公的な価格としての地価公示価格（都道府県地価調査価格）、相続税路線価、固定資産税評価額が並存している。さらに不動産鑑定評価基準に基づく不動産鑑定評価額を加えれば一物五価ともなるのである。

上記にあげた公的な価格は、それぞれに評価実施機関が異なり、その評価目的等も異なっている。概略については以下のとおりである。

	実施機関	時　点	発表時期	水　準	目　的
地価公示価格（地価調査）	国土交通省（都道府県）	毎年1月1日（毎年7月1日）	3月下旬頃（9月下旬頃）	時価ベース	一般の土地取引の指標
相続税路線価	国税局	毎年1月1日	7月上旬	地価公示価格の80％程度	相続税課税の算定基礎
固定資産税評価額	市町村	3年毎の1月1日（時点修正有）	一斉に発表することはない	地価公示価格の70％程度	固定資産税課税の算定基礎

	カバー区域	特徴その他
地価公示価格 （地価調査）	2023年１月１日時点 26,000地点 （2022年７月１日時点） （21,444地点）	• 一般の土地取引の指標 • 相続税路線価と固定資産税評価額の算出基準点の評価であるため、各地域の地価水準の目安にすぎない • 国土交通省のホームページで閲覧できる
相続税路線価	市街化区域内の大半の道路	• 土地の接面道路に価格が表示されているため、幅広い地域の価格水準が把握可能で、最も使い勝手がよい • 標準的な土地を前提とした価格であるため、個々の不動産価格を求めるためには、個別修正が必要となる • 国税庁のホームページで過去３年分の路線価が閲覧できる
固定資産税評価額	日本全国の各筆	• 土地の評価額については、画地ごとに個別修正を施しているため、格差率を乗じる必要はない • 原則として納税者本人のみしか価格を把握できない。ただし、地方税法の改正により納税者は、2003年１月より同一市町村内の評価額が閲覧で可能となっている • 固定資産税にも路線価があり、全国地価マップのホームページまたは市町村の税務課等で閲覧可能である。市街化調整区域も一部カバーされているため、相続税路線価より設定範囲は広い

また、不動産鑑定評価額は不動産鑑定士が不動産鑑定評価基準に従い鑑定した不動産の価格である。不動産の鑑定評価によって求める価格は、基本的には正常価格であるが、鑑定評価の依頼目的および条件により限定価格、特定価格または特殊価格を求める場合がある。

正常価格とは、「市場性を有する不動産について、現実の社会経済情勢の下で合理的と考えられる条件を満たす市場で形成されるであろう市場価値を表示する適正な価格」と定義されている。簡単に言えば、一般的な市場で成立する価格といえ、以下の条件を満たす市場をいう。

- ◆市場参加者が自由意思に基づいて市場に参加し、参入、退出が自由であること
- ◆取引形態が、市場参加者が制約されたり、売り急ぎ、買い進み等を誘引したりするような特別なものではないこと
- ◆対象不動産が相当の期間、市場に公開されていること

それ以外の価格については、隣接不動産の併合を目的とする売買をする場合、民事再生法に基づく評価目的の下で早期売却を前提とした場合、文化財や公共施設等の特殊な利用現況を前提とした場合等特殊な状況を前提とした場合において求められる価格である。

CHAPTER Ⅳ

2 不動産の評価方法

❶評価アプローチについて

不動産鑑定評価基準においては、不動産の価格を求める鑑定評価の基本的な手法として「原価法」「取引事例比較法」「収益還元法」に大別している。

一般に、人が物の価値を判定する場合には、

(A) それにどれほどの費用が投じられたものであるか（費用性）

(B) それがどれほどの値段で市場において取引されているものであるか（市場性）

(C) それを利用することによってどれほどの収益（便益）が得られるものであるか（収益性）

という３つの点を考慮しているのが通例といえる。これが通常、価格の三面性といわれるものである。

不動産の場合もこれと同様であって、この価格の三面性が鑑定評価の手法の考え方の基本となっている。

(A)の費用性の考え方に基づき、不動産の再調達に要する費用に着目して価格を求めようとする手法が「原価法」であり、供給者サイドの視点に立った手法といえる。

(B)の市場性の考え方に基づき、不動産の取引事例に着目して求めようとする手法が「取引事例比較法」であり、需要者・供給者双方による市場原理に基づいた手法といえる。

(C)の収益性の考え方に基づき、不動産から生み出される収益に着目して求めようとする手法が「収益還元法」であり、需要者サイドの視点に立った手法といえる。

これら3手法は、1つの価格をそれぞれ別の視点からアプローチするものであり、相互に補完し合い同一の価格を指向するものであるため、基本的には3手法は併用すべきものとなっている。

ただし、対象不動産の属する市場特性等に応じて説得力には軽重が生じる場合があるので、各手法から求められた価格については対象不動産の種類・用途に応じてウェイト付けを行い、評価額を求める必要が出てくる。例えば、戸建住宅地の評価であれば、収益性に着目して取引されるのではなく、居住の快適性・利便性に着目して取引されるため、取引事例比較法を重視することとなる。一方、都心部のオフィスビルであれば、そのビルが生み出す収益性に着目して取引される傾向が強いため、収益還元法を重視することとなる。

以下、3手法の具体的な適用方法を検討していく。

1…原価法

原価法とは、価格時点における対象不動産の再調達原価を求め、この再調達原価について減価修正を行って対象不動産の価格を求める手法である(この手法により求められた価格を「積算価格」という)。

積算価格 = 価格時点における対象不動産の再調達原価 − 減価修正額

a.再調達原価

再調達原価とは、対象不動産を価格時点において再調達(建物の場合は新たに建築、土地の場合は素地の造成)することを想定した場合において必要とされる適正な原価の総額をいう。建物の再調達原価は、発注者が請負者に対して支払う標準的な建設費に発注者が直接負担すべき通常の付帯費用を加算して求めるもので、直接法と間接法の2つの求め方がある。

直接法とは、対象不動産を建築・造成する際に実際に要した価格から直接的に再調達原価を求める方法である。この方法は対象不動産が建築・造成後間もない場合で、取得価格（建築費または造成費）が判明している場合に有効な方法である。

間接法とは、対象不動産に類似した不動産から間接的に対象不動産の再調達原価を求める方法である。この方法は対象不動産に類似した不動産の事例がある場合に有効な方法である。なお、発注者が直接負担すべき通常の付帯費用とは、公共公益負担金、開発申請諸経費、設計監理料、建築確認申請費用、登記費用、資金調達費用、発注者の開発リスク相当額、発注者利益（開発者利益・機会費用）等が理論的に該当し、投資用不動産等については市場価値を形成するものとして計上するケースが多いが、それ以外の不動産については市場価値への転嫁が困難であることを理由に非計上とする場合も多い。

また、土地の再調達原価は、素地の取得原価に標準的な造成費と発注者が直接負担すべき通常の付帯費用を加算して求めることになるが、既成市街地内の土地では適切な把握が困難であるため、土地評価において原価法が適用されるケースは稀である。

b.減価修正

減価修正とは、減価の要因を分析し、当該減価額を対象不動産の再調達原価から控除することである。簡単に言えば、新品と中古との差額を調整することであり、不動産が完成直後で最有効使用の場合には減価額はゼロで、再調達原価が積算価格となる。減価の要因としては、不動産を使用することによって生ずる摩滅、時の経過によって生ずる老朽化、偶発的な損傷、機能的な陳腐化、近隣の不動産との比較による市場性の減退等があげられる。

減価額を求めるには、耐用年数に基づく方法と観察減価法の２つの方法があり、原則としてこれらは併用する。耐用年数に基づく方法には、定額法、定率法等があるが、実務上は定額法が用いられるケースが多い。観察減価法は、対象不動産について、維持管理の状態、補修の状況等の実態を調査することにより、減価額を直接求める方法である。

〈積算価格の算定シート例〉

◆対象不動産：建物およびその敷地
◆土地の地積：1,000m²
◆建物の延床面積：1,000m²
◆建築後経過年数：5年
◆躯体・仕上・設備の割合：躯体35%・仕上35%・設備30%
◆経済的残存耐用年数：躯体45年・仕上30年・設備10年

① 再調達原価

項　目	査定額	査定根拠
a. 土地	250百万円	土地価格（単価）※　地積 0.25百万円/m²　×　1,000.00m² ※別途取引事例比較法または収益還元法により査定
b. 建物	250百万円	再調達価格（単価）※　延床面積 0.25百万円/m²　×　1,000.00m² ※類似建物の建設事例より査定
c. 付帯費用	100百万円	a. 土地　b. 建物　付帯費用率※ (250百万円＋250百万円）×　20.0% ※開発リスク、金利相当額、開発利益相当額等を考慮して査定
① 再調達原価	600百万円	a. ～c. 合計

② 減価修正

項　目	査定額	査定根拠				
a. 土地	0百万円	特段の減価はなし				
b. 建物	67百万円	【耐用年数に基づく方法(定額法)】				
		(a)再調達価格	種類	(b)割合	(c)経過年数÷(経過年数＋経済的残存耐用年数)	(d)＝(a)×(b)×(c)減価額
		250百万円	躯体	35%	5年÷(5年＋45年)	9百万円
			仕上	35%	5年÷(5年＋30年)	13百万円
			設備	30%	5年÷(5年＋10年)	25百万円
						合計　47百万円

		【観察減価法】 再調達価格　上記(d)　※観察減価率　減価額 (250百万円－46百万円)　×　10%　=　20百万円 ※維持管理の状態を考慮して査定
c. 付帯費用	10百万円	付帯費用　減価率※　減価額 100百万円×　(5年÷(5年＋45年))　=　10百万円 ※定額法を採用。経済的残存耐用年数は建物の躯体と同様として査定
d. 小計	77百万円	a. ～c. 合計
e. 建物及びその敷地	0百万円	再調達原価　上記d.　※一体減価率　減価額 (600百万円－77百万円)　×　0%　=　0百万円 ※特段の減価はなし
② 減価額	77百万円	d.、e. 合計

③　積算価格　523百万円（①－②）

2…取引事例比較法

取引事例比較法とは、まず多数の取引事例を収集して適切な事例の選択を行い、これらに係る取引価格に、必要に応じて事情補正および時点修正を行い、かつ地域要因の比較および個別的要因の比較を行って求められた価格を比較考量し、これによって対象不動産の価格を求める手法である（この手法により求められた価格を「比準価格」という）。

比準価格＝取引事例➡事情補正➡時点修正➡地域要因比較➡個別的要因比較

当該手法は、市場において現実に発生した取引価格を価格算定の基礎とするものであるから、多数の取引事例の収集と事例の選択の適否が重要になり、これが比準価格の精度を左右することになる。例えば、対象不動産が工場団地内にある土地であるならば、選択すべき事例は工場地の事例であって住宅地の事例ではない。また、現時点における土地の評価であるならば選択すべき事例は現時点に近い事例であって10年前の事例ではない等である。現実の市場において成立した不動産の価格は、売り急ぎ等の特殊事情、地積や形状等の個別的要因を含んでいる場合もあるので、適切に補正および要因比較できる範囲内のものを選択していくことが重要となる。

〈比準価格の算定シート例〉

◆対象不動産：土地

◆面積：1,000m²

◆対象地の周辺から取引事例等と収集し、下記のとおり取引事例A、Bおよび公示地を収集、選択

	所在	取引価格等(千円/m²)	取引時点等	地積(m²)	形状	前面道路	最寄駅距離(m)	法規制	建蔽率/容積率(%)	利用現況	周辺地利用現況
取引事例A	練馬区○○	300	7/1/21	1,200	長方形	北6m区道	豊島園600m	1住居準防	60/200	住宅	一般住宅、アパート等が混在する住宅地域
取引事例B	練馬区△△	400	1/1/22	900	やや不整形	北7m区道	桜台750m	1中専準防	60/200	住宅	中規模住宅が多い区画整然とした住宅地域
公示地練馬-○	練馬区○○○	380	1/1/21	1,500	正方形	東6m区道	中村橋250m	1住居準防	60/200	住宅	一般住宅、店舗等が混在する住宅地域
対象地	練馬区△△△			1,000	正方形	東6m区道	練馬250m	1中専準防	60/200	住宅	中規模住宅が建ち並ぶ住宅地域

	取引価格等(千円/m²)	事情補正	時点修正	標準化補正	地域要因の比較	個別的要因の比較	比準価格
取引事例A	300	100/80	100.5/100	100/100	100/90	100/100	419
取引事例B	400	100/100	100/100	100/95	100/95	100/100	443
公示地	380		101/100	100/100	100/95	100/100	404

	取引価格等(千円/m²)	事情補正	時点修正	標準化補正	地域要因の比較	個別的要因の比較	比準価格
補正内容		取引事例Aは相続発生に伴う売り急ぎがあったため、▲20％の事情を考慮した。	1年間で1％上昇していることを前提として、時点修正率を算出。	取引事例Bは不整形であるため、▲5％を考慮した。	対象地と比較して、いずれの土地も快適性等が劣っているため、▲5～▲10％を考慮した。	対象地は整形地で標準的な土地であるため、補正なし。	
取引事例A、Bおよび公示地との均衡を考慮し、A、Bの中庸値を採用して比準価格を430千円/m²と査定した。							

比準価格　430百万円　(430千円/m²×1,000m²)

3…収益還元法

収益還元法は、対象不動産が将来生み出すであろうと期待される純収益の現在価値の総和を求める手法である（この手法により求められた価格を「収益価格」という）。

当該手法は、賃貸用不動産または賃貸以外の事業の用に供する不動産の価格を求める場合に特に有効である。

収益価格を求める方法には､直接還元法とディスカウンテッド･キャッシュ・フロー法（以下「DCF法」という）がある。

「直接還元法」は、一期間の純収益を還元利回りによって還元することにより価格を求める方法であり、算式は次のとおりである。

$$P=\frac{a}{R}$$

P：求める不動産の収益価格

a：一期間の純収益

R：還元利回り

「DCF法」は、連続する複数の期間に発生する純収益および復帰価格を、その発生時期に応じて現在価値に割り引き、それぞれを合算することにより価格を求める方法であり、算式は次のとおりである。

$$P = \sum_{k=1}^{n} \frac{a_k}{(1+Y)^k} + \frac{P_R}{(1+Y)^n}$$

P：求める不動産の収益価格

a_k：毎期の純収益

Y：割引率

n：保有期間（売却を想定しない場合には分析期間。以下同じ）

P_R：復帰価格

復帰価格とは、保有期間満了時点における対象不動産の価格をいい、基本的には次の算式により表される。

$$P_R = \frac{a_{n+1}}{R_n}$$

a_{n+1}：n＋1期の純収益

R_n　：保有期間の満了時点における還元利回り（最終還元利回り）

a.純収益

純収益は、一般に年間を単位として総収益から総費用を控除して求められる。実務上の手順では、運営収益から運営費用を控除して運営純収益を算出した後、これに一時金（保証金等）の運用益を加算し、資産計上される大規模修繕費などの資本的支出を控除することによって純収益を査定することが多い。

運営収益は、賃貸用不動産にあっては貸室賃料収入、共益費収入、水道光熱費収入、駐車場収入、その他収入（看板収入、アンテナ収入、礼金・更新料収入等）のほか、空室等損失、貸倒れ損失の調整項目から構成される。

運営費用は、賃貸用不動産にあっては維持管理費、水道光熱費、修繕費、プロパティマネジメントフィー、テナント募集費用等、公租公課、損害保険料、その他費用（支払地代、管理組合費・修繕積立金等）から構成される。なお、減価償却費については実務上、償却前のキャッシュ・フローをベースとして純収益を把握する傾向にあるため、総費用に減価償却費を含めないことがほとんどである。

b.還元利回りおよび割引率

還元利回りおよび割引率は、ともに不動産の収益性を表し、収益価格を求めるために用いるものである。

還元利回りは、直接還元法の収益価格およびDCF法の復帰価格の算定において、一期間の純収益から対象不動産の価格を直接求める際に使用される利率であり、将来の収益に影響を与える要因の変動予測と予測に伴う不確実性を含むものである。

割引率は、DCF法において、ある将来時点の収益を現在時点の価値に割り戻す際に使用される利率である。DCF法では純収益の変動がキャッシュ・フロー表に明示され、この明示された純収益を現在価値に割り引くことになるために、割引率にはキャッシュ・フロー表において反映された変動予測は含まれないのである。

これらの利率は、対象不動産に対する期待収益率を表すものであり、一般的には対象不動産のリスクが高いほど高くなる傾向にある。対象不動産の種類（オフィス、店舗、マンション、ホテル等）、地域性（都心、郊外等）、建物の状況（築年数、維持管理の状態等）等の各要因により異なってくる。最近では、不動産インデックス、不動産投資家調査、J-REIT物件の公開情報等参考となる情報が増えてきているので、これらを適宜活用し市場における動向を把握する必要がある。

〈直接還元法における収益価格の算定シート例〉

	項目	査定額（千円）	査定根拠等
運営収益	貸室賃料収入	600,000	5,000円／m^2×10,000m^2×12か月
	共益費収入	120,000	1,000円／m^2×10,000m^2×12か月
	水道光熱費収入	0	
	駐車場収入	24,000	40,000円／台×50台×12か月
	その他収入	6,000	看板設置料等
	空室等損失	▲30,000	各収入の4%を計上
	①　運営収益	720,000	
運営費用	維持管理費	54,000	実額
	水道光熱費	11,000	過去の実績より査定
	修繕費	9,000	建物再調達原価の0.3%を計上 3,000,000千円×0.3%
	プロパティマネジメントフィー	21,600	運営収益の3%を計上
	テナント募集費用等	15,000	テナント入替率を年間30%とし、貸室賃料の1か月分を計上
	公租公課	61,400	実額
	損害保険料	3,000	建物再調達原価の0.1%を計上 3,000,000千円×0.1%
	その他の費用	0	
	②　運営費用	175,000	経費率24.3%（②／①）
③　運営純収益		545,000	①－②
④　一時金の運用益		6,000	運用利回りを1%として計上
⑤　資本的支出		▲36,000	建物再調達原価の1.2%を計上 3,000,000千円×1.2%
⑥　純収益		515,000	③＋④＋⑤

項目	査定額	査定根拠等
⑦　還元利回り	5.00%	

項目	査定額	査定根拠等
⑧　収益価格	10,300百万円	⑥／⑦

❷ 土地の評価

土地価格については、前に掲げた地価公示価格、相続税路線価、固定資産税評価額を利用して、対象不動産の個別性を勘案し、価格を求める方法がある。これらは簡易な方法であり、使い勝手が良いため幅広く活用されているが、デメリットもある。これらの公的な価格はその目的を異にしているので、マーケット水準と乖離しているケースもあるために、適切に補正がなされないとマーケット価格と大きなズレが生じる可能性があることに留意すべきである。

不動産鑑定評価基準においては理論上、原価法、取引事例比較法、収益還元法の３手法を適用することになっている。しかしながら、原価法については、再調達原価の把握が必須であるが、既成市街地においてはその把握は非常に困難である。造成後間もない造成地や埋立地の場合には適用可能であるが、これらはレアケースであり実務上はほとんど適用されない手法となっている。

取引事例比較法は実務上多く利用され、重要視されている。この手法は実際に市場において取引された事例をもとに価格を算出するため、非常にわかりやすく、説得力も高いからである。

収益還元法は、土地だけで収益を生み出すものではないために、土地上に最有効使用の建物（収益性が最大化できる建物）を想定し、想定建物およびその敷地に基づく純収益から想定建物等に帰属する純収益を控除した残余の純収益を用いて収益価格を求めることになる。したがって、建物の想定からはじまり、現実に稼働していない状況にあるので、賃貸収入、費用をも想定する必要があり、この想定如何によって価格が左右されてしまう可能性を有していることに留意すべきである。この手法は商業地にある土地等収益性が重要となる土地については説得力のある価格となるので、上記留意事項を踏まえ、より現実的な想定のもとで適用できるよう裏付けとなる調査を綿密に行う必要がでてくる。

また、周辺の標準的な土地と比較して規模の大きな土地の場合には、上記手法に加えて「開発法」と呼ばれる手法を適用するケースがある。開発法とは対象不動産にマンション等を建築し、一体として利用されることが合理的と判断される場合や標準的な宅地規模に区画割りし、分割して利用することが合理的と認められる場合に、マンションや宅地の販売収入から建築費や造成費、販売管理費等の付帯費用を控除し土地価格を求める手法である。

デベロッパー等の投資採算性に着目した手法であるが、計画の具体性如何によっては想定事項が多くなるので留意が必要である。

〈開発法の評価イメージ図〉

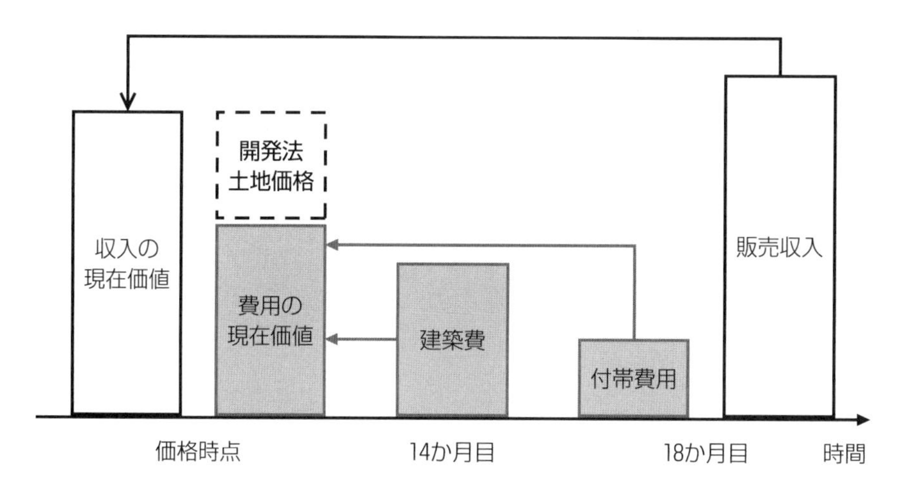

開発法による価格 ＝ 販売収入の現在価値 － 建築費・付帯費用の現在価値

将来にわたって予測される収入および費用を価格時点に割り戻し、収入から費用を控除し土地価格を求める。

〈開発法における価格の算定シート例〉

●開発計画

鉄筋コンクリート造10階建の分譲マンションを建築して、販売することを想定

土地面積：1,000m² 延床面積：5,000m² 専有面積：4,000m² 販売戸数：50戸

●開発スケジュール

月	0	4	8	12	16	20	24
準備期間	←8か月→（0〜8）						
建築期間			←12か月→（8〜20）				
販売期間				←12か月→（12〜24）			

●想定収支

		査定額（千円）	査定根拠等
①	販売収入	2,400,000	600千円/m²×4,000m²
②	費用計	1,490,000	建築費＋付帯費用
内訳	建築費	1,250,000	250千円/m²×5,000m²
	付帯費用	240,000	販売収入の10%

●価格査定

		査定額（千円）	平均的収入支出時期	複利現価率	複利現価（千円）
①	販売収入	2,400,000	20か月目	0.85312	2,050,000
②	費用計	1,490,000			1,328,000
内訳	建築費	1,250,000	14か月目	0.89476	1,120,000
	付帯費用	240,000	18か月目	0.86678	208,000

＊複利現価率は投下資本収益率10%として査定。投下資本収益率とは、投下資本に対する標準的な収益率と定義され、借入金利率、開発利潤率、危険負担率を勘案し設定される

③開発法による価格　722百万円　（①－②）

❸ 建物の評価

建物の価格については、土地同様、鑑定評価基準においては理論上、３手法を適用することになっている。しかしながら、実務においては原価法を適用することがほとんどである。取引事例比較法については、建物のみの売買は皆無に等しく、現実的には取引価格の把握は困難な場合が多い。また、収益還元法については、土地・建物一体の収益価格をもとに建物に帰属する額を配分する方法は、主として割合法と控除法の２つの方法が考えられる。

❹ 構築物の評価

構築物の価格については、不動産鑑定評価基準においては言及されておらず、評価方法についても定義されていないが、実務上後に掲げる動産の評価方法に準じて評価が行われるケースが多い。

CHAPTER Ⅳ

3 不動産鑑定評価書の検証ポイント

不動産の時価の把握にあたっては、前記評価アプローチを利用して算定することは当然可能であるが、不動産鑑定士等専門家によらなければ困難な場合もある。クライアントによっては、不動産鑑定評価書や外部専門家の報告書等をすでに取得し、または取得しようとしているケースもあると思われる。これらによる評価額を時価とすれば、最も妥当で、説得力のあるものと通常は考えられるが、不動産鑑定評価書と言っても多種多様であるため、評価の過程や内容如何によってはその評価額の信頼性が左右される可能性があるので留意すべきである。以下に、不動産鑑定評価書の主な検証項目について列挙する。

項　目	検証ポイント
不動産鑑定評価書の種類	入手した不動産鑑定評価書の名称が「鑑定評価書」となっているか、それ以外の名称（例：調査報告書等）が使用されているか。名称が異なるからといってその評価額が不適切であるというわけではなく、その理由を確認することが必要である。
価格の種類	正常価格が一般的であるが、限定価格、特定価格等の場合、その評価目的が、時価把握という目的に適しているのかどうか。
鑑定評価の条件	鑑定評価を行ううえで想定上の条件（例：土壌汚染の土地であるが、当該汚染が除去されたものとして評価する）が付されていることがあるが、実現性、合法性、鑑定評価書の利用者の利益を害する恐れがないかどうかの観点から当該条件は妥当であるのかどうか。

項　目	検証ポイント
価格時点	鑑定評価書の価格時点と時価を把握すべき算定時点が異なる場合には、鑑定評価額が適用し得る範囲内のものかどうか(当該範囲については明確な基準があるわけではないが、約1年以内のものであればおおむね問題ないものと思われる)。
対象不動産の個別性	対象不動産の個別性（例:形状が不整形、接道状況が角地等）がある場合には、それが適切に評価額に反映されているのかどうか。
最有効使用	地域分析、個別分析に関する記載内容と最有効使用の判定が合理的であるのかどうか（例：周辺は戸建住宅が建ち並んでいる。この場合最有効使用は住宅地であって工場地ではない可能性が高い)。
採用手法	対象不動産の種類に応じた手法を適用しているかどうか、適用していない場合その根拠が明示されているかどうか（例：賃貸店舗ビルの評価にあたって収益還元法を適用していない)。
原価法	再調達原価は対象不動産の実態に応じたものか、経済的耐用年数は対象不動産の実態に応じたものか、減価修正にあたって耐用年数に基づく方法および観察減価法が併用されているかどうか等（例：鉄筋コンクリート造のオフィスビルと鉄骨造の工場では再調達原価は異なる)。
取引事例比較法	適切な取引事例を採用しているか、時点修正が適切に実施されているか、個別性が適切に反映されているか等（例：戸建住宅地の評価にあたって採用すべき取引事例は戸建住宅地の事例であって、工場地の事例ではない)。
収益還元法	現行賃料と市場賃料に大きな開差がある場合、将来の賃料上昇あるいは下落要因が考慮されているかどうか、採用還元利回りは不動産投資家調査や周辺の事例等の還元利回りと著しく乖離してはいないか、収支について想定している場合、合理的な根拠なく設定されていないか（例：周辺のオフィスビルの還元利回りの水準は６％程度であるにもかかわらず4.5%と設定)。

項　目	検証ポイント
試算価格の調整と鑑定評価額の決定	複数の手法を適用した場合、試算価格は適切に調整され、評価額が決定されているかどうか（例：商業地にある賃貸店舗ビルの評価にあたって、原価法と収益還元法を適用したが、原価法による積算価格を採用し、鑑定評価額を決定している。この場合、収益性が重視される物件なので収益還元法を無視することは妥当ではない）。

動産の評価方法

❶動産評価の最近の動向

欧米では財務諸表に時価を表示する場合は動産評価人による評価額を用いることが一般的であり、動産評価専門家の資格制度や評価の基準が整備されておりその歴史は長い*。これに対し我が国においては評価基準が整っていなかったことも相まって、一般的に会計上の償却年数を基に計算した減価償却調整後の帳簿価額を動産の時価として扱ってきた。その結果、会計上の償却年数と動産の耐用年数が乖離する場合、既存資産に対する改造や更新が行われている場合、償却済の動産が製造ラインで稼働し続けている場合等、帳簿価額が必ずしも時価を表していないという論点が少なからず議論されてきた。2019年７月日本公認会計士協会「経営研究調査会研究報告第66号　機械設備の評価実務」の発行により、動産の時価評価の必要性が改めて認識されることとなり、欧米と同様に日本における動産評価のニーズが増えている。

動産にはビジネスの根幹をなす製造設備が含まれ、業界によっては不動産より動産の方が投資金額、帳簿価額ともにウェイトを占めるケースが少なくない。動産の価値はビジネスを取り巻く環境や需給バランス、

＊動産評価においては1963年に創設された米国の鑑定、教育、資格の業界団体であるAmerican Society of Appraisers（米国鑑定協会、以下「ASA」）がグローバルで広く認知されている。同協会は動産以外にも企業価値、無形資産、不動産といった各分野における評価に関連する教育や資格認定を提供している。

法規制等にも関連しており、他の場所へ移設可能という点で不動産とは異なる性質を持つ資産である。このため動産評価には不動産評価とは異なる視点や知識、経験が必要となる。

❷ 動産の評価手続の流れ

動産評価の手続きは一般に以下の流れにより実施される。

基本事項の確定	資料の収集・分析	評価アプローチの適用	報告書作成
・評価対象および範囲 ・基準日 ・評価目的および価値の定義	・固定資産台帳分析 ・製造工程の把握 ・生産量や稼動の分析 ・市場データの調査 ・経理/エンジニアへのインタビュー	・3手法の検討および評価の実施 　コストアプローチ、 　マーケットアプローチ 　インカムアプローチ ・実査・インタビュー	・報告書作成 ・監査レビュー

1…基本事項の確定

評価における第1ステップとして基本事項の確定を行う。動産の種類は多岐にわたるため、評価人は評価作業に入る前に評価対象や目的等の基本事項を確定させる。

a. 評価対象および範囲

動産には、機械設備、構築物、工具器具備品、金型、車両運搬具、船舶、航空機等、様々な資産が含まれるため、評価にあたっては評価対象およびその範囲を明確に定める必要がある。特に会計目的評価の場合は監査人との事前協議により評価対象、範囲、価値の定義についての目線を合わせておくことが重要である。

例えばグローバル展開している工場関連設備が評価対象の場合、依頼人と評価人の間で国内海外を含むどの拠点を対象とするのか、どの資産群を評価対象とするのか事前すり合わせを行う。実務上は工場規模や役割、投資金額、帳簿価額等を勘案し評価対象を決定することが多い。また、動産と不動産の両方が評価対象である場合は構築物等の一部資産が動産と不動産でダブルカウント評価とならないよう事前に専門家同士で評価区分の確認を実施することが望ましい。

b.基準日

評価にあたっては評価基準日を設定する必要がある。動産評価においては評価基準日時点で存在している資産を評価対象とすることが一般的であり、実務上、入手可能な固定資産台帳の基準日に合わせた評価基準日を設定することが多い。

c.評価目的および価値の定義

評価人は評価目的に適した価値の定義を選定し、それらの定義に沿った前提条件を用いて評価手続きを行う。

以下、ASAにより定義されている価値の定義の一部を紹介する。価値の概念が異なると価値は異なり得るという点、また会計上の価値の定義とは少し異なる点に留意することが重要である。

i　公正市場価値（Fair market value）

　対象資産について合理的な情報、知識を有する購入者と売却者との間で、自発的な意思による資産の交換を実施した場合における、特定時点の金銭的価値

ii　継続使用前提とする公正市場価値（Fair market value in continued use）

　対象資産について合理的な情報、知識を有する購入者と売却者との間で、自発的な意思による資産の交換を実施した場合において、現状のビジネスでのオペレーション環境を前提とした特定時点の金銭的価値

iii　現状環境における公正市場価値（Fair market value installed）

　対象資産について合理的な情報、知識を有する購入者と売却者との間で、自発的な意思による資産の交換を実施した場合において、現状のビジネスでのオペレーション環境での使用を考慮せず、市場環境を考慮した特定時点の金銭的価値

iv　移設による異なる使用環境を前提とした公正市場価値（Fair market value removed）

対象資産について合理的な情報、知識を有する購入者と売却者との間で、自発的な意思による資産の交換を実施した場合において、移設により異なる環境での使用を前提とした特定時点の金銭的価値

v　現況における清算価値（Liquidation value in place）

ビジネス、オペレーションの失敗等により売却を強制された売却者が全資産を現状のまま売却する場合に、特定時点の公募取引において典型的に得られるであろう金銭的価値

vi　任意清算価値（Orderly liquidation）

ビジネス、オペレーションの失敗等により売却を強制された売却者が資産の一部又は全部を合理的な期間において売却を実施する場合において、典型的に得られるであろう特定時点の金銭的価値

vii　強制清算価値（Forced liquidation）

ビジネス、オペレーションの失敗等により売却を強制された売却者が資産の一部又は全部をオークション等により直ちに売却を実施する場合において、典型的に得られるであろう特定時点の金銭的価値

viii　残存価値（Salvage value）

使用を終えた資産の一部又は全部の売却を実施する場合において、典型的に得られるであろう特定時点の金銭的価値

ix　スクラップ価値（Scrap value）

使用を終えた資産をスクラップ素材として売却する場合において、典型的に得られるであろう特定時点の金銭的価値

2…資料の収集・分析

動産には様々な種類が含まれ、対象資産の特性により価値に影響するポイントも異なるため、評価対象に応じた資料収集および分析の実施が重要である。

以下に一般的な製造工場の設備が評価対象であった場合の資料依頼リスト例を示す。

【資料依頼リスト】

会計財務関連資料	事業関連資料	機械関連資料
固定資産台帳	生産量実績（3～5年程度）	工場概要
固定資産コード表	今後の生産量計画	配置図
貸借対照表	製品単価の推移および今後の計画	生産工程表
損益計算書	稼働率実績および稼働率計画	機械リスト
減損検討資料	法規制に関する資料	メンテナンス実績・ポリシー
		故障履歴
		設備の更新および改造計画

a.固定資産台帳分析

対象資産を網羅的に把握するために基準日の固定資産台帳を入手する。固定資産台帳は以下の情報を含んだデータ形式で入手することが望ましい。

i　会社コードおよび場所コード
ii　取得価額
iii　取得日
iv　圧縮の有無（該当する場合には圧縮金額）
v　資産明細
vi　減価償却累計額
vii　過去に減損している場合は減損金額
viii　帳簿価額
ix　取得方法（新規または中古）
x　会計上の償却年数および償却方法
xi　税務上の償却年数および償却方法

固定資産台帳分析の際に実務上留意すべき点を以下に示す。

例	留意事項
償却済資産	減価償却済のため帳簿価額がゼロ、または備忘価額の資産の基準日時点の稼働状況や今後の使用予定
中古資産	中古で取得した資産や過去のM&A取引による影響で、固定資産台帳に記載されている取得日や取得金額が新品取得時のものと異なる可能性
圧縮資産	国より補助金等を受け取った圧縮資産の場合、取得金額が圧縮調整後の金額表示の可能性
遊休資産	遊休資産の基準日時点の資産の状況・故障有無や今後の使用予定
廃棄・除却予定資産	廃棄予定資産や除却資産が含まれている場合は、その資産を特定し評価に反映
売却予定資産	売却予定資産は売却時期や売却予定価格等を反映
リース買取資産	台帳に記載されている取得日と取得価額が新品購入時と異なる可能性
減損資産	過去に減損処理を実施した資産の状況や減損検討時の資料確認
簿外資産	評価対象資産に、簿外資産が含まれている場合はその内容
会計基準による台帳差異	日本基準とIFRS基準の台帳で計上資産が異なる場合等、評価目的に沿った固定資産台帳分析を実施

b. 生産工程の把握

評価対象が工場の場合は製造品に係る生産工程のフロー、工場マップ（機械設置図）、製造工程と各々のラインに設置されている機械群、スペック、製造品、関連するユーティリティ設備等を把握する。

c. 生産量や稼働

過去の生産量や今後の生産計画、過去の稼働率や今後の稼働率計画のデータ分析を実施する。

d.市場データの調査

対象資産の中古売買事例、対象事業のマーケット環境、製造品の需給バランス、および物価推移データ分析等を実施する。

e.経理担当者/エンジニアへのインタビュー

固定資産台帳の作成ルールは会社により異なるため、経理担当者へインタビューを実施し正確な情報把握を行う。また、工場概要や生産工程に関する点については必要に応じエンジニアへインタビューを実施する。

3…評価アプローチの採用

動産評価においては他の資産評価と同様にコストアプローチ、マーケットアプローチ、インカムアプローチの３手法を検討の上、評価を実施する。

評価手法	手法内容
コスト・アプローチ	対象資産を再調達した場合にかかるコストから、現地実査やメンテナンスデューデリジェンス等で判明した物理的減価、機能的減価及び経済的減価を控除することにより、動産の価値を算出する手法
マーケット・アプローチ	市場での売買事例に基づいて動産の価値を推定する手法で、実際の取引事例の時期、規模、状態、機能などの項目を評価対象資産に合わせて調整をすることにより動産の価値を算出する手法
インカム・アプローチ	特定の動産によって生み出される将来のキャッシュフローを算出し、動産価値を算出する手法

a.現地実査、インタビュー

対象資産の全般的な確認、主要資産の物理的な状態や稼働の状況、対象資産の機能面や技術面、メンテナンスポリシーや点検状況を確認するために現地実査やインタビューを実施する。

現地実査やインタビュー内容は資産管理、オペレーション、技術/メンテナンス、生産管理、経理関係等多岐にわたるため、事前にヒアリング事項をまとめ担当者を把握することが効率的な作業実施のために必要となる。また、現地実査やインタビューの前には対象資産のスペックやオペレーション、生産工程、設備の主要スペック等、対象資産についての基礎知識を持って臨むことが重要である。

〈現地実査やインタビューの確認事項例〉

- 生産ラインおよび生産工程と機械群、スペック
- 歩留まりや工場オペレーション
- 主要設備の実在性および稼働状況
- 工場ライン毎の生産量実績、稼働率、生産計画
- 遊休資産の有無や廃棄予定資産
- 対象資産の使用状態や物理的な劣化
- 対象資産の改造や更新、オーバーホール履歴とコスト
- 今後の改造や更新の計画による残存耐用年数
- 過去のメンテナンス履歴と故障有無
- メンテナンスポリシーや今後のパーツ取り換えなどの計画および予算
- 所有権の経緯確認（中古資産、リース買取資産）、新品購入時の金額と資産年齢
- 資産の経済的耐用年数見積もり
- 中古売買事例
- 再調達価格情報や直近のメーカー見積もり
- 設置時の設置コスト
- 設備に関する環境要因

4…報告書作成

a.報告書作成

報告書には以下の項目を含むことが一般的である。

i　評価目的

ii　評価対象資産

iii　価値の定義

ⅳ　評価基準日
ⅴ　採用評価手法
ⅵ　評価に使用した前提条件
ⅶ　評価額
ⅷ　制約条件（該当ある場合）
ⅸ　（評価証明）

b.監査対応

会計目的評価の場合、評価人は依頼人への説明に加え会計監査人対応を行うことが多い。

動産評価は固定資産台帳をベースとして実施することが多いため、一般的には計算過程と使用した資料のトレースが可能なエクセルデータを使用してレビュー作業を実施する。以下、レビュー作業で確認する主なポイントを記載する。

ⅰ　評価対象：対象資産は網羅されているか、評価対象の確認
ⅱ　評価目的および価値の定義：目的に沿った価値の定義であるか
ⅲ　採用評価手法：３手法を検討し、資産種類に応じた手法を採用しているか
ⅳ　評価に使用した前提条件：採用手法に応じた各前提条件および根拠の確認
ⅴ　評価に使用した市場データ：使用したデータの出典および内容の確認
ⅵ　モデルの計算確認：エクセルモデルによる計算確認

❸ 動産の評価手法

動産評価は①コストアプローチ、②マーケットアプローチ、③インカムアプローチの３手法を検討の上、評価手続きを行う。

1…コストアプローチ

コストアプローチは「代替の原則」に基づいた手法である。

「代替の原則」とは、対象資産への投資を検討する投資家は基準日時点で同等性能を有する新しい類似資産のコスト（再調達原価）以上の対価は支払わないという概念である。

コストアプローチによる価値評価は以下の算定式を用いて計算する。

価値＝再調達原価－物理的減価－機能的減価－経済的減価

〈コストアプローチの概念図〉

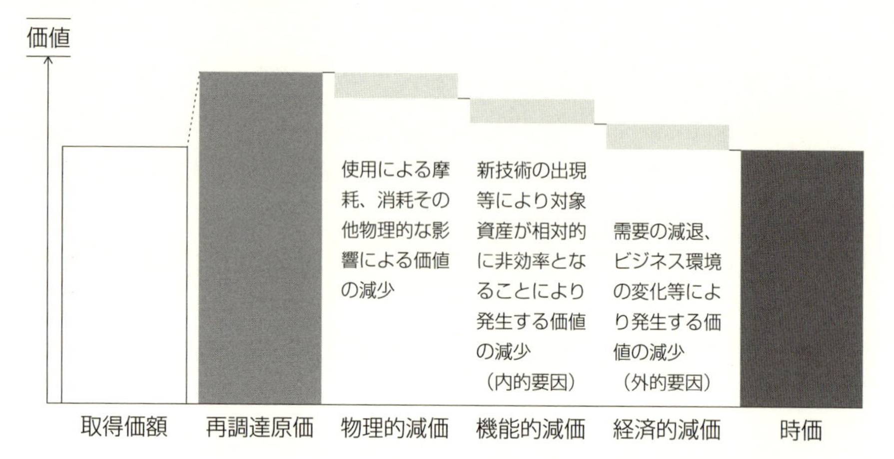

a．再調達原価

再調達原価とは対象資産を評価基準日現在で再調達した場合にかかるコストである。

再調達原価の種類	考え方
(Replacement cost new) 再調達コスト	対象資産と類似した同性能の資産を基準日時点において取得した場合のコスト
(Reproduction cost of new) 再製作コスト	対象資産と同一の資産を基準日時点において生産した場合のコスト

実務上、再調達原価は以下の２パターンにより推計する。

ｉ　直接法

直近の見積書やメーカー情報により基準日時点の対象資産の再調達原価を推計する方法である。比較的小型の量産されている資産やカスタマイズの度合いが少ない資産に関しては直接法に必要な情報を得られる可能性が高い。なお、対象資産とキャパシティが異なる類似資産のコスト情報が入手可能な場合にはCost to Capacity Method（コストトゥキャパシティ法）を用いた直接法の採用が可能である。

〈コストトゥキャパシティ法〉

$$\left(\frac{\text{Cost A}}{\text{Cost B}}\right) = \left(\frac{\text{Capasity A}}{\text{Capasity B}}\right)^{n}$$

Cost A:　対象設備のコスト
Cost B:　類似資産のコスト
Capasity A:　設備Ａの能力や容量
Capasity B:　設備Ｂの能力や容量
n:　スケールファクター
(資産により変動するが､0.5～0.8のケースが多い)

なお、類似資産であっても比較する能力や容量によりスケールファクターは異なる可能性があり、コストトゥキャパシティ法を使用する際にはスケールファクター数値の慎重な検討が求められる。

ii　間接法

新品取得時の取得価額に取得日と基準日に応じた物価インデックスを乗じることにより、基準日時点の再調達原価を簡易的に推計する方法である。

<物価指数例>

資産内容	運搬機械	金属工作・加工機械	精密測定器	情報通信機器
年	物価指数			
2022	1.00	1.00	1.00	1.00
2021	1.01	1.01	1.00	1.02
2020	1.01	1.00	0.97	1.00
2019	1.04	1.01	0.97	1.01
2018	1.07	1.03	1.01	0.99
2017	1.06	1.05	1.06	0.98
2016	1.05	1.04	1.06	0.97
2015	1.06	1.04	1.06	0.96
2014	1.09	1.06	1.06	0.96
2013	1.14	1.09	1.09	0.95
2012	1.15	1.09	1.07	0.91
2011	1.17	1.10	1.05	0.81
2010	1.14	1.11	1.02	0.72

出典：日本銀行発行企業物価指数を基に弊社推計

一般に固定資産台帳に記載されている取得金額は機械を稼働させるために要した設置コストやテスト費用等を含む場合が多い。そのため、間接法採用の際には価値の定義を勘案の上、これらのコストをインデックス計算に含むべきか控除すべきか慎重な検討が必要である。

また、間接法採用の際には、技術革新により対象資産の価格が低下している場合や古い資産が評価対象である場合は計算結果と実際のマーケット水準が乖離する可能性があるため注意が必要である。

b. 減価調整

物理的減価、機能的減価、物理的減価の検討を行い、それぞれの減価額を再調達原価から順に控除し評価額を計算する。

減価	考え方
物理的減価	使用による摩耗、消耗、その他物理的な影響により耐用年数が短縮することによる価値の減少
機能的減価	新技術の出現等により、その技術を体現した最新機能を有する機械設備と比較し、対象資産が相対的に非効率となることにより発生する価値の減少（回復可能）
経済的減価	需要の減退、ビジネス環境の変化、規則・法令の変更、インフレ、高金利など多くの外的要因に基づき発生する価値の減少（回復不可能）

i　物理的減価

使用中の資産には経年劣化や設置環境による摩耗など物理的な劣化が生じる。この劣化の影響を対象資産の暦年齢、見た目年齢等により決定した耐用年数と資産に応じた減価カーブを使用し減価割合として控除する方法と実際の劣化相当分を金額にて減額調整する方法がある。どちらの方法を採用した場合においても改造や更新、オーバーホール等のメンテナンス履歴、や使用状況に基づくコンディションを考慮の上、物理的な減価を決定することとなる。

実務上、減価割合を計算する方法として物理的な劣化は時間の経過とともに均等に発生すると想定するAge/Life法（ストレートライン）や資産の特性に応じた定率カーブ（アイオワ定率法等）により物理的減価を計算するケースが多い。なお、物理的減価のカーブは資産種類に応じて設定する必要があり、極端な例では初年度に大幅な物理的減価が生じる資産種類もあるため、採用カーブは慎重に選定することが重要である。

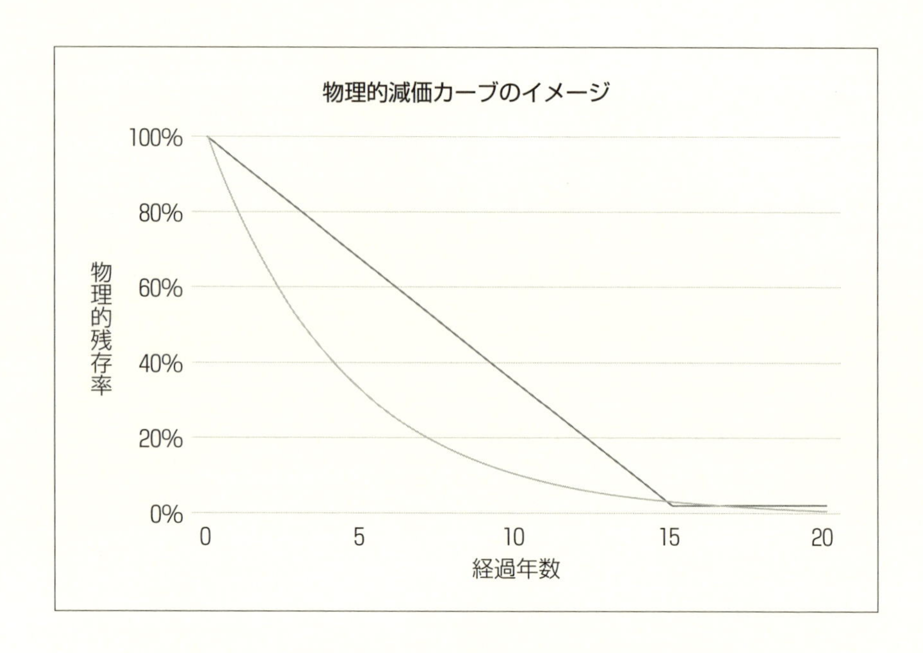

物理的減価カーブ採用の際には対象資産の耐用年数および残存耐用年数を決定する必要がある。これらは現地実査、設備担当者へのインタビュー、ASA発行の耐用年数調査、設備設計における稼働可能時間、メンテナンスコスト分析結果等を参考に対象資産毎に決定することとなる。対象資産は既に稼働中の資産であり使用状況や資産種類により物理的な劣化度合いは異なるため各資産の実際の使用状態に応じた減価調整を検討することが重要である。この物理的な減価を考える際に資産年齢をどうとらえるかが重要なポイントとなる。

以下に耐用年数およびAge/Life法の計算を示す。

＜Normal Useful Lifeの一例＞

Industry	Asset Description	Mid	Low	High
Metal Working and Forming	FORMING MACHINES	20	18	22
	MILLING MACHINES, AUTOMATIC	20	18	22
	PRESSES	20	18	22
	MOLDING MACHINES	12	11	13
Laboratory, Science and Engineering	TEST EQUIPMENT, ELECTRONIC	12	11	13
	MRI EQUIPMENT	5	5	6
Chemical Process	COMPRESSORS, AIR	15	14	16
	PIPING, AIR, GAS, STEAM, WATER	20	18	22

出典：Estimated Normal Useful Life Study
American Society of Appraisers - Machinery & Technical Specialties Committee

〈Age/Life法による物理的減価計算〉

物理的減価率％ ＝ Effective age（実質年齢）/ Physical life（物理的耐用年数）
＝ 実質年齢 /【（実質年齢）+（Remaing Physical life（物理的残存耐用年数）】

Age/Life法に使用するファクターとして①Effective age（実質年齢）と②Physical life（物理的耐用年数）の決定が重要になる。実質年齢とは暦年齢ではなく資産の使用状況に応じた見た目年齢、実際の使用に伴い判断される資産の年齢を指し、物理的耐用年数とは新品取得資産を意図された目的で使用し物理的な要因のみを考慮した場合に使用不能となるまでの見積り期間を指す。物理的耐用年数は固定資産台帳上の償却年数とは必ずしも一致せず、資産の効用が実際にいつまで続くのかを考慮した物理的な耐用年数であるという点に注意すべきである。

ii　機能的減価

機能的減価とは新しい技術や性能の高い製品の出現により対象資産に非効率、能力不足が生じている場合に発生する減価である。機能的減価発生の兆候は超過オペレーティングコストや超過建造コスト（あわせて超過コストという。）、余剰キャパシティ等が挙げられる。

例えば、最新型と旧型の家電製品を比較した場合、旧型の製品は最新型より性能や省エネルギーの点で劣ることから機能的減価が発生していると考える。

なお、原始取得価額より基準日時点の再調達原価の方が低い場合は、既に再調達原価に機能的減価の1つである超過コストが織り込まれていると考えられるため、減価調整のダブルカウントには注意が必要である。

実務における機能的減価の計算例として金額的な調整と割合調整の2パターンがあり、以下に金額的調整の例を示す。

〈超過コストの計算例〉

対象資産の残存耐用年数	5
実効税率	30%
割引率	9.0%

（単位：百万円）

		1年目	2年目	3年目	4年目	5年目
(a) 旧型設備（対象資産）の年間電気使用量（kwh）		8,000,000	8,000,000	8,000,000	8,000,000	8,000,000
(b) 類似最新型設備の年間電気使用量（kwh）		3,600,000	3,600,000	3,600,000	3,600,000	3,600,000
差分(a)－(b)		4,400,000	4,400,000	4,400,000	4,400,000	4,400,000
1kwh当たりの単価（円）(c)		20	20	20	20	20
超過コスト		88	88	88	88	88
税金		(26)	(26)	(26)	(26)	(26)
税引後超過コスト		62	62	62	62	62
割引係数		*0.96*	*0.88*	*0.81*	*0.74*	*0.68*
超過コスト現在価値合計	250	59	54	50	46	42

iii　経済的減価

経済的減価とは対象資産やそれらを使用して生産した製品を取り巻くビジネス環境の変化（需要、原材料の調達、労働力、法規制）や収益力の変化等に起因する価値の減価である。機能的減価が資産の性能や能力等の内的要因から発生するのに対し、経済的減価はマーケット環境等の外的要因により生じる。また、経済的減価の要因は個々の動産レベルと言うよりはビジネス全体（全ての有形固定資産や無形資産を含む）に関連していると考えられるため、経済的減価を決定する際にはビジネス全体を取り巻く環境を考慮に入れる必要がある。

以下に、工場の稼働率を基にした経済的減価計算例と限界利益を基にした経済的減価計算例を示す。なお、経済的減価は様々な外的要因から発生し得るため、計算例として挙げた2パターンに限られない点に留意する必要がある。

a)　稼働率を基にした減価例

〈稼働率を基にした経済的減価計算式〉

$$減価率 = 1 - \left(\frac{現行の稼働時間/生産量}{正常稼働の時間/生産量}\right)^{n}$$

ここで記載している現行の稼働時間や生産量の決定は、直近年度のみで判断せず過年度実績や事業計画分析、工場の生産能力を基に総合的に判断する必要がある。同じく正常稼働を決定する際にも、点検、メンテナンス、金型交換、洗浄などが設備稼働に必要なケースもあり、対象設備の設計や工場設計、ライン毎のプロダクトミックス分析を含めた総合的な判断が必要になる。また、スケールファクターは実務上0.6から0.7前後を採用するケースが多いものの対象資産によりその数値は異なるため、採用するスケールファクター数値についても慎重な検討が求められる。

〈稼働率を基にした経済的減価計算例〉

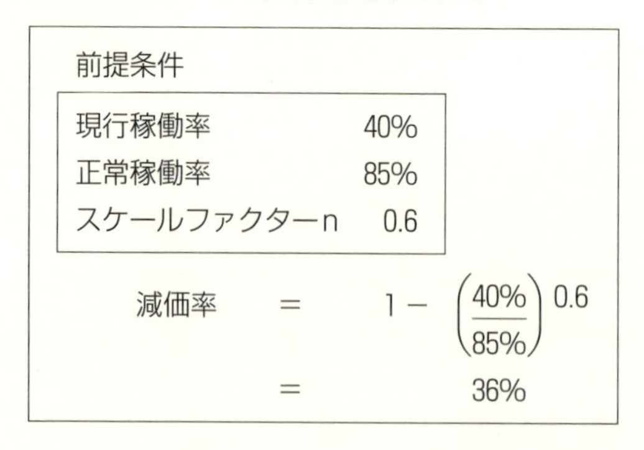
前提条件

現行稼働率	40%
正常稼働率	85%
スケールファクターn	0.6

$$減価率 = 1 - \left(\frac{40\%}{85\%}\right)^{0.6}$$

$$= 36\%$$

なお、稼働をベースとして経済的減価を計算する際には機能的減価と経済的減価のダブルカウントに注意が必要である。例えば、対象設備関連のビジネス環境の悪化により生産量が低下した場合、連動して工場の操業度が低下、結果として工場は余剰設備・余剰スペックを抱えている状態となる。この状態において仮に稼働による減価計算を行う場合は、上記計算式を用いた減価率は機能と経済の複合要因で発生していると整理する必要がある。

b）　限界利益を基にした経済的減価計算

〈限界利益を基にした経済的減価計算例〉

⒜対象設備ラインの実際能力ベースの限界利益	0.6
⒝市場環境を考慮した限界利益	0.8
⒜/⒝	0.75
経済的減価	＝1－0.75
	＝25%

対象設備の実際の生産能力、生産実績に基づく限界利益（変動製造マージン）とマーケット環境から予想される限界利益（変動マージン）の分析により経済的減価を推計する方法である。

例えば、ある製造工場の稼働率や生産量は過去実績、直近数値、将来計画をそれぞれ分析した結果、ほぼ横ばいで著しい低下は見られず、工場稼働も操業可能稼働率100%で稼働しているケースを考えてみよう。この場合、前述のa）の方法を採用した場合には経済的減価は発生していないと結論付けられるであろう。しかしながら、この工場の利益率は過去実績と比較し低下しており将来においても回復が困難な状況、また、市場環境を考慮した限界利益と比較しても利益率が低いような場合、b）限界利益による分析では経済的減価が発生しているという結論となるであろう。

c.事業価値とのクロスチェック

コストアプローチによる価値算定は再調達原価より各減価を控除した残余を価値としているため、各減価が適切に控除しきれていない場合は価値が高めに出る可能性がある。そのため、継続使用前提の評価では資産の経済性を確認するために事業価値によるクロスチェックを行い、コストアプローチの算定結果の妥当性の確認を実施することが望ましい。

ケース①
事業価値＞正味運転資本＋その他資産時価

正の差額
正味運転資本
事業価値
不動産
動産
無形資産

ケース②
事業価値＜正味運転資本＋その他資産時価

負の差額
正味運転資本
事業価値
不動産
動産
無形資産

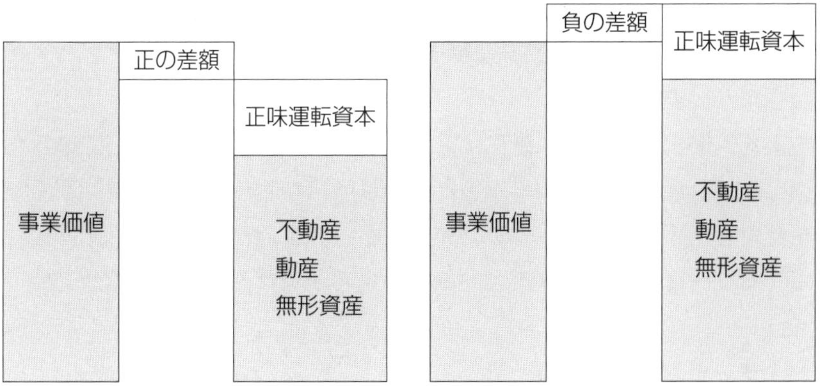

上記①のケースは事業価値よりも正味運転資本金額とその他資産の時価（不動産、動産、無形資産）の合計値が低いため、各資産の時価の経

済性の説明が可能である。対して、②のケースでは正味運転資本金額とその他資産の時価の合計値が事業価値よりも高いため、各資産の時価を再確認し必要に応じて追加減価の検討を行う。これらの検討には、事業価値と動産、不動産、無形資産の評価それぞれとの整合性確認を実施するため、動産評価に加え事業価値（割引率算定含む）、その他資産の評価方法に関する知識および経験が必要となる。

2…マーケットアプローチ

マーケットアプローチとは市場での売買事例に基づいて動産の価値を計算する手法であり、対象資産の活発な中古市場が存在する場合には特に有効な手法である。マーケットアプローチを採用する際は実際の類似取引事例の時期、年齢、規模、状態、機能等を対象資産へ調整することにより価値を計算する。

工場に設置されるような動産は一般にカスタマイズしてラインに組み込まれることが多く、仮に売買されていたとしても第三者が売買事例を入手することは難しい。そのため我が国においては中古売買事例が入手可能な資産は工作機械やOA機器、車両等限られた資産群となることが多い。これに対し航空機や船舶はグローバルベースで中古市場が存在しているため、売買事例のデータベースにより簡易マーケットアプローチの採用が可能である。

また、中古市場の取引価格は需給バランスにより常に変動しているため、十分な取引事例を取得するために基準日を起点とした取引時期に幅を持たせた事例調査を行うことが望ましい。また、事例収集の際には使用するマーケットデータにより価値の定義が異なる点にも留意が必要である。

3…インカムアプローチ

インカムアプローチは特定の動産によって生み出される将来のキャッシュフローを現在価値に割引くことにより動産の価値を算出する手法である。動産が単独でキャッシュフローを生み出しているケースは稀であり、通常は運転資本、不動産、無形資産を含む事業全体として複合的にキャッシュフローを創出している。そのため、インカムアプローチ採用の際は将来キャッシュフローを現在価値に割引いた事業価値より動産以外の資産の価値を控除した残余を動産全体の価値と考える。なお、残余として算出した動産の価値は動産を一体としてみた価値であり、各々の資産に価値をアロケーションする必要がある。

価値＝インカムアプローチによる事業価値－動産以外のキャッシュフロー創出に寄与している各資産の時価

キャッシュフローは事業全体から生み出されているため、評価対象である各々の動産に紐づけることが難しいケースが多い。そのため、実務上インカムアプローチは他の手法を採用した場合のクロスチェック目的で使用されることが多く、単独での採用は稀である。

クロスチェックにはその他資産の評価も関連することから動産評価には無形資産評価や事業価値評価（割引率算定含む）の知識もあわせて必要となる。

❹評価計算例

1…評価の前提

X社は、2022年にある金属加工メーカーY社の株式を取得し、X社はパーチェスプライスアロケーションの手続きのため、動産評価が必要となった。

a. Y社は日本国内に1工場を保有しており、保有資産は今後も継続して稼働予定である。
b. 工場の主要設備は以下の通りである。

主要資産（一部抜粋）　　（単位：円）

資産番号	勘定科目	資産内容	取得年	取得価額
1	機械設備	塗装機1	2018	34,500,000
2	機械設備	塗装機2	2014	32,100,000
3	機械設備	洗浄機1	2018	22,600,000
4	機械設備	洗浄機2	2014	21,000,000
5	機械設備	研削機	2015	21,200,000
6	機械設備	旋盤	2012	9,900,000
7	機械設備	フライス加工機	2012	4,500,000
8	機械設備	ねじ締め機	2018	3,500,000
9	機械設備	試験機	2017	8,500,000
10	機械設備	測定器	2017	12,400,000
11	機械設備	コンベア1	2018	7,700,000
12	機械設備	コンベア2	2014	7,600,000

2…価値の定義および評価手法の検討

現在設置されている工場設備を今後も継続して使用する予定であることから、価値の定義は公正価値（時価）とした。また、コストアプローチ、マーケットアプローチ、インカムアプローチを検討した結果、カスタマイズした設備が多く活発な中古取引事例の取得が困難であったためマーケットアプローチは採用せず、コストアプローチをメイン手法とし、インカムアプローチをクロスチェックに使用することとした。

3…再調達原価の算定

直接法の使用が可能な資産に関しては見積書等から直接法にて再調達原価を計算し、その他の資産に関しては日本銀行発行企業物価指数を用いた間接法にて再調達原価を計算した。

（単位：円）

資産番号	資産内容	採用手法	取得価額	物価指数	メーカー見積	再調達原価
1	塗装機1	直接法	34,500,000		36,000,000	36,000,000
2	塗装機2	直接法	32,100,000		36,000,000	36,000,000
3	洗浄機1	間接法	22,600,000	1.05		23,760,000
4	洗浄機2	間接法	21,000,000	1.05		22,078,000
5	研削機	間接法	21,200,000	1.04		22,085,000
6	旋盤	間接法	9,900,000	1.09		10,771,000
7	フライス加工機	間接法	4,500,000	1.09		4,896,000
8	ねじ締め機	間接法	3,500,000	1.04		3,632,000
9	試験機	直接法	8,500,000		8,900,000	8,900,000
10	測定器	直接法	12,400,000		13,500,000	13,500,000
11	コンベア1	間接法	7,700,000	1.07		8,203,000
12	コンベア2	間接法	7,600,000	1.09		8,259,000

注1）再調達原価＝取得価額×物価指数（メーカー見積のない場合）
注2）取得価額に含まれる取得付随費用等は適切に調整する必要がある

4…物理的減価・機能的減価・経済的減価の計算

i　物理的減価

各資産の物理的減価は毎期均等に生じるとしAge/Life法を採用した。また、物理的耐用年数は対象工場ヒアリング等を参考に資産種類ごとに設定した。なお、工場実査およびインタビュー結果より、対象資産の物理的劣化の度合いは標準的な使用状態と確認されたため暦年齢を用いて物理的減価の計算を行った。

（単位：円）

資産番号	資産内容	再調達原価	物理的耐用年数	経過年数	物理的減価(%)	物理的減価考慮後の価値
1	塗装機1	36,000,000	12	4	33%	24,000,000
2	塗装機2	36,000,000	12	8	67%	12,000,000
3	洗浄機1	23,760,000	15	4	27%	17,424,000
4	洗浄機2	22,078,000	15	8	53%	10,303,000
5	研削機	22,085,000	15	7	47%	11,779,000
6	旋盤	10,771,000	15	10	67%	3,590,000
7	フライス加工機	4,896,000	15	10	67%	1,632,000
8	ねじ締め機	3,632,000	12	4	33%	2,421,000
9	試験機	8,900,000	10	5	50%	4,450,000
10	測定器	13,500,000	7	5	71%	3,857,000
11	コンベア1	8,203,000	12	4	33%	5,469,000
12	コンベア2	8,259,000	12	8	67%	2,753,000

注1）　物理的原価考慮後の価値＝再調達原価×（1－物理的減価）
注2）　物理的減価＝経過年数÷物理的耐用年数

ii　機能的減価

受領資料の分析、工場実査およびインタビューの結果、評価対象資産には技術確認等の内的要因に起因する生産性の低下や非効率は発生していないことが確認された。よって、対象資産には機能的減価は発生していないとした。

iii　経済的減価

受領資料分析およびインタビューの結果、Bラインの生産品については需要低下によって生産量が落ち込んでおり、今後の需要回復が見込めないことが判明した。また、実査の結果、Bラインの資産は他のラインへの転用が難しい設備群であることが確認された。よって、Bラインの資産には経済的減価が発生していると判断し、Bラインの正常稼働時の稼働率と直近の平均稼働率を基に34％の経済的減価調整を行った。

物理的減価、機能的減価、経済的減価控除後の公正価値は以下の通りである。

（単位：円）

資産番号	勘定科目	ライン	物理的減価考慮後の価値	機能的減価(%)	経済的減価(%)	公正価値
1	機械設備	A	24,000,000	0%	0%	24,000,000
2	機械設備	B	12,000,000	0%	34%	7,920,000
3	機械設備	A	17,424,000	0%	0%	17,424,000
4	機械設備	B	10,303,000	0%	34%	6,800,000
5	機械設備	A	11,779,000	0%	0%	11,779,000
6	機械設備	A	3,590,000	0%	0%	3,590,000
7	機械設備	A	1,632,000	0%	0%	1,632,000
8	機械設備	A	2,421,000	0%	0%	2,421,000
9	機械設備	C	4,450,000	0%	0%	4,450,000
10	機械設備	C	3,857,000	0%	0%	3,857,000
11	機械設備	A	5,469,000	0%	0%	5,469,000
12	機械設備	B	2,753,000	0%	34%	1,817,000

注１）　公正価値＝物理的減価考慮後の価値×（１－機能的減価）×（１－経済的減価）

5…クロスチェックの実施

コストアプローチの計算結果に対しインカムアプローチによるクロスチェックを実施した結果、正味運転資本、不動産、動産、無形資産の合計金額は事業価値を下回り、コストアプローチによる評価結果の経済合理性の確認がとれたため、追加の減価調整の必要はないと判断した。

❺ 動産特有の論点

動産評価はその資産の特性から他の資産評価とは異なる特有の論点がある。その代表例を以下に挙げる。

1…評価目的と最有効利用を考慮した価値の定義の設定

動産は不動産と異なり他の場所への移設が可能である。ここで評価上論点となるのは、工場設備のようにラインに組み込まれた資産を評価する場合に、価値の定義を継続使用前提とする公正市場価値（Fair Market Value in continued use）とするのか、移設による異なる使用環境を前提とした公正市場価値（Fair Market Value removed）とするのかにより評価結果が異なる点である。また、外部売却を前提とした場合は、一体売却か個別売却かにより設置コストや撤去コストの評価への織り込み方が異なる。

パーチェスプライスアロケーション目的の動産評価の場合は継続使用を前提の評価を行うことが多く、固定資産の減損テスト目的の場合は継続使用前提ではなく移設を前提とした評価を実施するケースもある。なお、価値の定義を決定する際には、評価目的とともに最有効利用という点も考慮することが必要となる。

2…海外資産

動産は移設可能な資産であるため、評価対象の生産国と設置国が異なる場合や稼働開始後に海外から移設された動産が評価対象となるケースがある。この場合は、対象資産の原産国も考慮の上、再調達原価の計算を実施する必要がある。

3…市場分析およびマーケット環境分析

動産評価は対象資産を使用して製造したアウトプットの収益性、製造品や対象資産を取り巻くマーケット環境、法規制の状況等を評価の前提条件に織り込む。またこれらの検討は必要に応じ国内の状況のみならずグローバル動向を考慮に入れる点が不動産評価とは異なる視点である。

Column 経営研究調査会研究報告第66号、「機械設備の評価実務」

2019年7月12日に日本公認会計士協会から発行された機械設備の評価ガイダンスである。機械設備の評価は日本においては主にパーチェスプライスアロケーション（以下PPA）等の会計目的評価で求められるが、公認会計士等の評価人が参考にすることができるように4大会計事務所含めた第一線で活躍する機械設備の評価専門家を中心として評価実務を取りまとめたものである。

全体で80ページ程の分量であり、機械設備評価の基本概念、作業フローから始まり参照すべきデータベース、具体的な数値例を用いた解説や評価上の個別論点、会計目的評価における留意点、報告書の様式等がコンパクトにまとめられている。

従来から土地や建物などの不動産は会計目的評価において不動産鑑定士による評価を行う実務が浸透していた。一方で機械設備については日本において明確な評価の指針がなかったこともあり、日本の会計基準に基づくPPAでは機械設備の簿価を時価とみなすこともあった。

本ガイダンスの発行により、日本でもPPA含む会計目的評価を中心に機械設備を評価する実務が浸透していくことが期待される。

Column 機械設備評価用のデジタルツール

一部の製造業の会社は世界中に工場を展開し、数十万件にも及ぶ膨大な量の機械設備を保有している。それらの会社がM&Aの対象会社となり、例えばパーチェスプライスアロケーション（以下PPA）のため機械設備の公正価値評価が求められた場合、主に以下の理由から従前のエクセルで計算するのは一定の困難がある。

① 各国における物価Index等の様々な市場データの取得と計算が煩雑である。

② エクセルの計算能力は限定的で、膨大なデータ量を取り扱うのに適していない。

そこで弊社では、機械設備の評価のためのツールを開発した。こちらは独自のユーザーインターフェースを搭載した自社開発アプリケーションであり、機械設備データの取り込み、様々な市場データの自動取得とともに、機械設備公正価値の自動計算、データの集約・評価計算・エクセルへのアウトプットまで一連のプロセスの自動化を実現した。当該ツールのエクセルとの大きな違いは様々なデータを自動的に集約することができることと、データのハンドリングを統一的かつ迅速に扱えることにある。エクセルは確かに汎用性の高い優れたツールであるが、一方で様々な形で計算できることから計算フォームが属人的になりやすく、計算の迅速性・正確性も限界がある。評価業務は従来エクセルで計算し、パワーポイントで発表するというのが一般的だったが、ITの進歩に伴い、例えば自社開発のソフトウェアを用いて計算し、発表もパワーポイントではなくより視覚的なTableauで発表するなど、業務に応じた様々なITツールの活用が進められている。

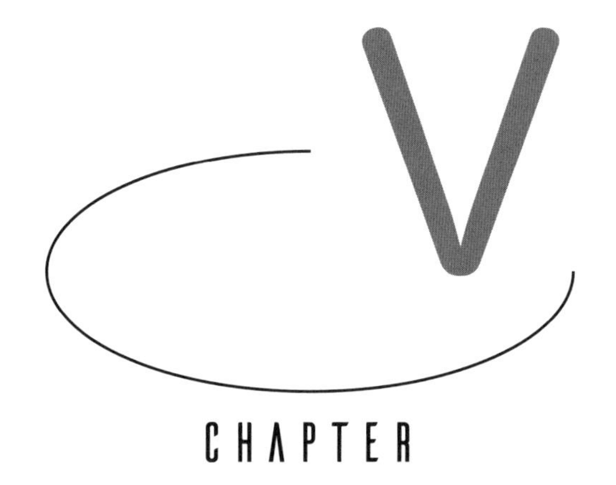

CHAPTER

無形資産評価における論点

1 意思決定のための価値評価と会計上の無形資産評価
2 事業計画の検討
3 無形資産評価における税金の影響
4 キャピタルチャージ
5 IRR、WACC、WARAと各資産の割引率の決定
6 ロイヤルティレート
7 耐用年数
8 棚卸資産の評価方法

CHAPTER V

意思決定のための価値評価と会計上の無形資産評価

ASC805やIFRS第３号といった会計基準に従って実施される無形資産評価は、M&Aにおいて、取引が実行された後に実施される「会計処理目的」の評価であることから、M&A取引の「意思決定目的」のために実施される事業価値評価や株式価値評価とは目的が大きく異なる。

本章では、「会計処理目的」でASC805やIFRS第３号に基づき実施される無形資産評価が、「意思決定目的」の事業価値評価や株式価値評価とどのように異なるのかについて述べてみたい。

❶ 目的から生ずる相違点

ASC805やIFRS第３号で求められるのは会計処理のため、ある特定の価値、すなわちピンポイントの価値を算定することが求められる。一方、意思決定目的のための価値評価は、M&Aの意思決定の過程における交渉材料として用いられたり、あるいは意思決定結果が合理的であることを説明するために用いられることから、レンジで求められることが多い。

なおASC805やIFRS第３号における無形資産の評価においても、複数の評価方法を採用することがあるが、その場合でも、最終的には特定の評価方法に基づく評価結果を選択するなどして必ずピンポイントの価値を算定しなければならない。

❷ 市場参加者の観点

ASC805およびIFRS第３号の評価では、公正価値を算定することが求められている。公正価値とは、少し乱暴な表現をすると「市場参加者との取引における価格」である。このため無形資産の算定では、市場参加者の観点に立つ必要がある。この市場参加者はいわゆる平均的な市場参加者を意味している。M&Aを行う場合は買い手もしくは売り手にとっての投資価値を算定することになるが、この投資価値は買い手もしくは売り手にとっての固有の価値を表象している場合がある。一方で、ASC805およびIFRS第３号の実務では、市場参加者を意識した価値算定プロセスを経ている点に特徴がある。

例えば、無形資産の評価にあたって使用する割引率はWACC（加重平均資本コスト）を基準に検討する。これは類似会社のWACCを用いることによって、割引率を平均的な市場参加者が期待する利回りとさせるためである。

また、無形資産の評価実務で行われるIRR（内部収益率）分析や無形資産の価値算定で用いる事業計画には、買収者に固有のシナジーは考慮せず、市場参加者が想定するシナジーのみを織り込むことが求められる。

なお、ここで言うIRR分析は、事業のフリー・キャッシュ・フローの現在価値が取得価額に等しくなるようなIRRを求め、このIRRとWACCを比較する。これにより、買い手の期待利回り（IRR）が、市場参加者の期待利回り（WACC）とどの程度の乖離があるかを検証することを目的としている。

❸ 無形資産売買取引における評価との関係

無形資産の価値評価は、M&Aにおいて、取引が実行された後に実施される「会計処理目的」の評価である一方、事業価値評価はM&A取引の「意思決定目的」のために実施されることは、冒頭で述べたとおりである。しかし、無形資産評価の考え方自体は「会計処理目的」のみに限定されているわけではなく、利用範囲は広いものと考えられる。現在のところ、単一の無形資産のみを取引するケースは多くはないが、買収金額を引き下げたいといった意図や、無形資産以外の資産やリスクを引き継ぎたくないといった理由から、事業そのものではなく、無形資産のみの取引が行われるケースがある。実際、商標のみの売買取引における評価においては、ASC805やIFRS第３号に基づく評価と同様な手法に基づき行われることがある。また、コンテンツを担保として資金調達を実施する際に、コンテンツという無形資産のみの価値を算定することもある。こうしたケースでは、ASC805やIFRS第３号における手法を適用して評価が実施されている。

CHAPTER V

2 事業計画の検討

無形資産の多くは、超過収益法やロイヤルティ免除法といったインカムアプローチによる評価手法により算定されることが多い。インカムアプローチは将来のキャッシュ・フローをベースに評価を行う手法であるため、無形資産評価の作業においては将来キャッシュ・フロー算定のベースとなる一定年数の事業計画を入手することが不可欠となっている。

この事業計画は、通常の企業価値評価や株式価値評価と同様に、フリー・キャッシュ・フローの算定に必要な情報が含まれている必要がある。一般にフリー・キャッシュ・フローは、利払前税引後利益±運転資本増減額＋減価償却費－設備投資額によって算定されるため、無形資産評価において入手する事業計画も、損益計画だけでなく設備投資計画や予想貸借対照表を含むものであることが望ましい。

入手した事業計画については、過去の財務数値との整合性や計画の前提条件等を検討することが必要となるが、とりわけ、無形資産評価の実務においては、複数の事業計画が存在する場合には、どの事業計画を使うかという点、どのようなシナジーをどの程度見込んだものであるかという点、事業計画全体を無形資産に帰属するキャッシュ・フローに分解できるかという点が検討に際して重要となってくる。そこで、無形資産評価における事業計画の検討について以下で概説する。

❶ 事業計画の検証

事業計画は将来の“予想”にかかるものであるため、無形資産評価で使用する際は慎重に取り扱う必要がある。その前提条件について過去の数値やビジネス環境との整合性等を検証し、その合理性を検討してから使用しなければならない。以下の項目は最低限、検証する必要があると考えられる項目である。整合性に欠けると判断される場合には、対象会社に対する質問やインタビュー等を通じて、その理由等を把握し、合理性を検証する必要がある。

◆過去の決算数値との整合性

- 売上高成長率
- 売上高営業利益率
- 売上高成長率と運転資本増減
- 減価償却費の金額と設備投資額

◆外部環境との整合性

- 対象会社が属する経済の名目GDP成長率と売上高成長率
- 対象会社が属する市場の成長性と売上高成長率

例えば､過去の決算数値と比較して強気な売上計画となっている場合、無形資産の価値評価に使用されるキャッシュ・フローが過大となりその結果、無形資産の価値も過大評価される可能性がある。対象会社が属する業界または市場に関して市場参加者が想定している成長見込みとかけ離れた成長率が設定されている場合も同様に無形資産の価値算定に使用されるキャッシュ・フローが市場参加者の想定から乖離する可能性がある。

また、事業計画の対象期間後の取扱いも重要である。企業価値評価の過程では、計画対象期間経過後の数値は、計画最終年度の数値を一定の永久成長率を用いて永久還元し、継続価値（Terminal Value）として算定されることが多い。事業計画は一般に３年から５年程度の期間を対象として作成されることが多いが、その場合、継続価値の企業価値全体に占める割合が相対的に大きくなる点に留意する必要がある。永久成長率の前提が市場参加者の視点と異なる場合には、IRR（内部収益率）とWACC（加重平均資本コスト）が乖離することになる。この場合には永久成長率の前提について検討する必要がある。

❷ 事業計画の選択

事業計画は、その背景に応じてさまざまなものが存在する。対象会社が中期計画として策定したもの、対象会社の親会社の事業計画作成のために対象会社が作成したもの、売却のために対象会社やその親会社（売り手）あるいはアドバイザーが作成したもの、買収価格算定のために買い手あるいはそのアドバイザーが作成したものなど、さまざまである。また、M&Aの売り手と買い手の交渉の過程で、当初作成された計画が徐々に修正されることもある。無形資産評価はディール終了後に行われる作業であるため、こうしたさまざまな事業計画が存在していることが間々ある。

このような場合、どの事業計画を無形資産評価に使用すべきかが大きな論点となる。なぜなら、無形資産の評価は市場参加者の視点に基づいたものでなくてはならないが、一方で各当事者が作成した事業計画の数値および前提は作成者固有の状況や立場が色濃く反映されたものであることが少なくないためである。対象会社の作成する事業計画は、その会社（または親会社）のIR方針が反映されたものとなり、例えば、業績の下方修正を嫌って過度に保守的になっていたり、目標としての位置付けあるいは株価の下落懸念に配慮した強気な計画となっていたりすることが少なくない。また、対象会社に親会社が存在する場合には親会社との取引を通じたシナジー（親会社の設備やシェアードサービスの利用など）が含まれていたりすることがある。さらに、買い手が作成する事業計画は買い手のみが実現できるシナジーが織り込まれていることがある。
インカムアプローチで無形資産を評価する場合、使用する事業計画が市場参加者の想定する前提から乖離している場合、無形資産の公正価値も市場参加者の想定から乖離する結果となる。そのため複数の事業計画がある場合には、どの事業計画が市場参加者の想定に近いものであるかを検討し、必要に応じて修正を施さなければならない点に留意する必要がある。なお直近の事業計画の方が、評価基準日における対象会社の実態を反映している可能性が高いことから、クロージング日に近い事業計画を特定しておくと、使用する事業計画の検討に際して有用であることが多い。

❸ シナジー

前述したように、無形資産の公正価値は買い手の視点ではなく市場参加者の視点で評価されなければならない。AICPAガイダンスにおいても、無形資産の評価にあたっては、買い手によって見積もられた買い手固有のシナジー（Entity-specific Synergistic Value）は取り除かれなければならないとされている。なお、ここでいう買い手固有のシナジーは、特定の買い手に対してのみ生じる固有の将来事象に係る予測に起因するものであり、市場参加者の想定に影響を与えるものではない。したがって、買い手固有のシナジーは無形資産の評価額に含めず、のれんに含められるべきものとして取り扱う。
買い手固有のシナジー、および無形資産評価における取扱いについての例を以下に示している。

▶前提条件

- ◆A社は同業者であるB社を買収
- ◆買収日（取得日）においてB社には契約に基づく顧客関係の存在が認められる
- ◆A社は超過収益法によりB社顧客関係の評価を行う。キャッシュ・フローの見積りにあたりA社は販売コストの水準を見積もる必要がある
- ◆A社が作成した買収後のB社事業計画における販売コストの水準はA社の水準程度まで低下すると予測している

▶販売コストの過去実績

A社	製品売上高の10%
B社	製品売上高の20%
市場参加者	製品売上高の15%

この場合、A社はB社の顧客関係の評価にあたり、製品売上高の15%を、市場参加者が想定するであろう販売コストの水準として将来キャッシュ・フローの見積りに使用することとなると考えられる。A社がB社の買収によって獲得するコスト削減額のうち、市場参加者の販売コストである15%を下回る部分（5%＝15%−10%）はA社が買収した場合にのみ生じるシナジーであるため、顧客関係の価値評価においては反映しない。言い換えると、事業計画における販売コストの水準には、市場参加者が一般に享受できると想定するシナジー（Market Participant Synergy）のみを考慮することとなる。

❹売上計画

ASC805に基づく無形資産評価においては、各無形資産が生み出すキャッシュ・フローを特定し、それに基づいて事業計画全体を分解する作業が重要となる。したがって、入手する事業計画は積み上げ方式で作成されたものである必要がある。

少なくとも売上計画を作成し、売上高がどのバリュードライバーから

もたらされているかを分析する必要がある。また、可能であれば、キャッシュ・フロー計画あるいは利益計画を作成しコストまで分解することで、最終的にはキャッシュ・フローがどの無形資産から生み出されているかを特定することも、より精緻な計算を行ううえで有用と言えよう。

例えば、「顧客との関係」を算定する場合、次ページの表のとおり、顧客からもたらされる将来キャッシュ・フローを、取得時点の既存顧客からもたらされる部分と、買収後に獲得する（ことが想定されている）新規顧客からもたらされる部分とに分解する必要がある。買い手が取得したのは評価基準日に存在している既存顧客との関係であり、これにかかる価値のみが取得した無形資産として算定されることになる。なお新規顧客との関係は買収後に（すなわち評価基準日以降に）買い手が構築するものであり、取得した無形資産には含まれない（結果として、のれんに含まれることになる）。詳細は「Ⅲ-3 顧客関連無形資産の評価方法」を参照のこと。

（単位：百万円）		20X0年3月期	20X1年3月期	20X2年3月期	20X3年3月期	20X4年3月期
商品売上高	既存顧客	705	670	636	604	574
	新規顧客	0	42	83	122	159
	合計	705	712	719	726	733
サービス売上高	既存顧客	160	155	151	146	142
	新規顧客	0	6	13	19	25
	合計	160	161	164	165	167
総売上高	既存顧客	865	825	787	750	716
	新規顧客	0	49	96	141	184
	合計	865	874	883	891	900

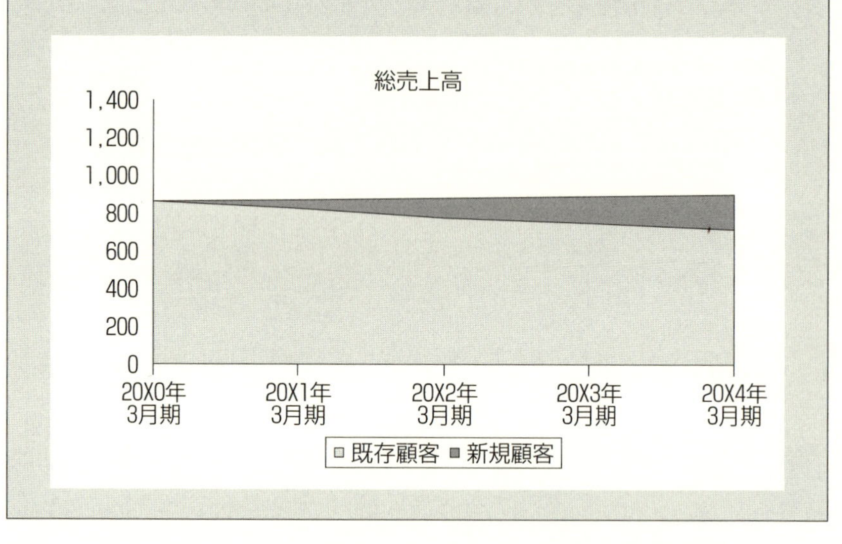

無形資産評価における税金の影響

無形資産の公正価値を評価する過程で論点となるポイントの1つとして、税金に関する影響をどのように考慮するかという点があげられる。本章では、まず無形資産評価における税金に関する影響の考え方について概説したうえで、実務上での計算方法について紹介していくこととする。

❶ 節税効果とキャッシュ・フローへの影響

無形資産評価における税金の影響として、2つの影響が考えられる。

第1には、評価対象である無形資産を税務上償却することで得られる節税効果である。無形資産の減価償却費は税務上の損金となり、無形資産を保有する会社の税金負担を軽減させる効果（節税効果）がある。節税効果の金額は、無形資産の税務上の帳簿価額から算出する償却費をベースとし、実効税率と償却年数を用いて計算される。

第2には、評価対象となる無形資産から得られる税引前の将来キャッシュ・フローに対して税金の支払いによる影響を考慮することである。つまり、無形資産から得られる将来キャッシュ・フローを税引前ではなく税引後で求めるということであり、将来キャッシュ・フローの税金相当額を計算する際の実効税率の決め方が問題となる。

これら2つの税金に関する影響について「Ⅲ-6❹技術に基づく無形資産の評価事例とポイント」で解説した仕掛中の研究開発の計算例を用

いて図示すると、第１の影響である節税効果の加算は下図の①に該当し、第２の影響である将来キャッシュ・フローに対する税金費用の考慮は下図の②に該当することになる。

(単位：百万円)		20X1年3月期 1	20X2年3月期 2	20X3年3月期 3	20X4年3月期 4	20X5年3月期 5	20X6年3月期 6
売上高		0	7,749	13,561	15,663	10,266	4,532
売上原価		0	2,247	3,933	4,386	2,875	1,224
販売管理費		0	3,022	5,289	5,795	3,593	1,586
開発完了までの費用		650	500	0	0	0	0
営業費用合計		650	5,769	9,221	10,181	6,468	2,810
営業利益		(650)	1,980	4,339	5,482	3,798	1,722
(－)税金相当額 ②	40.0%	(260)	792	1,736	2,193	1,519	689
税引後営業利益		(390)	1,188	2,604	3,289	2,279	1,033
キャピタルチャージ	対売上高比						
運転資本	0.2%	0	15	27	31	21	9
固定資産	0.3%	0	23	41	47	31	14
人的資産	1.0%	0	77	136	157	103	45
キャピタルチャージ計		0	116	203	235	154	68
キャピタルチャージ調整後利益		(390)	1,072	2,400	3,054	2,125	965
割引期間		0.500	1.500	2.500	3.500	4.500	5.500
現価率		0.9407	0.8325	0.7367	0.6520	0.5770	0.5106
割引率	13.0%						
現在価値		(367)	892	1,768	1,991	1,226	493
現在価値の合計		6,003					
(＋) 償却による節税効果 (現在価値) ①		2,562					
仕掛中の研究開発(製品A)の算定価額		8,565					

※「Ⅲ-6❹3… 仕掛中の研究開発」より引用

❷ 評価アプローチの違いによる税金の影響

①で解説した税金に関する影響を評価上考慮するか否かは、まず第1に無形資産評価に用いる評価アプローチによって異なるものである。インカムアプローチを用いて無形資産を評価する場合には、税金による影響を考慮に入れて評価額を算定することが一般的であるが、マーケットアプローチでは、一般的に税金に関する影響は考慮しない。これは、市場価格には市場での取引が繰り返される過程ですでに税金による影響が含まれていると考えられるためである。また、コストアプローチにおいても一般的に税金による影響を考慮しない。

❸ 償却に伴う節税効果

インカムアプローチを用いて無形資産評価を行う場合においては、無形資産を税務上償却することで得られる節税効果を評価額に加算することが一般的である。しかし、企業結合を事業譲渡と株式取得とに分けて考えた場合に、一般的に、事業譲渡においては個々の資産の売買取引として扱われるため、企業結合に伴い会計上も税務上も無形資産を認識・償却することになるが、株式取得においては、企業結合に伴い会計上は無形資産を認識・償却するものの、税務上は（取得会社側も被取得会社側も）無形資産を認識・償却しないこととなる。したがって、株式取得による買収案件において、実際には税務上認識も償却もしない無形資産の税務上の償却による節税効果を評価する必要があるのかという議論が出てくることになる。

これについてAICPAガイダンスでは、無形資産の償却によって得られる節税効果は無形資産の公正価値評価においては常に考慮すべきであるとしている。これは、ASC805では一般的に想定される買い手である「市場参加者」が取得する無形資産の価値（公正価値）を算定することが求められているためである。無形資産の評価では、その概念として、スキームに左右されずに無形資産を単独で取得したと考える。そして買い手は将来にわたって無形資産の償却による節税効果を享受すると考えられるのであれば、無形資産の公正価値評価に償却に伴う節税効果を考慮する。このような考え方に立つことで、節税効果の取扱いについて、評価担当者や買収案件による相違が生じないようにしている。実務上も、AICPAガイダンス、ASC805やASC740の考え方に基づき、無形資産の評価では評価対象となっている買収案件特有の税務上の取扱いを反映させないようにしている。あくまで一般的に買い手となり得る市場参加者を想定し、無形資産の償却に伴う節税効果を評価額に加算することで無形資産の公正価値評価を行っている。

❹将来キャッシュ・フローにおける税金

無形資産評価における税金に関する影響の２つ目として、評価上税金の支払いによる影響を加味することについては、上述のとおりであるが、企業結合後も利用可能な繰越欠損金が取得会社・被取得会社のどちらか（または両方）に存在する場合や将来計画において税務上の欠損が発生すると見込まれる場合においては、実際には税金費用が軽減される可能性がある。このような買収案件における無形資産の評価に際しては、実際には将来支払う予定のない税金の支払による影響を考慮する必要があるのか、という議論が出てくることになる。

これについて、AICPAガイダンスでは、個々の買収案件の税務ストラクチャーの影響を受けずに、一般的に想定される買い手である「市場参加者」が将来支払うと想定される税金を、無形資産の公正価値評価では考慮すべきであるとしている。つまり、税務上の欠損金の存在は、案件特有の税務上の事象と整理して、無形資産の評価においては、その案件特有の税務上の事象がなければ、買い手は将来にわたって税金を支払うだろうと想定されるのであれば、無形資産の公正価値評価においても税金の支払いによる影響を考慮するという考え方を採用している。この考え方に立つことで、税金費用の取扱いについて、最終的には無形資産の公正価値の評価額について、評価担当者や買収案件による相違が生じないようにしているのである。

❺ 無形資産評価における税金の影響の計算

以下では、これまで説明してきた無形資産評価における税金に関する２つの影響、すなわち償却に伴う節税効果と将来キャッシュ・フローにおける税金費用についての考え方を踏まえたうえで、実務における税金の影響の計算方法について解説する。

1…実効税率の決定方法

無形資産評価において税金による影響を計算する場合の実効税率は、どのように決定すればよいのだろうか。

まず着目しなくてはならないのが、先程から登場している「市場参加者」という視点である。無形資産評価における実効税率の決定においては、被取得会社が適用する固有の実効税率ではなく、一般的な買い手である「市場参加者」が使用すると想定される税率を適用することが重要である。具体的には、市場参加者の実効税率等の業界データを十分に考慮し、法定実効税率や被取得会社が使用している実効税率との比較検討を行ったうえで、実効税率を決定する。

また、実効税率には、被取得会社または取得会社、もしくは両方に特有の税務上の状況を考慮に入らないように留意する必要がある。具体的には、交際費等の永久差異項目が与える効果、繰越欠損金の効果、追徴課税などに伴う税金の支払等は、実効税率の決定においては考慮してはならないのである。

2…節税効果の計算例

無形資産の公正価値の最終的な評価額は、各アプローチにより算定した無形資産に、その無形資産の税務上の償却による節税効果の現在価値を加えて算定する。では、この節税効果は実務上、どのように計算するのであろうか。

節税効果の計算にあたっては、実効税率と無形資産の償却年数という２つの要素を決める必要がある。実効税率は、上記１の方法で決めるが、無形資産の償却年数は、「市場参加者」が、評価対象となる無形資産を取得する場合、どの地域（国）の税務基準に沿って償却するか、との考え方に基づき決める。すなわち実務においては、無形資産の償却が日本国内で行われると想定されれば、日本の税務上の償却年数に基づき無形資産の償却が行われるとの前提を基に、償却による節税効果の現在価値を算定する。また、無形資産の償却が米国内で行われると想定されれば、米国税法（内国歳入法）第197項に基づき無形資産は15年で償却が行われるとの前提を基に、償却期間を15年間と考え、その期間に得られる節税効果の現在価値を算定する。

無形資産償却に伴う節税効果の計算例を以下に示す。

計算例

▶前提条件

節税効果考慮前の無形資産評価額	1,000
無形資産の償却年数	15年
実効税率	40%
割引率	10%
割引期間	期央主義

▶計算例

年度	償却率［A］	実効税率［B］	割引期間［C］	現価係数［D］	節税効果の現価係数［E］
1	6.70%	40%	0.5	0.9535	0.0254
2	6.70%	40%	1.5	0.8668	0.0231
3	6.70%	40%	2.5	0.7880	0.0210
4	6.70%	40%	3.5	0.7164	0.0191
5	6.70%	40%	4.5	0.6512	0.0174
6	6.70%	40%	5.5	0.5920	0.0158
7	6.70%	40%	6.5	0.5382	0.0144
8	6.70%	40%	7.5	0.4893	0.0130
9	6.70%	40%	8.5	0.4448	0.0119
10	6.70%	40%	9.5	0.4044	0.0108
11	6.70%	40%	10.5	0.3676	0.0098
12	6.70%	40%	11.5	0.3342	0.0089
13	6.70%	40%	12.5	0.3038	0.0081
14	6.70%	40%	13.5	0.2762	0.0074
15	6.70%	40%	14.5	0.2511	0.0067
	100%	節税効果の現価係数の合計［G］			0.2128
		節税効果考慮後の評価額［H］			1,270
		節税効果考慮前の評価額［I］			1,000
		節税効果の現在価値合計［J］			270

▶計算結果

上記の前提条件および計算例における節税効果の現在価値合計は、270となる。

▶計算根拠

［A］＝1/無形資産の償却年数

［D］＝1/（1＋割引率）^［C］

［E］＝［A］×［B］×［D］

［H］＝［I］/（1－［G］）

［J］＝［H］－［I］

CHAPTER V

4 キャピタルチャージ

事業のコアとなる無形資産は単独ではキャッシュ・フローを創出しているわけではない。評価対象の無形資産を使用して事業活動をしたことにより企業が生み出した利益は、当該無形資産の他に、事業に属する運転資本、有形固定資産、評価対象以外の無形資産等、他の資産が寄与した結果、生み出された利益の総和と言える。

無形資産評価におけるキャピタルチャージとは、評価対象の無形資産がキャッシュ・フローを生み出すために、他の資産の経済的な貢献を享受するために対価として支払う賃借料ということができる。

1…超過収益法におけるキャピタルチャージ

超過収益法で無形資産を評価する場合、評価対象の無形資産が寄与した利益は、企業が生み出した利益から運転資本、有形固定資産等、各々の資産に要求される期待利益を引いた残余利益として計算され、その残余利益を現在価値に割り引くことによって無形資産の価値が算出される。このような評価対象無形資産以外の貢献資産に係る期待利益がキャピタルチャージである。

次ページ図は顧客との関係の無形資産の源泉となる顧客との関係の経済的利益を算定しているイメージ図である。超過収益法の出発点となる事業全体の利益から、顧客との関係以外の無形資産である技術や商標に関するロイヤルティ額、運転資本、有形固定資産、人的資産に対する期待収益をキャピタルチャージとして控除することによって、顧客との関係の経済的利益を残余分として算定しているものである。

2…キャピタルチャージの算式

キャピタルチャージは、次の式により算出される。

キャピタルチャージ	運転資本の時価 × 運転資本に対する期待収益率
	＋
	有形資産の時価 × 有形資産に対する期待収益率
	＋
	評価対象以外の無形資産の時価×評価対象以外の無形資産に対する期待収益率

キャピタルチャージの基礎となる各資産の残高は、時価ベースが原則であるが、時価と帳簿価額の乖離が少ないと想定されるケースでは、実務上簡便的に帳簿価額を時価として代用している。PPAにおいては時価評価をした資産について時価を採用し、それ以外は帳簿価額を基礎とすることとなる。

3…ロイヤルティ免除法におけるキャピタルチャージ

キャピタルチャージは各資産の賃借料であるという性質から、ロイヤルティ免除法を用いて評価された商標、技術にかかるキャピタルチャージは上記のように期待収益率で計算する代わりに、ロイヤルティレートから算出したロイヤルティ額を利益から直接控除することも一般的である。ただしその場合には、商標に対する広告宣伝費や、技術に対する研究開発費など、各無形資産を保有していることに伴う費用を調整すべきである点に留意が必要である。

4…期待収益率

前記算式の各資産に適用される期待収益率については、リスクの高い順番から言うと無形資産が最も高く、無形資産、有形固定資産、運転資本の順番となるのが一般的と考えられる。実務上では、運転資本に対する期待収益率は短期プライム・レート、有形固定資産に対する期待収益率は長期プライム・レートを参考にして設定することがあるが、いずれにせよ負債資本100％での調達は考えにくい点は留意が必要である。

運転資本、有形固定資産および無形資産に用いられる期待収益率は、各資産に適用する期待収益率を加重平均したWARA（加重平均資産収益率）がWACCやIRRと比較し、合理的に説明可能なレベルで設定される。

キャピタルチャージは、各資産の残高に対して期待収益率を乗じて求める。具体的には、予測期間の各資産残高に設定した期待収益率を乗じ、キャピタルチャージを求め、そのキャピタルチャージは売上高比として表示される。

なお、キャピタルチャージを税引前営業利益から控除する場合は、各資産の期待収益率も税引前の期待収益率として使う必要があり、整合性を取らなければならない。

無形資産の評価において、複数の無形資産をそれぞれ超過収益法で算定する場合、クロスキャピタルチャージの問題が発生する。例えば、顧客関連無形資産と技術に基づく無形資産を識別した場合に、顧客関連無形資産のキャピタルチャージを技術に基づく資産にチャージするのか、あるいは、技術に基づく資産のキャピタルチャージを顧客関連無形資産にチャージするのかという問題である。相互にキャピタルチャージを計算することは、技術的には反復計算を行うことにより、解を定めなければならないことに注意する必要がある。

このようなケースでは、どちらの資産がより他方の資産の価値を生み出すのに寄与しているのかを考慮して決定することになる。例えば、顧客に対する価値は技術がなければ創出できないと考えられる場合には、技術に基づく資産の算定においては、顧客関連無形資産のキャピタルチャージを考慮しない。逆に、顧客関連無形資産のキャピタルチャージの算定においては、技術に基づく資産のキャピタルチャージを考慮することになる。

IRR、WACC、WARAと各資産の割引率の決定

無形資産の多くは超過収益法やロイヤルティ免除法といったインカムアプローチによって算定されるが、その各無形資産の割引率はどのように決定されるべきであろうか。一言でいえば、買収案件での内部収益率(IRR)および対象会社の加重平均資本コスト(WACC)をベンチマークとし、各資産の加重平均資産収益率(WARA)を決定することによって、割引率も決定される。本節では、各無形資産の算定に適用される割引率の決定方法について述べる。

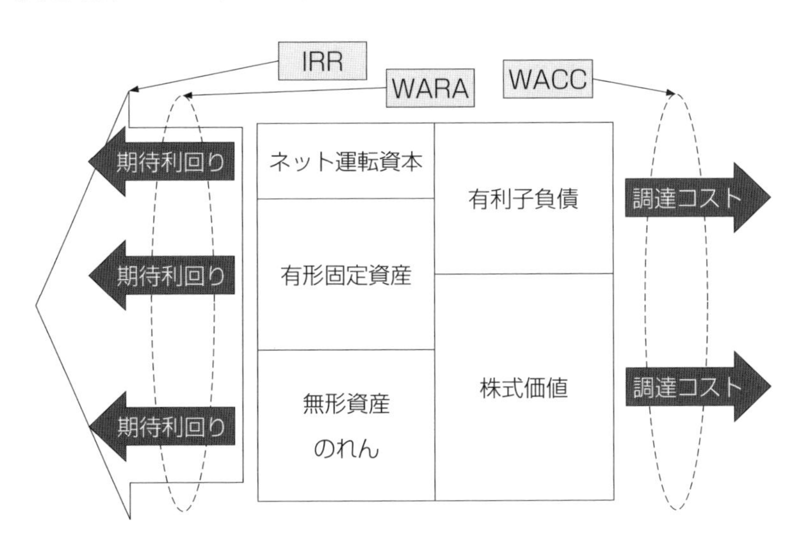

❶ IRR（Internal Rate of Return）

IRRは、内部収益率と訳される。一般的に正味現在価値（Net Present Value; NPV）がゼロとなるような割引率とされる。無形資産評価作業においては、事業計画上のフリー・キャッシュ・フローと買い手による買収価格との関係を示す数値として算定される。換言すればIRRは、投資家である買い手が、当該買収に際して投資対象（買収対象会社）に対して要求した期待利回りである。

買い手がある会社を買収する際に、事業計画上のフリー・キャッシュ・フローをWACCで割り引いた価格で買収した場合、IRR＝WACCとなるが、他方で、買い手が実現できるシナジーや市場期待を上回る事業計画の上方修正を見込み、プレミアムを織り込んだ価格で買収した場合、IRR＜WACCとなる。

以下の表のとおり、毎年10百万円のフリー・キャッシュ・フローを永久に生む事業計画を作成した会社があったとしよう。ここでWACCを10％とすれば、企業価値は100百万円（＝10／10％）となる。この会社を100百万円で買収した場合、当然IRRは10％となるが、シナジーを見込んで120百万円で買収した場合、IRRは約8.3％となり、逆に事業計画の未達成リスクを織り込み、80百万円で買収した場合IRRは12.5％となる。

（単位：百万円）	20X1年 3月期	20X2年 3月期	20X3年 3月期	継続価値
フリー・キャッシュ・フロー	10	10	10	10
WACC	10%			
NPV	100			

このように、IRRは買収案件において買い手が要求した期待利回りであるため、WACCとの比較により買い手の意図が明確になる。また同様

にIRRは、後述するように各無形資産の算定において適用される割引率の決定に重要な意味を持つものでもある。

❷ WACC（Weighted Average Cost of Capital）

WACCは、加重平均資本コストと訳される。有利子負債コストと株主資本コストの加重平均値であり、企業の資金調達コストである。また同時に、一般投資家（市場参加者）が当該企業に対して要求する期待リターンでもある。IRRが、買い手が要求した期待利回りであるのに対して、WACCは一般投資家（市場参加者）が要求する期待利回りであり、ASC805/350の要求する市場参加者の前提に合致すると言える。ただし、WACCが類似会社等に関する市場データのみを用いて算定されている場合には、上述のIRRと異なり、対象会社固有のリスクや事業計画の未達成リスクは織り込まれていない点に留意が必要である。

本書は無形資産評価について述べることを目的としたものであり、WACCの詳細な説明は他の書籍に譲ることとするが、WACCは一般に以下の算式により算定される。

$$WACC = Re \times \frac{E}{(E+D)} + Rd\ (1-Tc) \times \frac{D}{(E+D)}$$

Re：株主資本コスト
Rd：有利子負債コスト
E：株主価値
D：有利子負債（時価）
Tc：実効税率

ここでいう株主資本コスト（Re）は、株主が当該企業に対して要求する期待利回りであり、一般的にCAPM理論（Capital Asset Pricing Model）に基づき以下の算式により算定される。

$Re = Rf + \beta \times (Rm - Rf)$

Rf：リスクフリー投資のレート（リスクフリーレート）

＊債務不履行の可能性がない長期国債の利回りが通常用いられる。

β：ベータ値

＊市場全体の株価変動に対する個別銘柄の株価変動の大きさを示す指標である。評価対象会社が上場企業の場合でも、当該企業のベータ値のみを使用することはせず、複数の類似企業を選定したうえで、これらの会社のベータ値を利用する必要がある。

Rm：株式市場全体の期待利回り

＊株式市場から期待される長期間の株価利回りを表す。株価利回りは、インカムゲインとキャピタルゲインの合計を投資額で割った年投資利回りである。

Rm－Rf：リスクプレミアム

＊株式市場へ投資することによってリスクフリーレートに比べどれだけ高い投資利回りを期待するかを示すものであり、通常、株式市場全体のインデックスで表わされる。

❸ WARA（Weighted Average Return on Assets）

WARAは、加重平均資産収益率と訳される。無形資産の多くが超過収益法やロイヤルティ免除法といったインカムアプローチによる手法によって算定されるが、その際に、WARAは重要な意味を持つ。無形資産をインカムアプローチで算定する際の割引率は、無形資産ごとに独自に決定されるが、最終的には、その無形資産と有形資産等も含めたすべての対象企業の資産の期待収益率の加重平均値（WARA）が、買い手や投資家の期待利回りであるIRRやWACCと近似するように、各無形資産の割引率を調整するためである。また、各資産の期待利回りは投資家が要求する利回りと整合するように決定されるが、WARAでは、その期待利回りが各資産の割引率と想定している。そして、この割引率がインカムアプローチで算定する無形資産の価値を左右するため、IRRやWACCの高低はWARAを通して無形資産の価値に大きな影響を与えることとなる。

なお、期待収益率は、それぞれの資産の持つリスクに応じて決められる。各資産が生むと想定されるキャッシュ・フローについて、有形資産よりも無形資産の方がリスクが高く、かつ想定される耐用年数の長いものほどリスクが高いと考えられる。つまり資産の形態および耐用年数の長さ等によってリスクが異なるため、それに応じたリターン、つまり期待収益率を決定する必要がある。下記のグラフの例でも、運転資本（ネット）や固定資産は相対的に低いが、無形資産の割引率は相対的に高いことがわかる。割引率が高いということは、期待収益率が高いということを表す。

また、下記の例で顧客→技術→ブランドの順に期待収益率が高くなっているが、これは主には想定される耐用年数の違いによるものである。米国会計基準および国際財務報告基準では、のれんは耐用年数を確定できず、内容が不明確な資産であるため、最も高い割引率とすることが一般的である。

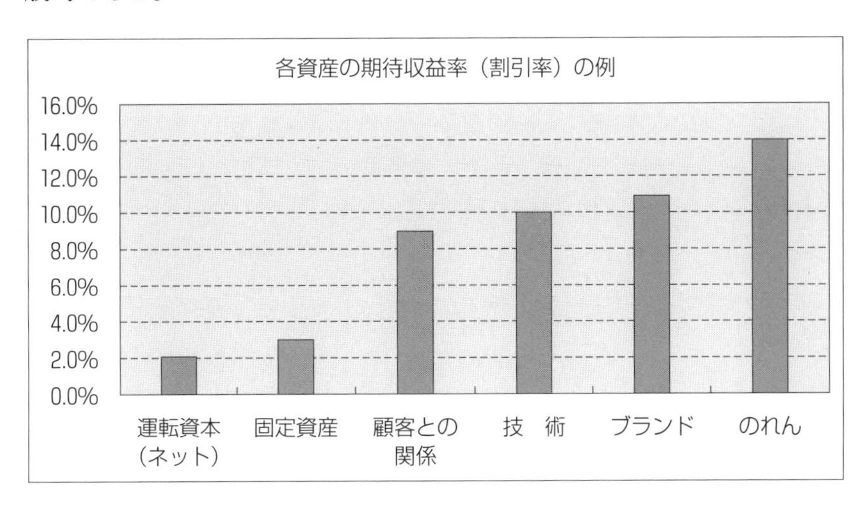

CHAPTER V

6 ロイヤルティレート

ロイヤルティ免除法は、特許権に関わる技術や商標など代表的な無形資産の評価に用いられる方法である。主に売上高にロイヤルティレートを掛け合わせることにより無形資産に紐づく利益を算出することができる、比較的容易な方法と言える。

しかしながら、ロイヤルティそのものが無形資産の価値評価に、非常に大きな影響を及ぼすことから、適用するロイヤルティレートは慎重に決定されなければならない。

また、ロイヤルティ免除法は、対象会社が保有する特許権に関わる技術など、「仮に」ライセンスを行った場合に得られるであろう収益（保有していなかった場合に支払わなければならない費用）として計算するため、あくまでも仮定に基づく計算であること、そして、ロイヤルティレートそのものは、製品の利益率や業界などにより、さまざまであることから、選定において慎重な判断が求められることになる。

❶ ロイヤルティレートとは

無形資産評価で用いられるロイヤルティレートとは、ライセンサーとライセンシーとの双方でライセンス取引が行われ、その結果として、ライセンス契約を締結するに至った適正なロイヤルティ料率のことである。

このロイヤルティレートは、当該無形資産の投資価値に対する適正な投資収益率に等しくならなければならない。適正な収益率を下回るロイヤルティレートでライセンスすることは、重要な資産を過小評価してしまうことになる。逆に、適正な収益率を上回るロイヤルティレートでライセンスすることは、ライセンスに対する需要を減らしてしまうことになる。

ロイヤルティの源泉である無形資産は、単独では経済的利益を生み出すことはできない。むしろ、運転資本、有形資産、人的資産、あるいは他の無形資産と一体となって利益を生み出すことになる。こうした中で、無形資産に属する利益は全体の利益の一部であり、全体の利益がロイヤルティを算出する際の基礎となることを理解しなければならない。後ほどロイヤルティレートの検証でも述べるが、ロイヤルティ支払前の利益率が高い場合はロイヤルティを支払う余力があることを示しており、低い場合はロイヤルティを支払う余地が乏しいことを示していることになる。

❷ロイヤルティレートの種類

ライセンス取引においては、多様なロイヤルティが存在する。売上高をベースとしたランニングロイヤルティ、一括払い（ランプサム）、イニシャルペイメント付ランニングロイヤルティ、マイルストンペイメント等がある。評価実務ではイニシャルペイメントなしのランニングロイヤルティの料率を採用することが行われている。

1…ランニングロイヤルティ

ロイヤルティレート（売上高の何％か）と一定期間が規定される実施料である。

2…一括払い（ランプサム）

契約全期分の全額を契約締結時に決めて、一括払いする実施料である。

3…イニシャルペイメント

実施料の一部を契約締結時に支払うものであり、研究開発費の一部負担や、将来支払われる経常的な実施料の一部前払いの性質を有する。

4…マイルストンペイメント

製品の開発段階に応じて支払うように定められた実施料であり、医薬品に多く見られる。

＊　　　＊

❸ロイヤルティレートの選定方法

ロイヤルティ免除法を用いた評価においては、ロイヤルティレートの決定も重要な要素となる。ロイヤルティレートは、主に下記の要素を検討して決定されるが、その際には、検討結果に結びつく資料・文書の入手も大切な作業である。

① 評価対象となっている技術関連分野、あるいはマーケティング関連分野のロイヤルティレートに関する専門的調査・統計資料
② 評価対象となっている技術関連分野あるいはマーケティング関連分野のロイヤルティレートに関する評価対象会社や買い手による分析資料
③ 評価対象会社や買い手が過去に類似技術あるいは類似商標のライセンス供与を行った際に採用したロイヤルティレート
④ 計画上の営業利益率
⑤ 評価対象会社へのインタビュー

❹ロイヤルティレートの入手方法

過去のロイヤルティレート事例から料率を入手することができる。主に海外の事例であるが、業種を越えて、類似取引等を確認することができる。情報ベンダーから取得したデータは業界全体のロイヤルティのベンチマークを確認することができるが、古いデータである場合もあるた

め、使用することができるかどうか十分に検討する必要がある。こうした市場からの公開情報に基づくと同時に、算定対象となる会社のロイヤルティレートが実際の取引で行われていれば、非常に確度の高いロイヤルティレートということができる。

❺ 複合ロイヤルティレート

ライセンス契約では、商標単独のロイヤルティレートでライセンス契約が締結されている場合が多いが、製造会社の場合には商標の使用料と技術供与料や経営指導料がすべて包括的に含まれてロイヤルティ契約を締結しているケースも見受けられる。このような場合では、ロイヤルティレートを商標権使用料と技術供与料に合理的に配分することが必要になる。

❻ ロイヤルティレートの検証

ロイヤルティ免除法によって算定された商標の価値を、利益分割法によって検証することができる。前述したロイヤルティ免除法と利益分割法の計算例からもわかるように、ロイヤルティ免除法でのロイヤルティレートと利益分割法での分割後の営業利益率（あるいはEBITDA売上高比）のレベルの整合性を注意深く検討する必要がある。例えば、全社の営業利益率を分割して得た値がロイヤルティレートとほぼ同水準であれば、ロジックのエラーを回避することができる。しかしながら、分割後の営業利益率より、市場から入手したロイヤルティレートが高い場合にはその事業を継続することはできないことになるので、再度類似取引のロイヤルティレートの抽出や業界でのロイヤルティレートの水準の見直しを検討することになる。

CHAPTER V

7 耐用年数

企業結合に伴い認識された無形資産は国際財務報告基準および米国会計基準においては償却性無形資産と非償却性無形資産に分類され、日本基準においては原則として償却性無形資産となる。償却性無形資産はそれぞれについて買収日時点における会計上の耐用年数を決定のうえ毎期償却し、非償却性無形資産は毎期減損テストの対象となる。以下で、無形資産の耐用年数の論点について、米国会計基準を例にあげて述べる。

米国会計基準のASC350によると、その耐用年数が確定できないと決定されない限り、認識した無形資産は、耐用年数にわたり償却されなければならないとされている。また、無形資産が有限の耐用年数を有するが当該年数が正確にはわからない場合には、対象となる無形資産は、その耐用年数の最善の見積期間にわたって償却されなければならないとされている。償却の方法は、無形資産の経済的便益を消費する傾向を反映したものでなければならず、その傾向を決定できない場合には、定額償却法を使用しなければならないとされている。

無形資産の耐用年数とは、無形資産が対象企業の将来キャッシュ・フローに直接もしくは間接的に貢献することが期待される期間である。この期間は、無形資産の評価時にインカムアプローチで用いられるキャッシュ・フロー期間を基礎として分析される。

無形資産の評価には、一般的にインカムアプローチが用いられることが多い。インカムアプローチの代表的な評価手法の例としては、超過収益法、ロイヤルティ免除法、利益差分法があげられる。それらの評価手法は、ソフトウェアや人的資産（のれんの一部）のようにコストアプローチで評価される資産を除く、ほとんどの無形資産（顧客との関係、特許権取得済の技術、仕掛中の研究開発、商標、ライセンス等）の評価に用いられる。したがって、一般的に無形資産の耐用年数は、評価に用いたインカムアプローチの将来キャッシュ・フロー予測期間と割引の影響を基礎に決定されることが多い。

❶ 耐用年数見積りの際に考慮すべき要因

ASC350における耐用年数の決定要因は、以下のとおりである。

- 対象企業による予測使用状況
- 対象無形資産と関連するであろう他の資産もしくは資産グループの予測耐用年数
- 耐用年数を制限するであろう法律、規制もしくは契約上の規定
- 類似する契約の更新もしくは延長時における、対象会社自身の過去の経験（明確な更新もしくは延長の経験がない場合には、対象会社特有の要因を調整したうえで、想定される市場参加者によるもの）、更新もしくは延長の可能性について検討しなければならない）。
- 陳腐化、需要、競争、その他の経済要因（産業の安定性、周知の技術の進歩、規制環境を不安定化もしくは変化させる法的措置、物流チャンネルの予測される変更等）
- 対象資産から予測キャッシュ・フローを獲得するために要求される保守費用の水準（例として、対象資産の帳簿価額に対して要求される保守費用が重大な水準の場合は、比較的短い耐用年数を示唆している）

＊　　　　＊

もし、上記のような法律、規制、契約、競争、経済等の諸要因が対象無形資産の耐用年数を制限しない場合は、その資産の耐用年数は確定できないものとして非償却性無形資産として扱われる。

❷ 無形資産種類別の検討事項

無形資産の耐用年数を分析する際の留意点は、評価対象となる無形資産の種類によりそれぞれ異なる。無形資産の種類別の検討事項を以下のとおり、解説する。

1…マーケティング関連無形資産

マーケティング関連無形資産の耐用年数に関しては、主に対象企業および取得企業が予測する使用状況が耐用年数の重要な決定要因となる。

例えば、マーケティング関連無形資産の１つである商号の耐用年数は、一般的に確定できないものとされる（非償却となる）ことが多い。取得企業は買収後も、取得した商号を継続して使用する予定であり、商標権の更新が可能である等継続使用性があり、事業環境等を考慮しても、その超過収益力が不確定期間にわたるものと分析される場合には、取得した商号の耐用年数は確定できないものとなる。

同様に、商号を評価する際もインカムアプローチにより、商号の予測最終年度以後のキャッシュ・フローの価値を継続価値という形で、キャッシュ・フロー期間に年限を設けずに計算することが多い。

一方で、事業を買収した時点では、取得した当該事業に関連する商号を不確定期間使用する予測を立てていたが、その後、事業の撤退が決定し、その後３年間で段階的に事業を縮小させていくというような場合は、取得した商号を償却性資産として減損テスト実施後に残存耐用年数の３年間で償却していくことになる。

2…顧客関連無形資産

顧客関連無形資産の耐用年数の決定に関しては、評価時点の顧客の想定ライフサイクルが考慮されるべきであるが、実務上は、顧客関連無形資産の評価の際に見積もられる被取得企業の過年度の顧客減少率か、もしくは顧客減少率により推定された将来キャッシュ・フローの予測期間に基づき耐用年数が決定されることが多い。

顧客減少率は、無形資産として認識しようとしている顧客関係の顧客数もしくは収益が時間の経過に伴い減少していく傾向を示すものである。

顧客減少率を乗じることで将来の顧客残存率を計算し、それに紐づく売上・利益を計算することが一般的である。その場合のキャッシュ・フローは計算上は永続的に続くことになるため、一定の重要性を有する期間までを予測期間とし、その期間に基づき耐用年数を検討することが多い。

3…契約に基づく無形資産

契約に基づく無形資産の耐用年数の決定に関しては、契約自体の有効期間、延長条件、耐用年数を制限するであろう法律、規制もしくは契約上の規定について検討しなければならない。

例えば、取得した事業認可、ライセンス等がわずかな費用で更新可能であり、実際に過去に何度も更新した実績や、取得会社も継続して免許等を更新する予定がある場合は、当該ライセンス等の契約に基づく無形資産の耐用年数は確定できないため、非償却性無形資産として認識されることもある。この場合、事業全体の評価の前提である事業認可等が不確定期間に渡って超過収益力を有することが前提である。

一方、制度の変更等により、それまで無条件に近い形で付与されていた許認可やライセンスの更新が困難になった場合には、非償却としていた無形資産の耐用年数を再考しなければならない。

有利／不利な契約として認識された無形資産については、上記の契約の更新可能性に加え、需要、競争、その他の経済的要因により、契約上の有利性（もしくは不利性）が契約更新後も維持される可能性を検討する必要がある。契約上の有利性・不利性が継続されるであろう事実を確認できた場合に、更新後の契約期間も耐用年数に含まれることになる。

4…技術に基づく無形資産

有力な技術は特許権を有していることが一般的であり、特許権の残存期間がキャッシュ・フローおよび耐用年数の検討の土台となるが、対象となる技術の陳腐化、需要等の経済的要因および取得会社が予測する使用状況も考慮して耐用年数を検討する必要がある。例えば、日本の特許期間は20年であるが、技術革新による他の技術の台頭や市場における需要の変化等により、特許期間満了前に当該技術が陳腐化する場合がある。その場合、技術に基づく無形資産である技術から生み出される経済的便益はほとんど失われ、その経済的価値はゼロに近いものとなってしまう。したがって、技術に基づく無形資産の耐用年数決定の際には、特許権の残存期間と併せて、技術のライフサイクルが、将来予測される技術の陳腐化を加速化させる事象が発現する可能性を検討し耐用年数を決定する必要がある。

この場合の技術革新は、競合他社が開発した技術にとどまらず、取得企業が開発予定の新技術も含まれる。すなわち、取得企業自身が２年後に自ら市場に導入することを予定している新技術により、取得した既存の技術が陳腐化してしまう事実を取得企業が認識している場合、取得した技術は２年間で償却される。

CHAPTER V

8 棚卸資産の評価方法

PPAにおいてはこれまで述べてきた新たな無形資産の識別のみならず、対象企業のBSにオンバランスされている資産・負債も公正価値評価の対象となるが、その中でも棚卸資産のステップアップは属する業界によって重要な影響を及ぼすケースがある。後述のとおり、棚卸資産売却時の利益の一部がステップアップすることになるが、棚卸資産は無形資産や有形固定資産の償却期間に比して一般的に短期で売却されるため、対象期の利益に与える影響が大きくなる傾向にある。以下、この点について説明する。

棚卸資産の公正価値については旧SFAS141のパラグラフ37「C. 棚卸資産」で以下のとおり詳細に述べられていたが、ASC805では当該記述が削除されている。現行は買収時に取得した棚卸資産の評価方法に関する詳細な記述が各会計基準上に存在しない状況となっているが、実務的には、下記の評価方法が現在においても採用されている。

⑴ 製品

想定される売価から取得後にかかる被取得企業の(a)売却に要する費用、および(b)販売活動に対する合理的な利益相当額の合計を控除した価額

⑵ 仕掛品

想定される売価から取得後にかかる被取得企業の(a)完成するまでの残りの費用、(b)売却に要する費用、および(c)完成までの残りの製造活動と販売活動に対する合理的な利益相当額の合計を控除した価額

⑶　商品および原材料

直近の再調達原価

＊　　　　　　　　　　　　　＊

⑶の原材料はコスト・アプローチによる評価として広く見られるものであるが、⑴の製品および商品と⑵の仕掛品は見慣れない評価体系であるものと思われる。結論からいうと、製品および商品と仕掛品の公正価値（割当額）は、被取得企業の保有する棚卸資産に関連して、取得企業と売却企業での貢献度に応じて利益按分をしているものであり、買収以前に行われた活動に対する貢献利益が棚卸資産に上乗せされることとなる。各活動における貢献度は定量要因（コスト）も１つの参考にはなるが、各活動の定性要因も考慮して決定されるべきものである。設例で示すと、買収により製品を取得した場合の割当価額は、以下のとおり決定されることになる。

▶前提条件

買収前製品簿価	70
想定される売価	100
想定される販売費	20

▶製品への割当価額の決定

想定される売価	100	
売却に要する費用（想定される販売費）	−20	
販売活動に対する合理的な利益相当額（販売費の20%と想定）	−4	（20×20%）
製品への割当価額	76	

本設例では、買収前製品簿価の70に対して、買収によって割り当てられる価額は76にステップアップすることとなる。当然であるが、この簿価の上昇により、売却時（多くの場合には買収直後の期）利益は減少し、利益率も次ページのとおり悪化することになる。売上総利益率は30％から24％に、また営業利益率は10％から４％に下落している。

〈ステップアップによる利益率への影響〉

	買収前計画（被取得企業単独）		買収後（被取得企業単独）	
売価	100		100	
売上原価	70		76	
売上総利益	30	30%	24	24%
販売費	20		20	
営業利益	10	10%	4	4%

次ページの概念図で見てみよう。企業会計上は収益認識について、収益認識に関する会計基準に従って行われる。研究開発段階や製造段階でも事業活動に応じて利益は発生しているが、履行義務の充足時点まで認識はしないというのが基本的な会計ルールである。買収時の棚卸資産のステップアップはこれを前提として、買収後の利益は買収後の事業活動による分のみ認識するべきとの考えによっていると考えられる。

次ページの概念図で言えば、研究開発、企画設計、調達、製造、販売のそれぞれの段階で利益が"発生"しているが、会計ルール上は、原則として販売活動が終了し"履行義務を充足"した段階で認識される。つまり、販売活動の終了とともに㈠～㈭の利益が一挙に認識されるのである。しかし、買収が起こった際にはこのルールはそのままでは適用されない。買収時点で取得した製品については研究開発活動から製造活動までがすでに終了しているため、そうした活動にかかる利益は取得企業によって認識される利益ではない。取得企業によって認識される利益は、（買収後の）販売活動にかかる利益、つまり㈭のみである、というのが背景にある考え方である。上記の設例で言えば、買収後の営業利益は4で、販売活動に対する合理的な利益相当額として控除された金額と一致している。

なお、この棚卸資産のステップアップによる利益率の悪化の影響は、特に研究開発活動による利益貢献が大きく、したがって売上総利益率が高い製薬業界での買収の際に、顕著に表れる傾向がある。

〈事業活動と発生利益の概念図〉

利益	(ア)	(イ)	(ウ)	(エ)	(オ)
費用	研究開発活動	企画設計活動	調達活動	製造活動	販売活動

CHAPTER

無形資産評価の実際

1 日本企業の近年の傾向
2 日本企業の無形資産ごとの認識事例
3 日本企業のベンチャー企業の取得に伴う無形資産の識別・計上
4 日本企業の有形固定資産・棚卸資産等の時価評価開示事例

CHAPTER VI

1 日本企業の近年の傾向

❶ 日本企業の動向

既述のとおり、パーチェスプライスアロケーションにおいて無形資産を含む資産・負債の時価評価（定量化）を行うことの意義は、企業が被取得企業の買収をどのようなバリュードライバーを獲得するために行ったのか、またその買収価格はどのような考え方に基づき決定したのかを、財務諸表を通じて株主に対して説明・報告することである。したがって、どのような無形資産を認識するか（無形資産の認識）と、どのように無形資産を評価するか（無形資産の測定）は、一義的には取得した企業で鋭意検討する必要がある。

従来、日本の会計基準では識別可能な無形資産について取得原価を配分することが"できる"とする容認規定であった流れもあり、どちらかというと被取得企業の無形資産を含む資産・負債の時価評価は消極的な姿勢であった。そのため、無形資産計上の事例は、米国会計基準ないしは国際財務報告基準採用企業のみに限定されていた傾向があった。しかし、近年では日本の会計基準においても被取得企業の資産・負債の時価評価が原則的な扱いに変更されたこともあり、日本会計基準採用企業においても無形資産を識別計上することが一般的になっている。

日本企業の実際の開示例を分析した結果を次ページ以降にまとめた。国内の株式市場に上場または有価証券報告書等を開示している企業の有価証券報告書の注記から、新たに無形資産を認識している事例を用いて分析している。当該分析結果によると、国際財務報告基準採用企業以上に、日本会計基準採用企業による開示事例が多いことがわかった。抽出できた企業118社のうち、国際財務報告基準採用企業49社であった（米国会計基準採用企業は０件）。ただし、調査対象とした決算期において新たに無形資産を計上した日本企業を網羅するものではない点にご留意いただきたい。

取得企業	業種	会計基準	被取得企業	商標権	顧客関係	契約	技術	のれん償却年数
日本電産㈱	電気機器	IFRS	Metal Stamping Support Group, LLC	○				非償却
ＮＩＳＳＨＡ㈱	その他製品	IFRS	Olympus Surgical Technologies America				○	非償却
ノーリツ鋼機㈱	精密機器	IFRS	データインデックス株式会社		○			非償却
㈱アウトソーシング	サービス業	IFRS	アバンセホールディングス		○			非償却
㈱アウトソーシング	サービス業	IFRS	CPL RESOURCES PUBLIC LIMITED COMPANY		○			非償却
日本ペイントホールディングス㈱	化学	IFRS	Neav Limited及びその子会社であるPT Nipsea Paint and Chemicals	○				非償却
オリンパス㈱	精密機器	IFRS	Quest Photonic Devices B.V.		○		○	非償却
ソフトバンク㈱	情報・通信業	IFRS	LINE㈱	○	○		○	非償却
日本精工㈱	機械	IFRS	①Bruel &Kjar Vibro GmbH ②Bruel &Kjar Vibro A/S ③Bruel &Kjar Vibro America Inc	○	○		○	非償却
Ｚホールディングス㈱	情報・通信業	IFRS	LINE(株)	○	○		○	非償却
㈱ニコン	精密機器	IFRS	Morf3D Inc.		○		○	非償却
ノーリツ鋼機㈱	精密機器	IFRS	PEAG,LLC dba Jlab Audio	○	○			非償却
オリンパス㈱	精密機器	IFRS	Medi-Tate Ltd.				○	非償却
㈱ディー・エヌ・エー	サービス業	IFRS	株式会社IRIAM	○				非償却
ソニーグループ㈱	電気機器	IFRS	Ellation Holdings, Inc.			○		非償却
㈱電通グループ	サービス業	IFRS	LiveArea		○			非償却
ＪＳＲ㈱	化学	IFRS	Inpria Corporation				○	非償却
㈱野村総合研究所	情報・通信業	IFRS	Convergence Technologies, Inc.	○	○			非償却
三井化学㈱	化学	IFRS	株式会社MMAG、他２社		○	○	○	非償却
日本乾溜工業㈱	建設業	日本	株式会社ニチボー		○			9
㈱ＳＨＩＦＴ	情報・通信業	日本	株式会社ホープス		○			10
アステナホールディングス㈱	卸売業	日本	マルマンＨ＆Ｂ株式会社		○			10
㈱スプリックス	サービス業	日本	株式会社湘南ゼミナール		○			11
長谷川香料㈱	化学	日本	MISSION FLAVORS & FRAGRANCES, INC.		○			10
帝人㈱	繊維製品	日本	CSP Victall (Tangshan) Structural Composites Co., Ltd.				○	－

㈱メドレー	情報・通信業	日本	株式会社パシフィックメディカル		○			20年以内
㈱夢真ビーネックスグループ	サービス業	日本	株式会社レフトキャピタル		○			10
ポールトゥウィンホールディングス㈱	情報・通信業	日本	5518 Studios, Inc.	○	○		○	5
大阪油化工業㈱	化学	日本	株式会社カイコー		○			5
㈱ビックカメラ	小売業	日本	アロージャパン株式会社			○		10
西本Ｗｉｓｍｅｔｔａｃホールディングス㈱	卸売業	日本	Interlock Investments Limited		○			10
㈱メドレー	情報・通信業	日本	株式会社メディパス		○			20年以内
㈱ユーグレナ	食料品	日本	株式会社LIGUNA		○			10
帝人㈱	繊維製品	日本	㈱ジャパン・ティッシュ・エンジニアリング				○	15
㈱ギフティ	情報・通信業	日本	ソウ・エクスペリエンス株式会社	○				10
ＳＭＮ㈱	サービス業	日本	ルビー・グループ株式会社		○			7
㈱夢真ビーネックスグループ	サービス業	日本	株式会社夢真ホールディングス					20
フリー㈱	情報・通信業	日本	株式会社サイトビジット		○			15
㈱ポーラ・オルビスホールディングス	化学	日本	トリコ株式会社	○	○			7
㈱東京通信	サービス業	日本	株式会社ティファレト	○	○			9
㈱駅探	情報・通信業	日本	株式会社サークア		○			10
㈱スズケン	卸売業	日本	エンブレース株式会社				○	8
ジューテックホールディングス㈱	卸売業	日本	中部フローリング株式会社		○			5
㈱パワーソリューションズ	情報・通信業	日本	株式会社エグゼクション		○			2
旭化成㈱	化学	日本	Respicardia, Inc.	○	○		○	20
マクニカ・富士エレホールディングス㈱	卸売業	日本	ANSWER TECHNOLOGY CO., LTD.			○		5
アステナホールディングス㈱	卸売業	日本	JITSUBO株式会社				○	15
㈱ユーグレナ	食料品	日本	キューサイ株式会社	○	○			20
ＵＴグループ㈱	サービス業	日本	株式会社プログレスグループ		○			16
蝶理㈱	卸売業	日本	株式会社STX		○			5
㈱ユアテック	建設業	日本	SIGMA ENGINEERING JSC		○			10
旭化成㈱	化学	日本	McDonald Jones Homes Pty Ltd	○	○			20
ＧＭＯインターネット㈱	情報・通信業	日本	ＧＭＯ ＯＭＡＫＡＳＥ株式会社			○		5
ＮＴＮ㈱	機械	日本	平鍛造株式会社			○	○	10
ＤＩＣ㈱	化学	日本	BASF SE	○		○	○	20
Ｃｈａｔｗｏｒｋ㈱	情報・通信業	日本	Chatworkストレージテクノロジーズ株式会社		○			10
マブチモーター㈱	電気機器	日本	マブチモーターエレクトロマグエスエー		○		○	13
エスペック㈱	電気機器	日本	エスペックサーマルテックシステム株式会社		○			10
プリマハム㈱	食料品	日本	Rudi's Fine Food Pte Ltd		○			12
㈱ショーエイコーポレーション	化学	日本	株式会社ファインケメティックス		○			10
ＧＭＯインターネット㈱	情報・通信業	日本	外貨ex by ＧＭＯ株式会社（旧名称ワイジェイFX株式会社）		○			12
ＧＭＯフィナンシャルホールディングス㈱	証券、商品先物取引業	日本	外貨ex byGMO株式会社（旧名称　ワイジェイFX株式会社）		○			12

㈱コプロ・ホールディングス	サービス業	日本	バリューアークコンサルティング株式会社		○			8
㈱マツキヨココカラ&カンパニー	小売業	日本	株式会社ココカラファイン	○				19
㈱ニチレイ	食料品	日本	Norish (N.I.) Limited		○			20
ロート製薬㈱	医薬品	日本	ハイドロックス・ラボラトリーズ社	○	○		○	10
㈱ビザスク	情報・通信業	日本	Coleman Research Group, Inc.		○		○	17
丸一鋼管㈱	鉄鋼	日本	ジェネバ・ストラクチュアル・チューブズＬＬＣ	○	○			10
サン電子㈱	電気機器	日本	Digital Clues AG		○		○	7
㈱三井住友フィナンシャルグループ	銀行業	日本	Fullerton India Credit Company Limited		○			15年
㈱ＳＫＩＹＡＫＩ	情報・通信業	日本	㈱エンターメディアFC			○		計上無し
アルフレッサ　ホールディングス㈱	卸売業	日本	第一三共株式会社			○		8
旭化成㈱	化学	日本	Itamar Medical Ltd.	○	○		○	未確定
プリマハム㈱	食料品	日本	ティーエムジー株式会社		○			11
ファイズホールディングス㈱	倉庫・運輸関連業	日本	日本システムクリエイト株式会社		○			10
日立造船㈱	機械	日本	Steinmüller Babcock Environment GmbH	○	○		○	負ののれん（即時償却）

＊2014年４月期から2022年３月期の有価証券報告書の注記に無形資産の配分について記載のある事例を記載している。既述のとおり、抽出できた企業118社のうち、無形資産（商標権、顧客、契約、技術のいずれか）の内訳詳細が判明した企業は76社あった。
＊業種は会社四季報の区分に応じている。
＊記載順は会社四季報に準じているが、業種ごとに区分するため一部変更している。

❷ 日本企業の無形資産実務の背景

M&Aを実施した企業は、採用している会計基準に応じてパーチェスプライスアロケーションを実施し無形資産の認識・測定を決定するが、従来は、米国会計基準や国際財務報告基準採用企業に集中していた。近年では、日本会計基準の要請や投資家に対する情報提供拡充の観点もあり、無形資産の認識・測定の実務が日本会計基準採用企業でも一般的になっている。開示の対象となるものは重要な取引に限られるため、調査で発見できた事例以外の取得企業においても一定の検討は実施している可能性は高いと考えられる。

最近の日本企業のパーチェスプライスアロケーションの実務では、無形資産の認識・測定のノウハウが蓄積され、無形資産の評価実務が一般化するとともに、有形固定資産・棚卸資産等の時価評価を実施する事例が増えている。

❸ 無形資産から見る日本企業の傾向

無形資産の種類別では、顧客関連無形資産が最も多くの企業で認識されている。顧客関連無形資産が認識される事例が多いという事実は、被取得企業は一定の顧客基盤を有しており、取得企業はそこに価値を認めたことを意味している。特に最近では、グローバル企業が自社の販売網ではカバーできない国や地域において、顧客基盤を獲得するためにM&Aを実施するというケースが見受けられる。

参考：のれん・無形資産から見る一般的な買収の意義

のれん	無形資産	買収の意義
多額	少額 （または無し）	新規の顧客・サービス・シナジーに価値がある
少額	多額	既存の顧客・既存のサービスに価値がある 新規の顧客、サービス・シナジーの価値は比較的小さい

CHAPTER VI

2 日本企業の無形資産ごとの認識事例

日本企業における事例では、顧客関連無形資産の認識事例が最も多いことは既述のとおりである。次いで技術およびマーケティング関連無形資産（商標権）がほぼ同数であった。契約に基づく無形資産も一定数の認識が見受けられるが、芸術関連無形資産は今般の調査期間のなかでは事例を発見することができなかった。技術に基づく無形資産は主に製造業を中心に複数の事例があり、一定の技術力の取得を目的としたM&Aが実行されたことがわかる。

契約に基づく無形資産については、無形資産計上の根拠となる経済的有利性が契約書という形で具体的に特定されていること、経済的有利性が企業の将来キャッシュ・フローに貢献すると予測される期間が契約期間として特定しやすいこと、ならびに経済的有利性をインカムアプローチにて評価するときに、契約に基づく無形資産は対象契約から生じる経済的有利性を具体的な契約金額にて特定しやすいことが背景にあると考えられる。また、技術に基づく無形資産とマーケティング関連無形資産についても同様のことが言える。技術に基づく無形資産は、特許権などによって守られている技術が主であり、マーケティング関連無形資産は商標が主であるが、両者ともに法的権利によって保護されているうえに、その評価に際して当該権利を使用することによって得られる固有の収益やその権利を得るために費やしたコストを特定しやすいということが、これらの資産を認識する企業が多い背景にあるものと考えられる。

以下では、無形資産の種類ごとに傾向・特徴を分析する。

1…マーケティング関連無形資産（商標権）

〈商標権の認識事例〉

取得企業	業種	被取得企業	事業概要	会計基準	償却期間（年）
日本電産㈱	電気機器	Metal Stamping Support Group, LLC	プレス機周辺機器の製造・販売及び中古プレス機のレトロフィット（修理改造）及びサービス一般	IFRS	非償却
日本ペイントホールディングス㈱	化学	Neav Limited及びその子会社であるPT Nipsea Paint and Chemicals	塗料等の製造販売	IFRS	確定できない
ソフトバンク㈱	情報・通信業	LINE㈱	モバイルメッセンジャー・アプリケーション「LINE」を基盤とした広告サービス スタンプ販売およびゲームサービス等を含むコア事業の展開 Fintech、AIおよびコマースサービスを含む戦略事業の展開	IFRS	確定できない
日本精工㈱	機械	①Bruel & Kjar Vibro GmbH ②Bruel & Kjar Vibro A/S ③Bruel & Kjar Vibro America Inc	設備保全・状態監視ソリューション	IFRS	確定できない
ノーリツ鋼機㈱	精密機器	PEAG,LLC dba Jlab Audio	パーソナルオーディオデバイスおよびテクノロジー製品の設計及び販売	IFRS	確定できない
㈱ディー・エヌ・エー	サービス業	株式会社IRIAM	ライブストリーミング事業	IFRS	確定できない
㈱野村総合研究所	情報・通信業	Convergence Technologies, Inc.	クラウド、デジタル開発、ネットワーク、セキュリティの各事業領域における、デジタルトランスフォーメーションに係るソリューションを提供するCore BTS社の持株会社	IFRS	確定できない
ポールトゥウィンホールディングス㈱	情報・通信業	5518 Studios, Inc.	2D・3Dアート、アニメーション、仮想・拡張現実及びプログラミングサービスの提供	日本	5
㈱ギフティ	情報・通信業	ソウ・エクスペリエンス株式会社	体験ギフトの企画・販売	日本	10
㈱ポーラ・オルビスホールディングス	化学	トリコ株式会社	パーソナライズサプリメント「FUJIMI」の通信販売等	日本	10
㈱東京通信	サービス業	株式会社ティファレト	電話占い「カリス」の企画、運営	日本	12
旭化成㈱	化学	Respicardia, Inc.	植え込み型神経刺激デバイスの開発・製造・販売	日本	10
㈱ユーグレナ	食料品	キューサイ株式会社	ヘルスケア商品、スキンケア商品等の製造・販売	日本	20
旭化成㈱	化学	McDonald Jones Homes Pty Ltd	注文住宅の建築請負及び分譲住宅の販売	日本	20
ＤＩＣ㈱	化学	BASF SE	顔料事業を構成する18社の株式及び当該事業に関する技術、特許などの知的財産及び棚卸資産などの資産	日本	20
㈱マツキヨココカラ&カンパニー	小売業	株式会社ココカラファイン	ドラッグストア事業・調剤事業・介護事業で構成される企業グループの運営	日本	19
ロート製薬㈱	医薬品	ハイドロックス・ラボラトリーズ社	主に医薬品の製造販売	日本	10
丸一鋼管㈱	鉄鋼	ジェネバ・ストラクチュアル・チューブズＬＬＣ	鋼管の製造・販売	日本	2
旭化成㈱	化学	Itamar Medical Ltd.	睡眠時無呼吸症診断製品群等の開発・製造・販売	日本	14
日立造船㈱	機械	Steinmüller Babcock Environment GmbH	欧州で廃棄物発電施設の設計・調達・建設・メンテナンス、火力発電所等向け排ガス処理設備の設計・調達・建設を展開	日本	10

2021年４月期から2022年３月期において無形資産の認識を注記で開示した企業の76社に対し、20社がマーケティング関連資産（商標権）を計上しており、相応のブランド力を有した企業が被取得企業となっていたことがうかがえる。また、特定の業種にのみ認識されているような傾向は見受けられず、被取得企業ごとの個別要因として認識されたと考えられる。

計上されたマーケティング関連無形資産の内容としては、商標権や商号、ブランドネームが中心である。非競合契約（競業避止協定）を認識した事例も発見された。

償却期間については、国際財務報告基準採用企業では償却期間が定められないことにより非償却または確定できないとしているが、日本会計基準では、抽出できたすべての企業で年数を確定させている。また、日本における法人税法上の耐用年数は10年であるが、各企業の商標権の償却期間が一様に10年とされていないことから、税務上の処理に関わらず、実態に即した償却期間の決定を行っていると考えられる。年数が確定されている13社のうち、15年以下が約７割（９社）、16～20年と定めた事例は約３割（４社）であった。また、日本会計基準ののれんの償却期間として定められている20年を超過する事例はなく、最長でも20年の償却期間となっている。

〈マーケティング関連無形資産（商標権）の償却期間〉

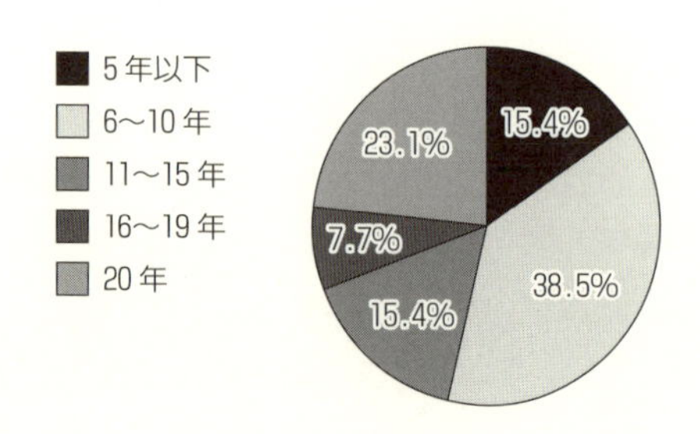

2…顧客関連無形資産

〈顧客関連資産の認識事例〉

取得企業	業種	被取得企業	事業概要	科目	償却期間（年）
ノーリツ鋼機㈱	精密機器	データインデックス株式会社	医薬品データベースの開発・研究及び販売	顧客関係	－
㈱アウトソーシング	サービス業	アバンセホールディングス	グループ会社（日系人を中心とした日本国内における人材派遣、業務請負事業）の経営管理、経営指導	顧客関係	4～23年
㈱アウトソーシング	サービス業	CPL RESOURCES PUBLIC LIMITED COMPANY	人材派遣・紹介、請負、マネージドサービス等	顧客関係	4～23年
オリンパス㈱	精密機器	Quest Photonic Devices B.V.	医療機器の開発・製造・販売	顧客関係	16年
ソフトバンク㈱	情報・通信業	LINE㈱	モバイルメッセンジャー・アプリケーション「LINE」を基盤とした広告サービス スタンプ販売およびゲームサービス等を含むコア事業の展開 Fintech、AIおよびコマースサービスを含む戦略事業の展開	顧客関係	12～18年
日本精工㈱	機械	①Bruel & Kjar Vibro GmbH ②Bruel & Kjar Vibro A/S ③Bruel & Kjar Vibro America Inc	設備保全・状態監視ソリューション	顧客関係	20年
㈱ニコン	精密機器	Morf3D Inc.	宇宙航空機産業向け金属部品の受託加工（アディティブマニュファクチャリング(AM)）	顧客関係	－
ノーリツ鋼機㈱	精密機器	PEAG,LLC dba Jlab Audio	パーソナルオーディオデバイスおよびテクノロジー製品の設計及び販売	顧客関係	0
㈱電通グループ	サービス業	LiveArea	米国で広告エージェンシーを展開	顧客関係	5
㈱野村総合研究所	情報・通信業	Convergence Technologies, Inc.	クラウド、デジタル開発、ネットワーク、セキュリティの各事業領域における、デジタルトランスフォーメーションに係るソリューションを提供するCore BTS社の持株会社	顧客関係	2及び12
三井化学㈱	化学	株式会社MMAG、他2社	農薬の研究・開発・製造・販売等	顧客関係	5～30年
日本乾溜工業㈱	建設業	株式会社ニチボー	地盤改良・地すべり対策・法面保護工事	顧客関係	9
㈱ＳＨＩＦＴ	情報・通信業	株式会社ホープス	企業における生産・物流の機能改善 基幹業務システムの分析と改善 情報システム設計・開発・運用業務	顧客関係	3
アステナホールディングス㈱	卸売業	マルマンＨ＆Ｂ株式会社	各種サプリメント等の健康食品、禁煙パイポ等の禁煙関連商品、その他健康関連商品の企画・開発・販売	顧客関係	10
㈱スプリックス	サービス業	株式会社湘南ゼミナール	学習塾の運営など	顧客関係	7
長谷川香料㈱	化学	MISSION FLAVORS & FRAGRANCES, INC.	各種香料の製造及び販売	顧客関係	20
㈱メドレー	情報・通信業	株式会社パシフィックメディカル	電子カルテシステムの開発及び販売、受託システムの請負 サーバー機器の保管及び保守 システム導入に関する企画・設計及びコンサルティング	顧客関係	18
㈱夢真ビーネックスグループ	サービス業	株式会社レフトキャピタル	システム開発を行う子会社の持株会社	顧客関係/受注残	14/0

ポールトゥウィンホールディングス㈱	情報・通信業	5518 Studios, Inc.	2D・3Dアート、アニメーション、仮想・拡張現実及びプログラミングサービスの提供	顧客関係	5
大阪油化工業㈱	化学	株式会社カイコー	工場排水ろ過装置の設計、製造、据付、販売等	顧客関係	5
西本Wismettacホールディングス㈱	卸売業	Interlock Investments Limited	麺類・冷凍水産品(カニカマ、冷凍寿司等)の輸入、卸売	顧客関係	16
㈱メドレー	情報・通信業	株式会社メディパス	オンライン介護動画研修「メディパスアカデミー介護」 有料老人ホーム紹介「ゴイカのかいご」 訪問医療機関・介護事業所向け経営サポート等の運営	顧客関係	13
㈱ユーグレナ	食料品	株式会社LIGUNA	スキンケア・雑貨・食品の企画開発及び通信販売 飲食店の運営 不動産の賃貸及び管理等	顧客関係	10
SMN㈱	サービス業	ルビー・グループ株式会社	ラグジュアリーブランドのEコマースシステム構築・運営、コンサルティング事業他	顧客関係	10
㈱夢真ビーネックスグループ	サービス業	株式会社夢真ホールディングス	人材派遣事業	受注残	0
フリー㈱	情報・通信業	株式会社サイトビジット	電子契約サービス「NINJA SIGN」、オンライン学習サービス「資格スクエア」	顧客関係	15
㈱ポーラ・オルビスホールディングス	化学	トリコ株式会社	パーソナライズサプリメント「FUJIMI」の通信販売等	顧客関係	4
㈱東京通信	サービス業	株式会社ティファレト	電話占い「カリス」の企画、運営	顧客関係	5
㈱駅探	情報・通信業	株式会社サークア	スマートフォン広告システムの開発及び提供	顧客関係	12
ジューテックホールディングス㈱	卸売業	中部フローリング株式会社	フローリング工事、フローリング資材の製造（ファブレス）・販売	顧客関係/受注残	5/1
㈱パワーソリューションズ	情報・通信業	株式会社エグゼクション	ビジネス・テクノロジー・ソリューション事業	顧客関係	9
旭化成㈱	化学	Respicardia, Inc.	植え込み型神経刺激デバイスの開発・製造・販売	顧客関係	12
マクニカ・富士エレホールディングス㈱	卸売業	ANSWER TECHNOLOGY CO., LTD.	半導体・集積回路等の電子部品の販売	受注残	0
㈱ユーグレナ	食料品	キューサイ株式会社	ヘルスケア商品、スキンケア商品等の製造・販売	顧客関係	14
UTグループ㈱	サービス業	株式会社プログレスグループ	子会社の経営管理、不動産賃貸業	顧客関係	12
蝶理㈱	卸売業	株式会社STX	繊維関連商品（衣料品、繊維原料等）の製造、販売	顧客関係	11
㈱ユアテック	建設業	SIGMA ENGINEERING JSC	電気設備工事、空気調和設備工事、給排水衛生設備工事、消火設備等	顧客関係/受注残	10/2
旭化成㈱	化学	McDonald Jones Homes Pty Ltd	注文住宅の建築請負及び分譲住宅の販売	顧客関係	5
Chatwork㈱	情報・通信業	Chatworkストレージテクノロジーズ株式会社	クラウド型オンラインストレージ『セキュア SAMBA』の提供	顧客関係	10
マブチモーター㈱	電気機器	マブチモーターエレクトロマグエスエー	医療機器用のモーターの製造及び販売	顧客関係	7
エスペック㈱	電気機器	エスペックサーマルテックシステム株式会社	精密チラー・空調機、環境試験装置、カスタム製品（チラー・空調）の製造及び販売	顧客関係	10
プリマハム㈱	食料品	Rudi's Fine Food Pte Ltd	食肉の加工・販売事業	顧客関係	16
㈱ショーエイコーポレーション	化学	株式会社ファインケメティックス	化粧品及び医薬部外品の受託製造、製造販売	顧客関係	16
GMOインターネット㈱	情報・通信業	外貨ex by GMO株式会社（旧名称ワイジェイFX株式会社）	金融商品取引法に基づく第一種金融商品取引業 金融商品取引法に基づく第二種金融商品取引業 金融商品取引法に基づく投資助言業	顧客関係	9
GMOフィナンシャルホールディングス㈱	証券、商品先物取引業	外貨ex byGMO株式会社（旧名称　ワイジェイFX株式会社）	金融商品取引法に基づく第一種金融商品取引業 金融商品取引法に基づく第二種金融商品取引業 金融商品取引法に基づく投資助言業	顧客関係	9
㈱コプロ・ホールディングス	サービス業	バリューアークコンサルティング株式会社	システムエンジニアリングサービス（SES）、ITエンジニア人材エージェント	顧客関係	7
㈱ニチレイ	食料品	Norish (N.I.) Limited	Norish Limitedに対する不動産の賃貸	顧客関係	20

ロート製薬㈱	医薬品	ハイドロックス・ラボラトリーズ社	主に医薬品の製造販売	顧客関係	10
㈱ビザスク	情報・通信業	Coleman Research Group, Inc.	エキスパートネットワークの運営	顧客関係	15
丸一鋼管㈱	鉄鋼	ジェネバ・ストラクチュアル・チューブズＬＬＣ	鋼管の製造・販売	顧客関係/受注残	15/1
サン電子㈱	電気機器	Digital Clues AG	オープンソースインテリジェンス事業	顧客関係	10
㈱三井住友フィナンシャルグループ	銀行業	Fullerton India Credit Company Limited	金融関連業務	顧客関係	7
旭化成㈱	化学	Itamar Medical Ltd.	睡眠時無呼吸症診断製品群等の開発・製造・販売	顧客関係	13
プリマハム㈱	食料品	ティーエムジー株式会社	食肉の加工・販売事業を営むティーエムジーインターナショナル株式会社の株式保有	顧客関係	4
ファイズホールディングス㈱	倉庫・運輸関連業	日本システムクリエイト株式会社	コンピュータシステムの開発等	顧客関係	10
日立造船㈱	機械	Steinmüller Babcock Environment GmbH	欧州で廃棄物発電施設の設計・調達・建設・メンテナンス、火力発電所等向け排ガス処理設備の設計・調達・建設を展開	顧客関係	6

顧客関連無形資産は、56社で認識されている。これは、一定の顧客基盤を有している企業が被取得企業となったことを意味している。無形資産に計上される顧客関連無形資産とは、買収時点で被取得企業が有していた顧客網・顧客リスト等であるが、当該顧客と比較的長期間にわたり関係を維持してきた企業が取得の対象となったと推察できる。また、顧客関連無形資産に分類される受注残についても複数の事例が見られた。

顧客関連無形資産は、一般的に過年度の数年間の顧客数推移などから計算した年間平均顧客減少率を用いて、評価基準日から既存顧客からの収益がゼロとなるまでの期間に基づいて算定する。このため、償却期間は被取得企業が有していた顧客実態に左右されることもあり、企業によってさまざまである。したがって、取得日時点で一定数の顧客を有していても、短期間で顧客が入れ替わってしまうような業種・業態では計上されないこともあり得る。この価値算出に至る計算構造がゆえに、被取得企業の特色が認識・測定・償却期間において最も顕著に現れる無形資産のひとつである。

業種別の特徴としては、今回の事例調査では無形資産の開示例を抽出できた118件のうち、小売業は３件のみであったが、一般的に小売業では顧客関連無形資産の計上事例があまりない。これは、顧客が店舗などに来店して商品の購入を行うことが多い小売業の特徴であると考えている。小売業に限ったことではないが、小売業に代表される来店型ビジネスという特徴が無形資産の認識に現れている。顧客関連無形資産は、比較的長期間にわたり企業と顧客とが双方向でコミュニケーションを取れるなどの関係に起因する。多くの認識事例ではサービスを受けるにあたり、会員として登録した際の顧客リストや、直接の収益源ではないものの取得企業にとって収益を確保するためにリレーションシップを構築する必要のある販売ディーラー網などの特徴的な顧客関連無形資産も含め、多くの顧客関連無形資産が認識されており、一定の顧客と、継続的な関係性を有していた企業が被取得企業となったことがわかる。

また、今回の事例調査では見られなかったが、銀行業では「コア預金」と呼ばれる無形資産が顧客関連資産として計上されることがある。金融市場からの調達金利と預金金利との金利差から算出される無形資産である。コア預金も顧客との関係に基づいて算出される代表的な無形資産のひとつである。銀行の金融市場からの資金調達に比べ、預金者から預金として資金調達をした方が低い金利で貸出の源泉となる資金を調達できるため、その調達の金利差が無形資産の源泉となる。

償却期間は、マーケティング関連無形資産同様に、企業によってさまざまであるが、日本会計基準ののれんの償却期間として定められている20年を超過する事例はなく、最長でも20年の償却期間となっている。20年と定めた事例は全体の５％弱であり、６～10年を設定した事例が４割程度と最も多い。顧客関連無形資産の価値算出の際に、重要な指標として顧客減少率を使用することは既述の通りだが、概算すると顧客減少率が５％に満たない事例は少なく、10％から20％程度の顧客減少率が算出されたと推計している。

受注残については、被取得企業の業務内容に拠るが、あまり長期間の償却期間が設定されることはないのが一般的である。

〈顧客関連無形資産の償却期間〉

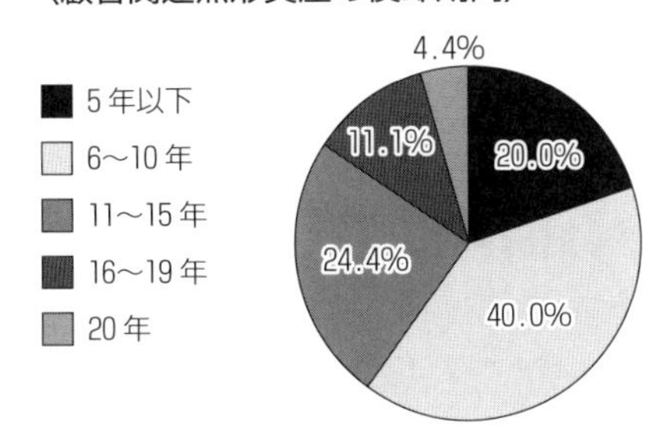

3…契約に基づく無形資産

〈契約に基づく資産の認識事例〉

取得企業	業種	被取得企業	事業概要	償却期間(年)
ソニーグループ㈱	電気機器	Ellation Holdings, Inc.	定額制ビデオ・オン・デマンド、広告型ビデオ・オン・デマンド、モバイルゲーム、マンガ、イベント、キャラクターグッズ及び配信サービスなどを提供	—
三井化学㈱	化学	株式会社MMAG、他２社	農薬の研究・開発・製造・販売等	—
㈱ビックカメラ	小売業	アロージャパン株式会社	携帯電話販売代理店の運営	20
マクニカ・富士エレホールディングス㈱	卸売業	ANSWER TECHNOLOGY CO., LTD.	半導体・集積回路等の電子部品の販売	8
GMOインターネット㈱	情報・通信業	GMO OMAKASE株式会社	飲食店予約管理サービスの開発・運営	10
NTN㈱	機械	平鍛造株式会社	鍛造製品の製造販売	12
DIC㈱	化学	BASF SE	顔料事業を構成する18社の株式及び当該事業に関する技術、特許などの知的財産及び棚卸資産などの資産	12
㈱SKIYAKI	情報・通信業	㈱エンターメディアFC	音楽アーティストのファンクラブサイトの運営等	7
アルフレッサ　ホールディングス㈱	卸売業	第一三共株式会社	医薬事業のうち長期収載品(一部)の製造販売承認等	6

契約に基づく無形資産は上記の９事例であった。被取得企業が有していた固有の契約を、経済的優位性に基づいて評価したと推察される。

今回の調査では発見できなかったが、携帯電話の電波などの権利や各種の許認可・営業権、市場価格に比して有利な傭船契約などが契約に基づく無形資産として比較的目にする事例である。

償却期間については、被取得企業の有していた契約の期間に応じて設定されることが多い。経済的優位性は、当該有利な契約の存続期間において保たれるからである。したがって、契約関連無形資産においては一部の例外を除いては、非償却とはならない。認識事例における償却期間も同様の観点から設定しているものと推察している。

4…技術に基づく無形資産

〈技術に基づく資産の認識事例〉

取得企業	業種	被取得企業	事業概要	償却期間（年）
ＮＩＳＳＨＡ㈱	その他製品	Olympus Surgical Technologies America	泌尿器・婦人科向け硬性鏡、治療機器系製品の部品などの製造	15
オリンパス㈱	精密機器	Quest Photonic Devices B.V.	医療機器の開発・製造・販売	16
ソフトバンク㈱	情報・通信業	LINE㈱	モバイルメッセンジャー・アプリケーション「LINE」を基盤とした広告サービス スタンプ販売およびゲームサービス等を含むコア事業の展開 Fintech、AIおよびコマースサービスを含む戦略事業の展開	8
日本精工㈱	機械	①Bruel & Kjar Vibro GmbH ②Bruel & Kjar Vibro A/S ③Bruel & Kjar Vibro America Inc	設備保全・状態監視ソリューション	9
㈱ニコン	精密機器	Morf3D Inc.	宇宙航空機産業向け金属部品の受託加工（アディティブマニュファクチャリング（AM））	13
オリンパス㈱	精密機器	Medi-Tate Ltd.	治療機器事業製品の研究開発・製造	14
ＪＳＲ㈱	化学	Inpria Corporation	EUV用メタルレジストの開発・製造	5~15
三井化学㈱	化学	株式会社MMAG、他２社	農薬の研究・開発・製造・販売等	2~23
帝人㈱	繊維製品	CSP Victall (Tangshan) Structural Composites Co., Ltd.	ガラス繊維強化複合材料の原材料及び完成品の研究開発、製造または販売	−
ポールトゥウィンホールディングス㈱	情報・通信業	5518 Studios, Inc.	２Ｄ・３Ｄアート、アニメーション、仮想・拡張現実及びプログラミングサービスの提供	5
帝人㈱	繊維製品	㈱ジャパン・ティッシュ・エンジニアリング	再生医療等製品及び関連製品の開発、製造、販売、受託	16
㈱スズケン	卸売業	エンブレース株式会社	ソーシャル医療プラットフォーム事業	12
旭化成㈱	化学	Respicardia, Inc.	植え込み型神経刺激デバイスの開発・製造・販売	13
アステナホールディングス㈱	卸売業	JITSUBO株式会社	ペプチド合成法Molecular Hiving™の開発、ペプチド原薬等に関する製造プロセスの開発・技術移転事業、並びに同原薬の受託製造及び技術のライセンス	15
ＮＴＮ㈱	機械	平鍛造株式会社	鍛造製品の製造販売	10
ＤＩＣ㈱	化学	BASF SE	顔料事業を構成する18社の株式及び当該事業に関する技術、特許などの知的財産及び棚卸資産などの資産	15
マブチモーター㈱	電気機器	マブチモーターエレクトロマグエスエー	医療機器用のモーターの製造及び販売	7
ロート製薬㈱	医薬品	ハイドロックス・ラボラトリーズ社	主に医薬品の製造販売	10

㈱ビザスク	情報・通信業	Coleman Research Group, Inc.	エキスパートネットワークの運営	8
サン電子㈱	電気機器	Digital Clues AG	オープンソースインテリジェンス事業	7
旭化成㈱	化学	Itamar Medical Ltd.	睡眠時無呼吸症診断製品群等の開発・製造・販売	9
日立造船㈱	機械	Steinmüller Babcock Environment GmbH	欧州で廃棄物発電施設の設計・調達・建設・メンテナンス、火力発電所等向け排ガス処理設備の設計・調達・建設を展開	15

技術に基づく無形資産は上記の22事例であった。多くの化学・医薬品・各種機器などに代表される製造業、情報・通信業等において被取得企業の技術が認識されている。認識されている技術については、特許権で保護されている技術、製法等及び、特許では保護されない技術、ノウハウ等が含まれると想定される。技術の移り変わりが激しい昨今の事情を鑑み、償却期間は取得時に被取得企業が有していた技術の経年による陳腐化等を考慮し決定され、本分析においては短いものは５年、長くて23年と年数に幅があった。また、特に情報・通信業３社については、５年または８年といずれも短い期間が設定されており、業種特性上の技術革新の速さを映し出している。

〈技術関連無形資産の償却期間〉

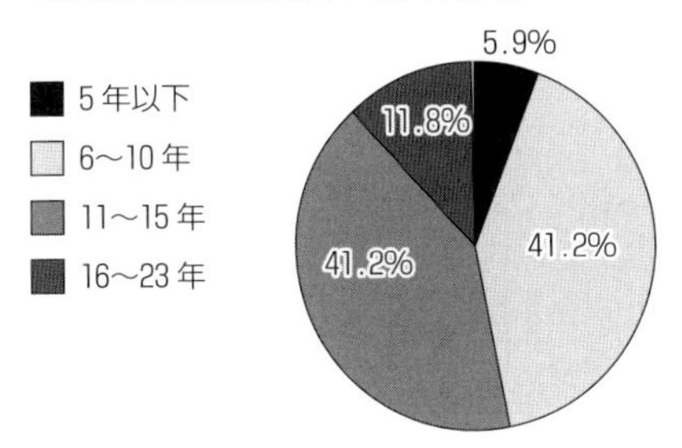

CHAPTER VI

3 日本企業のベンチャー企業の取得に伴う無形資産の識別・計上

近年、日本企業によるベンチャー企業への出資事例は増加傾向にあり、2017年以降2021年までの５年間では、日本企業によるベンチャー投資案件数は40％以上増加した。

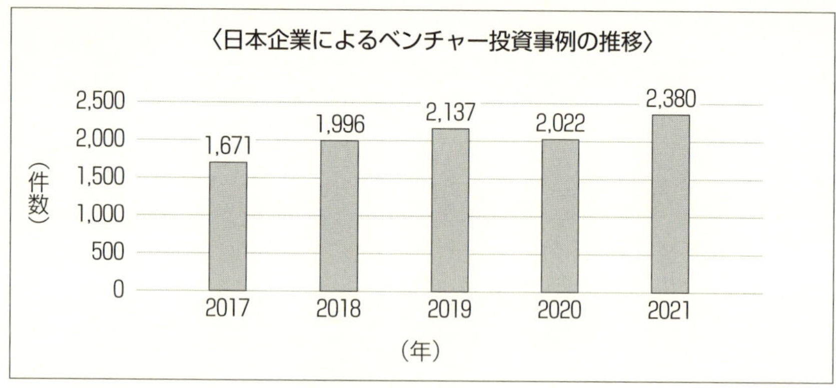

出所：PitchBookより、本社が日本に所在する企業によるベンチャーへの投資案件数を集計

このようなベンチャー企業に対する投資事例の増加に鑑み、被取得企業を「ベンチャー企業」とするパーチェスプライスアロケーションの事例を抽出し、どのような無形資産が識別計上される傾向にあるか分析を行った。

ベンチャーの定義は難しいものの、本書では下記条件で開示事例を抽出した（実際には、被取得企業の設立年や案件規模のみでなく、ビジネスの内容・想定される成長率・足元の事業の状況等を総合的に判断する必要がある点に留意されたい）。

◆対象期間：2012年４月期以降2022年３月期まで
◆無形資産が識別計上されたパーチェスプライスアロケーションで、確定処理されたもの（暫定処理除く）
◆取得価額（100％ベース）：100億円以下
◆被取得企業の取得年における設立からの経過年数：５年以内
◆被取得企業の事業内容：新規性があると想定される（不動産業等、ベンチャー企業と想定しにくい事業でない）

結果、過去10年と比較的長期の期間で事例を調査したが、最終的に抽出された事例は2016年３月期以降の８件のみという結果となった。「日本企業によるベンチャー投資事例の推移」では、2021年における日本企業によるベンチャー企業への出資事例は2,380件である点を踏まえると、開示事例数が少ないことが分かる。

上記背景には、ベンチャー企業への投資はパーチェスプライスアロケーションの対象となる、マジョリティを取得するような出資事例が少ないこと、また、パーチェスプライスアロケーションの対象となっても無形資産が識別計上されない事例があること、有価証券報告書で開示対象となるほど金額的重要性が高くないこと等の要因が想定される。

抽出された事例について識別計上された無形資産の傾向をみると、技術が識別計上された事例が５件で最も多く、その他は契約関連（版権）１件、商標１件、顧客関連１件、ソフトウェア１件、コンテンツ資産１件、その他（不明）１件となっていた。パーチェスプライスアロケーションの対象となるベンチャー企業への投資においては、技術的な要素に着目して意思決定を行っていることが多いことが推察される。

取得企業	被取得企業	決算期	会計基準	のれん	契約関連	商標権	顧客関連	技術関連	ソフトウェア	コンテンツ	その他
博展	タケロボ	2016年3月期	日本	58.2%	—	—	—	41.8%	—	—	—
そーせいグループ	Heptares Therapeutics Zurich AG	2017年3月期	IFRS	20.0%	—	—	—	80.0%	—	—	—
LINE	NextFloor Corporation.	2017年12月期	IFRS	61.0%	31.7%	—	—	—	3.0%	—	4.4%
LINE	ファイブ	2017年12月期	IFRS	92.7%	—	—	—	7.3%	—	—	—
㈱ディー・ディー・エス	MICROMETRICS TECHNOLOGIES PTE. LTD.	2020年12月期	日本	30.9%	—	—	—	69.1%	—	—	—
アステナホールディングス㈱	JITSUBO株式会社	2021年11月期	日本	73.2%	—	—	—	26.8%	—	—	—
㈱ポーラ・オルビスホールディングス	トリコ株式会社	2021年12月期	日本	67.1%	—	23.8%	9.1%	—	—	—	—
㈱レアジョブ	株式会社資格スクエア	2022年3月期	日本	92.4%	—	—	—	—	—	7.6%	—

注：決算期順に掲載。比率はのれんと無形資産の合計額に対する配賦比率を記載

Column ベンチャー企業の価値評価における留意点

昨今、ベンチャー企業への投資が増えている。日系企業によるベンチャー企業への投資の推移を調べてみると、COVID-19の影響で2020年は微減となっているものの、2011年から概ね右肩上がりである。とりわけ海外所在のベンチャー企業への投資が著しく増加しており、その１件あたりの平均投資額も2011年には１億円程度であったが、2021年には10億円強となっている。

〈日系企業によるベンチャー企業への投資推移〉

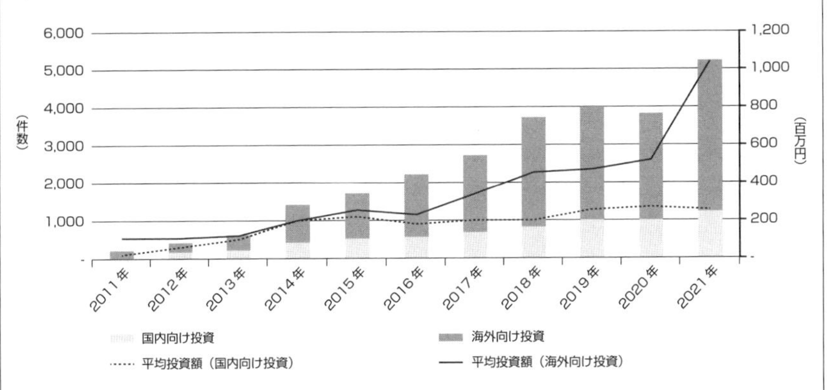

出所：Pitchbook Dataの情報をもとにＤＴＦＡ分析

このように、ベンチャー企業投資は、ある種の「ブーム」の様相を呈している。ベンチャー企業は、スタートアップ企業とも呼ばれるが、その価値評価は、業歴が長い、いわゆる成熟企業の価値評価とは異なる固有の論点がある。ここでは、ベンチャー企業の価値評価をDCF法で行う場合の主な論点について記載したい。

Pre-moneyか？Post-moneyか？

ベンチャー企業の資金調達（ラウンド）で目にする用語としてPre-money valuation / Post money valuationがある。Pre-moneyとPost moneyの違いは、そのラウンドで調達する資金（new money）を加味した価値かいなかであり、すなわちPre-money＋New money＝Post moneyという関係にある。

ベンチャー企業の事業計画では、調達する資金をもとに新たに設備投資／研究開発等が行われ、その後、売上高・利益が増加する、という内容のことが多い。こうした事業計画をもとに価値評価を行う場合にはPost money valuationとなる。Post money valuationでは、DCF法での計算に、調達した資金をもとに行う設備投資／研究開発費等の支出（キャッシュアウト）が織り込まれている場合には、その調達額（キャッシュイン）も同様にDCF法の計算に反映されているか検討する必要がある。

継続価値の計算 – Exitマルチプル法

ベンチャー企業の事業計画では、事業成長途上で計画期間が終わっていることが多い。ベンチャー企業のマネジメントにインタビューすると、計画期間以降も2ケタの成長率を見込んでいる、との説明を受けることも珍しくない。しかし、どのような事業も、成長と共に、その成長率は低減していくことが多く、未来永劫2ケタの成長率を維持することは、ほぼない。

ベンチャー企業は、その投資家のExit機会の創出等を目的としてIPOをすることが多い。株価は、その会社に対する将来の期待値を表象していると考えられているが、上場しているベンチャー企業が今後も飛躍的に成長すると期待されている場合には、それが株価に織り込まれていることになる。この点に着目し、対象会社と類似性の高いベンチャー企業のマルチプルを分析し、これを継続価値の計算で使う方法がExitマルチプル法である。

Exitマルチプル法では、事業計画期間以降の成長見込みを反映したマルチプルを使う必要がある。このため通常のトレーディングマルチプルに加えて、各上場類似会社のIPO時点のマルチプルや取引事例からも分析することが望ましい。

割引率 – 成長ステージの考慮

割引率の推計にはいくつかの方法があるが、ここではベンチャーキャピタリストの期待利回り（ハードルレート）をもって、その割引率とする方法について記載したい。米国公認会計士協会（AICPA）が発行しているガイダンス（AICPA Guide – Valuation of Portfolio Company Investments of Venture Capital Funds and Private Equity Funds and Other Investment Companies）（以下、「評価ガイダンス」という）Appendix Bでは、ベンチャー企業の研究開発・事業の状況等に合わせて、以下４種類のステージ（以下、「成長ステージ」という）に区分している。

ステージ	研究開発・事業の状況	リスクの状況		出資者	事業計画の状況	期待利回り
		技術的	商業化			
Seed	試験研究・プロトタイプ試作	高	高	友人、家族、VC	売上は、ほぼない（試験売上等のみ）	50~70%
Early stage	プロトタイプ制作からの商業化	低	高	エンジェル投資家、VC	売上は計上されるものの、黒字化は達成できていない	40~60%
Later stage	ビジネスモデルの確立	低	低	VC、戦略的パートナー	売上が急拡大すると共に黒字化を達成	30~50%
Pre-IPO	将来直近でのIPO予定					20~35%

出　所：AICPA "Valuation of Portfolio Company Investments of Venture Capital Funds and Private Equity Funds and Other Investment Companies"、Appendix BをもとにDTFAにて作成

評価ガイダンスでは、上表のように、米国のベンチャーキャピタリストの期待利回り（ハードルレート）をもって割引率を推測している。成長ステージごとに、そのリスクも異なるため、期待利回り（ハードルレート）も異なる、というのが基本的な考え方である。なお評価ガイダンスは、実証研究*1における期待利回り（ハードルレート）を要約した内容となっており、古いものでは1987年の研究を参照している。研究発表の時期が異なる複数の実証研究を並べ、期待利回りを推測するアプローチであるが、各成長ステージにおけるベンチャーキャピタリストの期待利回り（ハードルレート）には、発表時期による違いはなく、一貫して同水準となっている（評価ガイダンス、Appendix B、B.02）。すなわち評価ガイダンスは、成長ステージごとの期待利回りには、ある程度の不偏性がある、と主張しているわけだが、その前提に立てば、ベンチャー企業の割引率の要諦は、成長ステージの見極め、と言える。したがって、開示資料やインタビュー等により、どの成長ステージにあるのか、という点を整理していくことが、ベンチャー企業の割引率の検討にあたり重要となる。

その他の検討事項

ここまで、ベンチャー企業の価値評価についてテクニカルな面から記載してきたが、このほかに価値評価に付随して検討したいポイントとして、例えば、以下がある。

- 調達資金の使途（単なる赤字補填となっていないか？成長資金となっているか？）
- 現在の資本構成（希薄化する要素はないか？）
- 今後の資本政策（希薄化する潜在的なリスクはないか？資金が枯渇しやすい売上拡大期をどのように乗り切るのか？）

冒頭、ベンチャー企業投資の活況について述べたが、ベンチャーキャピタルの投資先の利回りに関する調査では、ファンドの運用利回りが-15%～5%となっているものが全体の70%弱を占めている。すなわちベンチャー企業投資の多くは、投資元本を回収できるか、できないか、という水準に留まっている、ということを意味しており、その難しさを物語っている。

〈国内のベンチャーキャピタルファンドの運用利回り〉

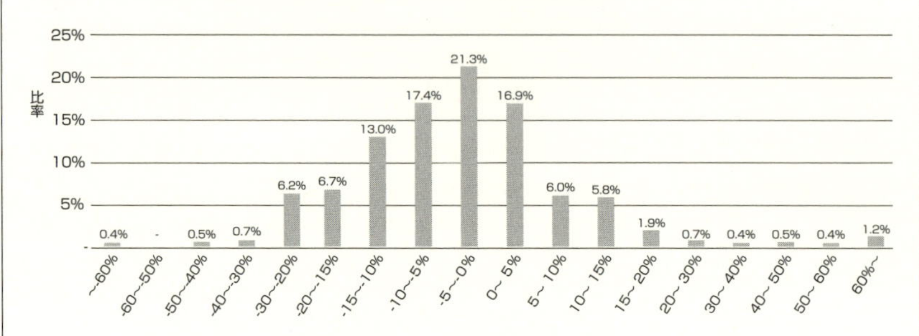

注記：*1 調査対象は、国内のファンド（568本）
　　　*2 各ファンドの内部利益率法（ＩＲＲ）を使用
出所：一般社団法人ベンチャーエンタープライズセンター、「ベンチャー白書2021」、Ⅱ-89をもとにＤＴＦＡにて作成

ベンチャー企業の価値評価では、上述のとおり、高い割引率を適用する。これはDCF法の弱点でもあるが、割引率をわずかに調整するだけで、価値が大きく変わることも多い。特にベンチャー企業の事業計画では、事業計画期間のキャッシュフローがマイナスとなっていることが多く、その結果、価値の大部分を継続価値が占めていることが少なくない。このため、ともすれば「数字遊び」に陥りやすい。これを避けるためにも、上記３点は、いずれも基本的な内容であるが、だからこそ、このような情報の分析により、数字に意味を持たせられるように努め、その精度を高めていくことが極めて重要だと言えよう。

＊1　James L. Plummer, QED Report on Venture Capital Financial Analysis（Palo Alto: QED Research, Inc., 1987）、Daniel R. Scherlis and William A. Sahlman, “A Method for Valuing High-Risk, Long Term, Investments: The ‘Venture Capital Method,’ ” Harvard Business School Teaching Note 9-288-006（Boston: Harvard Business School Publishing, 1989）および William A. Sahlman and others, Financing Entrepreneurial

＊2　Ventures, Business Fundamentals（Boston: Harvard Business School Publishing, 1998）.

Column 優先株式およびストックオプションの評価

1．優先株式とは、株式の権利である自益権において、普通株式に優先する形で優先配当や残余財産優先分配権や、負債より劣後するものの一定の条件の下で償還権を有する株式と負債の中間のような性質を持つ証券をいい、伝統的には優先株式は、主に企業再生の局面におけるエクイティファイナンスのために使用されてきた。一方で、最近ではIPO Exitの場合は転換をして普通株式として、M&A Exitの場合は残余財産分配権により額面を優先して回収するといった状況にあわせた柔軟な投資回収が可能なことから、ベンチャー企業の資金調達においてよく利用されている。

この点優先株式の評価にあたっては、普通株式に転換して回収する場合と優先分配権として回収する場合の双方を検討する必要があり、前者は伝統的な期待値ベースの評価（DCF法、マルチプル法等）が可能であるが、後者の評価のためには、確率的な企業価値の分布を推定する必要があることから、金融工学モデルを用いた評価が用いられる。また米国ではオプション価格法と呼ばれる金融工学の考え方を取り入れた簡便法による評価実務が定着しており、日本でも当該手法による評価が見受けられる。このように優先株式についてはValuationの実務上、統計学や金融工学等を用いた評価が増加している。

2．ストックオプションとはあらかじめ定めた価格（権利行使価額）で自社の株式を購入できる権利である。例えば、現在Ａ社の株式が１株1,000円のときに１株1,200円で購入できる権利を従業員に付与した場合、付与時点でオプションを行使すると1,000円の株式を1,200円で買うことになるため権利行使はしないが、３年後に事業成長して株価が2,000円になっていれば、2,000円の株式を1,200円で購入できることとなる。そのためストックオプションの保有者にとっては、事業成長に対する強いインセンティブが発生することから、IPOを目指すベンチャー企業の人材確保や上場企業の役員のインセンティブプランとして利用されている。

ストックオプションの価値は、Step１：DCF法等（非上場企業）や市場株価法（上場企業）による株式価値の算定、Step２：金融工学モデルによるオプション価値の算定、の２ステップで評価されるが、日本基準を採用している非上場企業ではStep２を不要とし、Step１での本源的価値で評価する事も多い。このようにストックオプションの評価においてはValuationの知識だけでなく、会計・税務・金融工学等の様々な知識を組み合わせる事が必要であり、評価業務の幅は広がっている。

日本企業の有形固定資産・棚卸資産等の時価評価開示事例

日本で国際財務報告基準の導入企業が増加するに伴い、パーチェスプライスアロケーションの実務でも有形固定資産・棚卸資産等の時価評価を実施する事例が増加傾向にある。

例えば、被取得企業の資産に長期保有する事業用の土地がある場合、貸借対照表上は取得原価で計上されていることが多いが、時価と乖離している可能性が高い。また、被取得企業が有する機械設備等の有形固定資産についても、会計上の減価償却によって簿価は相応に減価しているものの、償却期間経過後も当該動産を使用して収益が生み出されることが見込まれる場合、会計上の簿価を時価が上回っている可能性がある。逆に、稼働率が著しく低い有形固定資産については、時価が簿価を下回る可能性がある。

国際財務報告基準や米国会計基準を適用する企業が取得企業となるパーチェスプライスアロケーションでは、上記のように簿価と時価が乖離することが想定される資産については無形資産以外でも時価評価を行うことが一般的になっている。

ただし、パーチェスプライスアロケーションで被取得企業の有形固定資産・棚卸資産の時価評価を行っても、取得企業の有価証券報告書上は取得価格のみが記載され、簿価からのステップアップ・ダウンの詳細は開示されない取り扱いが多く、具体的なステップアップ・ダウンの件数を把握することは難しい。

一方、有形固定資産・棚卸資産のステップアップ・ダウンが推測できるケースとしては、取得年度でパーチェスプライスアロケーションが完了せず、当該取得年度においては有価証券報告書上暫定的な金額で処理を行い、翌年度の有価証券報告書にて前年度の暫定的な金額を修正（確定）する場合がある。この暫定処理から確定する際に、取得した資産負債の金額が修正されるケースがあり、有形固定資産・棚卸資産の金額に修正が入った場合、時価評価を行ったことが一つの要因として推察される。

2016年４月期以降に暫定処理から確定された（2022年３月以前の過去５年で確定された）パーチェスプライスアロケーション事例を調査したところ、有形固定資産・棚卸資産の額を修正したパーチェスプライスアロケーションが９事例確認できた。過去５年間の事例を調べたものの、2020年３月期以降の事例のみ抽出されたことからも、近年有形固定資産・棚卸資産の時価評価を行う実務が国際財務報告基準採用企業を中心に広がっていることが推察できる。

なお、下記抽出結果において日本基準適用企業の事例は２社のみであったが、過去日本基準適用企業によるパーチェスプライスアロケーションで無形資産の識別計上が一般的でなかったものの、近年は一般的になってきた経緯に鑑み、今後は日本基準適用企業でも有形固定資産・棚卸資産の時価評価事例が増加していくことが想定される。

〈有形固定資産の時価評価が行われたことが推察できる事例〉

取得企業	被取得企業	決算期（確定年度）	会計基準	有形固定資産	棚卸資産
京セラ	Van Aerden Group BV	2020年3月期	IFRS	ステップダウン	ステップダウン
日医工	Xellia Pharmaceuticals	2020年3月期	IFRS	ステップアップ	—

取得企業	被取得企業	決算期（確定年度）	会計基準	有形固定資産	棚卸資産
AGC	米国Taconic	2020年12月期	IFRS	ステップアップ	—
日本電産	エンプラコ	2021年3月期	IFRS	ステップダウン	—
日本電産	オムロンオートモーティブエレクトロニクス	2021年3月期	IFRS	ステップアップ	—
ＮＩＳＳＨＡ	ゾンネボード製薬	2021年12月期	IFRS	ステップアップ	—
ソフトバンクグループ（及びソフトバンク、Ｚホールディングス）	LINE	2022年3月期	IFRS	ステップダウン	—
アイカ工業	Wilsonart AP各社	2021年3月期	日本	ステップダウン	—
帝人	CSP Victall (Tangshan) Structural Composites Co., Ltd.	2022年3月期	日本	ステップアップ	—

注：適用する会計基準別に決算期順に掲載

Column ESG評価

近年、投資判断に環境・社会・ガバナンス（ESG）の課題を組み込むESG投資が注目されており、いわゆるグリーンボンド等の発行も拡大している。多くの機関投資家等は、ESGに係る情報は投資パフォーマンスに財務的な影響をもたらすとの認識であり、ESG評価が重要になっている一方で、多数の評価機関から提供されているESG評価は、標準的な評価手法が確立されていないことから、評価実務には大きなバラツキがある。

そのため今後のESG市場の発展のためには、①ESG評価の基礎となるESG情報開示の充実、②標準的なESG評価手法の確立、③ESGが与える財務影響に関する実務·研究を含む信頼性のあるESG評価の進展が重要となる。この点ESGへの試みが進んでいる欧州では評価機関に対する規制・監督を求める声も出ており、より信頼性の高いESG評価手法が確立されていくことが期待される。

Column 社会的インパクト分析

近年、企業の事業および社会貢献活動が創出する社会的インパクトを可視化しようとする試みが活発になっている。企業のCSR活動をはじめとする社会的意義のある活動は、様々なステークホルダーにとって「良いもの」と考えられている一方で、企業のキャッシュフローの増加には直接的に結び付きにくく、定量化されてきていなかった。その効果を可視化し、定量化することが社会的インパクト分析である。特に多くの企業が取り組むCSR活動等のESG（前ページのコラム参照）への取組やスポーツクラブの運営等を含めた社会的意義のある事業の効果を可視化するために活用されている。

図１：社会的インパクト創出のフロー

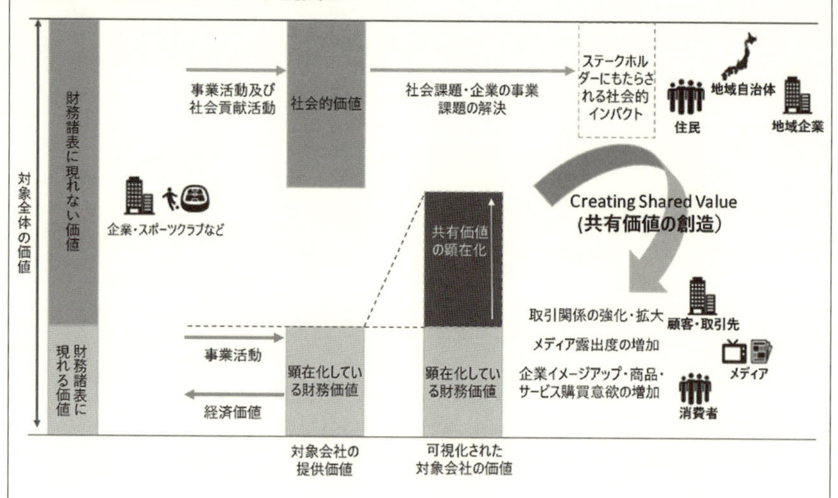

評価手法としては社会的投資収益率（SROI）や仮想評価法等を利用することが考えられる。

SROIでは、事業からどのようにインパクトが生まれるかを整理し、定量化する。当該手法は「今治.夢スポーツが生み出す社会的インパクトの可視化*[1]」でも使用されている。

図2：SROIによる社会的インパクト定量化の流れとイメージ

1. 社会的インパクト定量化の流れ

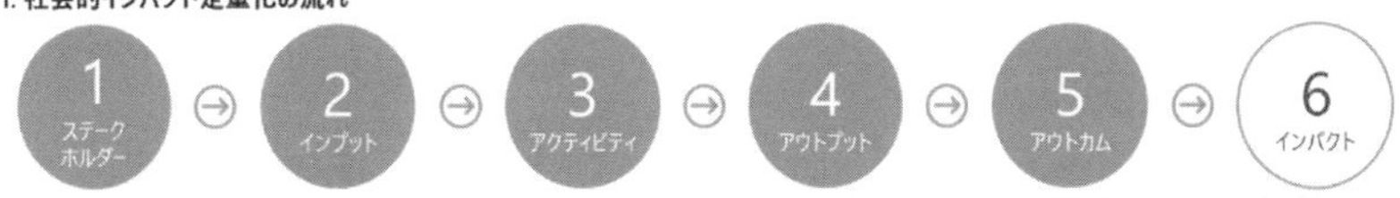

1	2	3	4	5	6
受益者や関係者を整理	事業費等のインプットを整理	実施事業を整理	アウトカムの成果量(KPI)を整理	成果量・金銭代理指標によりアウトカムを貨幣化	アウトカムに寄与率や反事実を加味して純粋な成果量を算出

2. 巡回サッカー教室を例としたインパクトマップ・社会的インパクト定量化のイメージ

受益者	インプット	アウトプット	アウトカム	成果量(KPI)	金銭代理指標	寄与率	反事実	インパクト
活動で価値享受する者	プログラム運営に必要なヒトモノカネ等資源	実施した活動	活動に参加した結果生じる変化や便益*1	アウトカムを享受した人数や割合等の指標*2	アウトカムを貨幣化する指標	アクティビティがアウトカムに寄与する割合(=貢献度)*2	アクティビティがなかったとしてもアウトカムが生じる可能性*2	アクティビティによりもたらされた変化
				A	B	C %	D %	E=A×B×C×(1-D)
地元園児・小学生	事業費(xx円/年)、参加選手人数等	巡回サッカー教室に参加	運動スキル習得	サッカーが上手くなったと思う人数(例, a人)	サッカースクール1回当り平均料金(b円)	巡回サッカー教室がアウトカムに寄与する割合(c%)	巡回サッカー教室がなくてもアウトカムが生じる確率(d%)	a人×b円×c%×(100%-d%)=e円
		選手と参加者間の交流	社会的交流機会の増加	選手と交流できた参加者数(例, A人)	2019年「家計調査」月つきあい費(B円)	算出方法は上記と同様(C%)	算出方法は上記と同様(D%)	A人×B円×C%×(100%-D%)=E円

仮想評価法では、ある文化財等にどれだけの金額を支払う価値があると人々が考えているかをアンケート等で推定する。当該手法は「小田原城址公園の社会的価値分析*[2]」で使用されている。

図3：仮想評価法による社会的インパクト定量化のイメージ

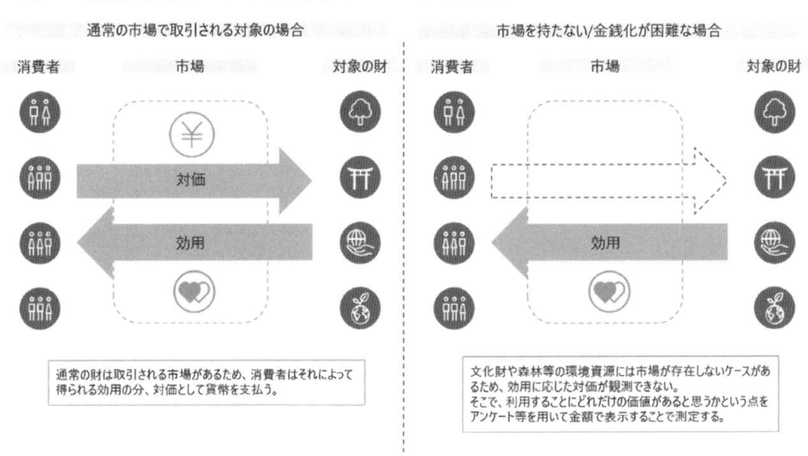

社会的インパクトを可視化する意義は以下2点である。

▶ CSR活動などがどのような効果に結びつくのかを整理することで、活動の目的を明示できる

▶ 社会的インパクトを可視化することで、重要な経営指標としてフォローすることができる

「ESG経営」の流れが加速する中、益々社会的インパクトの可視化は重要になっている。一方で、社会的意義のある事業でも出資元への直接的な収益性が低いことから十分な出資を集めることが難しいケースがある。それは、事業のもたらす社会的価値が可視化されていないことで、事業が社会に広く及ぼすインパクトが見逃されていることが一つの要因である可能性がある。

社会的価値を生み出す企業活動等が正しく評価され、お金が集まる仕組みを作るためには、見逃されている社会的価値を定量化・情報共有することが重要と考えられる。持続可能な世界を実現するためにも将来的に社会的インパクトの可視化を経営に取り入れる企業が広がっていくことを願っている。

＊1　今治.夢スポーツが生み出す社会的インパクトの可視化2022 https://www2.deloitte.com/jp/ja/pages/consumer-and-industrial-products/articles/sb/sroi-imabari.html

＊2　小田原城址公園の社会的価値分析 https://www2.deloitte.com/jp/ja/pages/mergers-and-acquisitions/articles/societal-value-of-odawara-castle-park.html

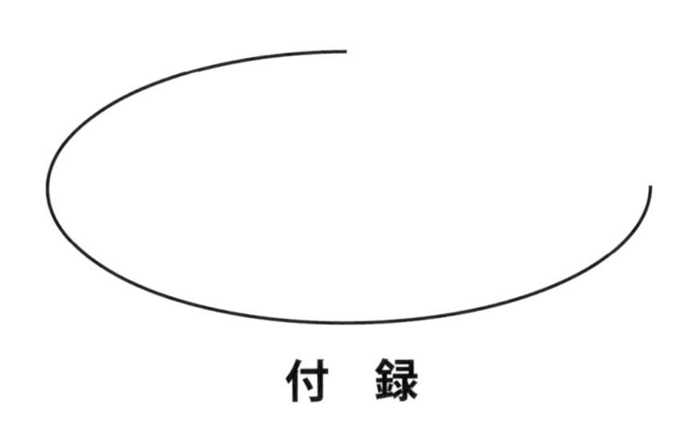

付　録

依頼資料リスト

❶ 依頼資料リスト作成の意義とは

無形資産評価を行うにあたっては、無形資産評価のきっかけとなった買収案件の背景や目的、買収スキームの理解から、評価対象会社の財務内容のみならず事業内容についての把握、評価対象会社が属している市場環境の検討など、社内資料から社外資料に至るまで多岐にわたる情報を収集する必要がある。依頼資料リストの作成は無形資産評価作業の準備段階から行われるが、必要となる資料を的確に特定することは意外に難しい作業であると同時に、今後の評価作業をスムーズに進めていくためには重要な作業である。また、依頼資料を１つひとつリスト化することは面倒な作業と思われがちだが、リスト化することによりチーム内での情報共有化や入手資料の棚卸も容易となる。特に評価対象会社に直接コンタクトできない状況にあり、取得会社を経由して資料を依頼しなければならない状況においては、リスト化をはかることで評価実施者→取得会社→評価対象会社の三者間での情報伝達をより正確にかつ効率的に行うことが可能となる。

そこで本章では、無形資産評価において実務上一般的に必要と考えられる依頼資料リストを、全般事項、マーケティング関連無形資産、顧客関連無形資産、芸術関連無形資産、契約に基づく無形資産、技術に基づく無形資産、人的資産の７分野に分けて紹介する。なお、下記リストはあくまで一般的なリストであるため、買収案件によっては、該当しないあるいは不要な資料や、追加で入手が必要となる資料があることに留意願いたい。

さらに、依頼資料リストで評価に必要なすべての資料や情報を完全に網羅できるわけではなく、ましてや依頼資料リストで依頼した資料がすべて入手できることも実際にはまれである。評価実施者は入手可能な資料の中で必要十分な評価作業を行わなければならないが、たとえ初期段階で資料を十分に入手できなかったとしても、評価対象会社担当者へのインタビュー、インタビュー時における追加資料の依頼や閲覧等の方法によって、評価作業を進めていくことになる。

❷ 依頼資料リストサンプル

1 全般事項

番号	種　類	依頼内容
1	事業内容	評価対象会社の事業内容（主な研究開発活動・商流・販売網・販売形態等）に関する資料
2	事業内容	評価対象会社の事業の強み、バリュードライバー
3	財務諸表	過年度および直近決算期の財務諸表
4	財務諸表	評価基準日現在までの財務諸表・試算表
5	財務諸表	直近決算期の試算表・勘定明細
6	事業計画	予測財務諸表、設備投資計画、事業計画
7	事業計画	事業計画の前提条件に関する説明資料
8	業界動向	評価対象会社の属する業界、動向、市場シェア等についての分析レポート
9	業界動向	評価対象会社の上場類似会社・競合他社
10	会社組織	評価対象会社の組織図
11	会社組織	評価基準日現在の評価対象会社部門別役員・従業員数
12	会社組織	評価対象会社の子会社一覧および評価対象会社の持分割合
13	買収関係	買収契約書（株式取得契約書・営業譲渡契約書等）
14	買収関係	買収に関する財務調査報告書、企業価値/株式価値評価報告書
15	買収関係	過去の買収案件に伴う無形資産評価レポート
16	買収関係	評価対象会社についての過去の企業価値/株式価値評価報告書
17	取得関連費用	買収に関連して発生した取得に係る直接費用（持分法投資のみ）

2 マーケティング関連無形資産

番号	種類	依頼内容
18	商標・商号	評価対象会社における登録商標・商号の一覧
19	商標・商号	評価対象会社における未登録商標・商号の一覧
20	商標・商号	評価対象会社における商品およびサービスに関連した商標の一覧
21	商標・商号	保有する商標・商号に関連する（帰属する）過年度売上高やライセンス収入
22	商標・商号	保有する商標・商号に関連する（帰属する）売上高計画やライセンス収入計画
23	商標・商号	商標を現在ライセンスしている場合には、ロイヤルティレートおよび関連する契約書等の資料
24	商標・商号	過去に商標をライセンスの経験がある場合には、その際に使用したロイヤルティレートおよび関連する契約書等の資料
25	商標・商号	商標をライセンスした場合に想定される業界での一般的なロイヤルティレートおよびその根拠資料
26	競業避止協定	評価対象会社が過去に従業員もしくは競合他社と締結した競業避止協定のうち、評価基準日現在有効な契約の内容

3 顧客関連無形資産

番号	種類	依頼内容
27	全般	評価対象会社における事業内容別販売ルート ＊販売網、販売形態等を含む
28	顧客の種類	評価対象会社における顧客の種類と一見顧客（非継続顧客）の有無
29	顧客との契約	評価対象会社が評価基準日現在で顧客と締結している契約の種類および概要
30	顧客別売上高	過年度の顧客（の種類）別売上高
31	顧客別売上高	各計画年度における顧客（の種類）別売上高計画

番号	種　類	依頼内容
32	顧客関係の継続期間	過去5年間の顧客数の推移に関する情報 ＊期首顧客数、新規獲得顧客数、当期減少顧客数、期末顧客数
33	新規顧客開拓費	過年度における新規顧客開拓費
34	受注残	評価対象会社における評価基準日現在の受注残高
35	受注残	受注残が売上計上されるまでの平均的な期間

4 芸術関連無形資産

番号	種　類	依頼内容
36	演劇関連	評価対象会社が保有する演劇関連の作品リスト ＊例：演劇、オペラ、バレエ
37	文芸関連	評価対象会社が保有する文芸関連の作品リスト ＊例：小説、脚本、論文、記事（新聞・雑誌）
38	音楽関連	評価対象会社が保有する音楽関連の作品リスト ＊例：楽曲、歌詞、CM用楽曲
39	絵画芸術関連	評価対象会社が保有する絵画芸術関連作品リスト ＊例：絵画、版画、彫刻、デッサン、写真、漫画
40	映像作品関連	評価対象会社が保有する映像関連の作品リスト ＊例：劇場用映画、テレビ映画、ビデオ、ゲームソフト
41	全般	保有する作品に関連する（帰属する）過年度売上高やライセンス収入
42	全般	保有する作品に関連する（帰属する）売上計画やライセンス収入計画
43	全般	保有する作品を現在ライセンスしている場合、ロイヤルティレートおよび関連する契約書等の資料
44	全般	過去に作品をライセンスした経験がある場合には、その際に使用したロイヤルティレートおよび関連する契約書等の資料
45	全般	作品をライセンスした場合に想定される業界での一般的なロイヤルティレートおよびその根拠資料

5 契約に基づく無形資産

番号	種　類	依頼内容
46	全般	評価対象会社が評価基準日現在で保有する営業許可、放映権、各種利用権（例：採掘権、採水権）のリスト
47	全般	評価対象会社において評価基準日現在有効な重要契約リスト
48	契約の有利性	重要契約リストに含まれる契約のうち、有利性のある契約もしくは有利性があると思われる契約およびその根拠資料
49	雇用契約	評価対象会社もしくは取得会社が、評価対象会社の重要な現従業員・経営陣と締結している特別な契約の有無

6 技術に基づく無形資産

番号	種　類	依頼内容
50	全般	評価対象会社の保有する主要な技術の内容および優位性に関する説明資料
51	全般	評価対象会社が評価基準日現在締結しているクロスライセンス契約、共同特許、特許ライセンス契約（ライセンシー側）、技術ライセンス契約（ライセンシー側）に関するリスト
52	特許関連技術	保有する特許権のリスト
53	特許関連技術	特許出願中の技術に関するリスト
54	特許関連技術	評価対象会社の貸借対照表に計上されている特許権について、評価基準日現在の帳簿価額と内容
55	特許関連技術	特許権を取得した技術および特許出願中の技術に関連する（帰属する）、過年度売上高やライセンス収入
56	特許関連技術	特許権を取得した技術および特許出願中の技術に関連する（帰属する）売上高計画やライセンス収入計画
57	特許関連技術	特許権を取得した技術および特許出願中の技術に関連する過年度の出願費用・更新費用・維持費用
58	特許関連技術	特許権を取得した技術および特許出願中の技術について、各計画年度における出願費用・更新費用・維持費用

番号	種　類	依頼内容
59	特許関連技術	特許権を取得した技術および特許出願中の技術を現在ライセンスしている場合、ロイヤルティレートや関連する契約書等の資料
60	特許関連技術	過去に特許権を取得した技術および特許出願中の技術をライセンスした経験がある場合には、その際に使用したロイヤルティレートおよび関連する契約書等の資料
61	特許関連技術	特許権を取得した技術および特許出願中の技術をライセンスした場合に想定される業界での一般的なロイヤルティレートおよびその根拠資料
62	特許関連技術	特許権を取得した技術および特許出願中の技術について、技術が陳腐化するまでの期間（代替技術が現れるまでの期間）
63	ソフトウェア	評価対象会社の貸借対照表に計上されているソフトウェアについて、評価基準日現在の帳簿価額と内容
64	ソフトウェア	評価対象会社において資産計上されていないソフトウェアについて、業務運営上もしくは収益上重要なソフトウェアの内容
65	ソフトウェア	販売用もしくはライセンス用ソフトウェアに関連する（帰属する）過年度売上高やライセンス収入
66	ソフトウェア	販売用（販売予定）もしくはライセンス用（ライセンス予定）ソフトウェアに関連する（帰属する）売上高計画やライセンス収入計画
67	ソフトウェア	ソフトウェアを現在ライセンスしている場合、ロイヤルティレートおよび関連する契約書等の資料
68	ソフトウェア	過去にソフトウェアをライセンスした経験がある場合には、その際に使用したロイヤルティレートおよび関連する契約書等の資料
69	ソフトウェア	ソフトウェアをライセンスした場合に想定される業界での一般的なロイヤルティレートおよびその根拠資料
70	ソフトウェア	自社利用ソフトウェアについて、過去の開発費用に関する資料 ＊開発時期、開発人数・単価・工数、設計情報を含む

番号	種　類	依頼内容
71	ソフトウェア	自社利用ソフトウェアについて、残存利用可能年数およびその根拠資料
72	ソフトウェア	販売用（販売予定）もしくはライセンス用（ライセンス予定）ソフトウェアについて、残存販売可能年数もしくはライセンス可能年数およびその根拠資料
73	データベース	評価対象会社の保有する主なデータベースの内容
74	企業秘密	評価対象会社の保有する企業秘密（製法、工程、配合方法、図案等）の内容
75	仕掛中の研究開発	評価対象会社における全社ベースの研究開発計画
76	仕掛中の研究開発	評価対象会社において評価基準日現在進行中の研究開発リスト
77	仕掛中の研究開発	評価基準日現在進行中の各研究開発に関する研究開発進捗報告書
78	仕掛中の研究開発	評価基準日現在進行中の各研究開発に関する損益計画およびその前提条件
79	仕掛中の研究開発	評価基準日現在進行中の各研究開発に関する第三者による評価報告書
80	仕掛中の研究開発	評価対象会社の技術別損益計画

7 人的資産

番号	種　類	依頼内容
81	人員数	評価対象会社の部門別人員数
82	報酬総額	年間給与および賞与総額（部門別直近数値）
83	福利厚生費 法定福利費	年間福利厚生費および法定福利費等 （部門別直近数値）
84	アイドルタイム	業務未経験の人員を配置した場合に、現状の人員と同じレベルで業務ができるようになるまでに要する時間 （各部門別、各役職別）
85	教育研修費	その他の教育研修関連費用 ＊新規採用者に対する教育担当社員の人件費、新規採用者への定期研修等に係る費用、研修マテリアル作成費

番号	種　類	依頼内容
86	採用費	役員・従業員を新規採用する際に要する1人当たり費用 ＊人材紹介会社へ支払う紹介料、求人広告費用、その他の採用費用

索引

英数字

さ

た

な

や

ら

わ

■編著者紹介

福島 和宏（Kazuhiro Fukushima）

デロイト トーマツ ファイナンシャルアドバイザリー合同会社 代表執行役社長。

監査法人トーマツ（現有限責任監査法人トーマツ）に入社し、監査業務、ニューヨーク事務所出向を経て、M&Aに関するアドバイザリー業務、デューディリジェンス、企業価値評価・無形資産評価業務に従事。著書に『プライベート・エクイティ』（共著、日本経済新聞社）、『M&A 財務デューディリジェンス』（共著、清文社）がある。公認会計士。

■執筆者紹介

森山 太郎（Taro Moriyama）

監査法人トーマツ（現有限責任監査法人トーマツ）に入社し監査業務に従事したのち、国内およびクロスボーダーM&Aに関する業務を、買い手側・売り手側アドバイザーとして従事。著書に『M&A財務デューディリジェンス』（共著、清文社）などがある。公認会計士。

佐々木 聡美（Satomi Sasaki）

大手監査法人での上場会社の監査業務や株式公開支援業務を経て、買収側財務デューディリジェンス業務、売却側アドバイザリー、会計ストラクチャーの支援業務などM&A実行に関わる業務に従事。大手証券会社の投資銀行部門に出向し、M&Aに関する会計・税務相談対応、アドバイザリー業務に従事した経験も有する。デロイト トーマツ ファイナンシャルアドバイザリー合同会社パートナー。公認会計士。

吉村 隆史（Takashi Yoshimura）

事業会社での勤務、監査法人トーマツ（現、有限責任監査法人トーマツ）での各種事業会社の監査業務を経て、TMT／製造業のセクターを中心に、株式価値評価、財務デューディリジェンス、アドバイザリー業務を数多く提供している。専門資格予備校や企業内研修等において講師としての登壇経験多数。デロイト トーマツ ファイナンシャルアドバイザリー合同会社パートナー。公認会計士。

鷺坂 知幸（Tomoyuki Sagisaka）
有限責任監査法人トーマツにて金融機関を中心とした監査業務を経て、無形資産および動産価値評価、日本基準、米国基準、国際財務報告基準ののれんの減損テスト支援や株式価値および事業価値評価等のバリュエーションサービスに関する業務に従事。デロイト トーマツ ファイナンシャルアドバイザリー合同会社パートナー。公認会計士。

安廣 史（Fumito Yasuhiro）
監査法人トーマツ（現有限責任監査法人トーマツ）の監査業務を経て、各種事業、機械設備、無形資産、金融商品等の評価業務に従事。米国会計基準・国際会計基準による業務の経験が多い。デロイト トーマツ ファイナンシャルアドバイザリー合同会社パートナー。日本公認会計士協会、経営研究調査会研究報告第66号「機械設備の評価実務」、第70号「スタートアップ企業の価値評価実務」の策定に従事、CFA協会認定証券アナリスト、公認会計士。

太田 真樹子（Makiko Ota）
大手監査法人にて債権評価、無形資産評価、有形固定資産（機械設備）評価、棚卸資産評価等のバリュエーション業務を経た後、デロイト トーマツ ファイナンシャルアドバイザリー合同会社に入社し、無形資産評価および有形固定資産評価を含む評価業務に従事。クロスボーダー案件を含む、多数のパーチェス・プライス・アロケーション評価業務経験を有する。米国鑑定協会　上級資産評価士（機械設備）。

篠塚 孝高（Yoshitaka Shinozuka）
大手金融機関の財務企画部、大手会計事務所を経た後、デロイト トーマツ ファイナンシャルアドバイザリー合同会社に入社。デューディリジェンス、コンサルティング、バリュエーション業務をはじめ多岐に亘るM&Aアドバイザリー業務に従事。シドニー事務所に出向（2016年７月～2019年12月／2023年７月～）し、オセアニアにおける日系企業の投資案件を中心に様々なアドバイザリー業務を提供している。米国公認会計士。

竹ノ内 勇人 (Hayato Takenouchi)
大手監査法人にて、主に金融機関・不動産ファンドの日本基準・米国基準監査業務を経て、デロイト トーマツ ファイナンシャルアドバイザリー合同会社に入社し、企業価値評価業務、無形資産価値評価業務等の従来からのバリュエーションサービスに加え、近年はエコノミクスサービスにも従事。公認会計士。

成田 正憲 (Masanori Narita)
大手不動産鑑定業者、外資系不動産アドバイザリー会社を経て、有限責任監査法人トーマツへ入社し、不動産ファンド運用会社の内部管理態勢アドバイザリー業務、会計監査関連のバリュエーションレポートのレビュー業務等に従事。現在は不動産関連アドバイザリー領域を担当している。不動産鑑定士、米国不動産鑑定士、英国王立勅許鑑定士。

山﨑 理絵 (Yoshie Yamazaki)
大手金融機関での勤務を経てデロイト トーマツ ファイナンシャルアドバイザリー合同会社に入社。以降パーチェス・プライス・アロケーション、のれんの減損テスト支援を含む会計目的評価業務、及びM&A目的評価業務に従事している。

渡辺 真里亜 (Maria Watanabe)
会計系システムコンサルティング会社を経て、監査法人トーマツ（現有限責任監査法人トーマツ）に入所。以来、複数のインダストリーの企業価値評価業務、無形資産価値評価業務、減損テスト支援、その他アドバイザリー業務に従事している。

■編者紹介

デロイト トーマツ ファイナンシャルアドバイザリー合同会社

デロイト トーマツ ファイナンシャルアドバイザリー（DTFA）は国際的なビジネスプロフェッショナルネットワークであるDeloitte（デロイト）のメンバーで、有限責任監査法人トーマツのグループ会社です。DTFAはデロイトの一員として日本におけるファイナンシャルアドバイザリーサービスを担い、デロイトおよびデロイト トーマツ グループで有する監査・リスクアドバイザリー、コンサルティング、ファイナンシャルアドバイザリー、税務・法務の総合力を活かし、収益構造を変革するためのM&Aや、企業再編・不正調査などのクライシスマネジメントの局面において、企業が直面する重要な課題の解決を支援しています。所属する専門家が、国内では東京・前橋・名古屋・大阪・広島・福岡を拠点に活動し、海外ではデロイトの各メンバーファームと連携して、日本のみならず世界中のあらゆる地域で最適なサービスを提供できる体制を有しています。

デロイト トーマツ グループは、日本におけるデロイト アジア パシフィック リミテッドおよびデロイトネットワークのメンバーであるデロイト トーマツ合同会社ならびにそのグループ法人（有限責任監査法人トーマツ、デロイト トーマツ コンサルティング合同会社、デロイト トーマツ ファイナンシャルアドバイザリー合同会社、デロイト トーマツ税理士法人、DT弁護士法人およびデロイト トーマツ グループ合同会社を含む）の総称です。デロイト トーマツ グループは、日本で最大級のプロフェッショナルグループのひとつであり、各法人がそれぞれの適用法令に従い、監査・保証業務、リスクアドバイザリー、コンサルティング、ファイナンシャルアドバイザリー、税務、法務等を提供しています。また、国内約30都市に約１万７千名の専門家を擁し、多国籍企業や主要な日本企業をクライアントとしています。詳細はデロイト トーマツ グループWebサイト（www.deloitte.com/jp）をご覧ください。

第4版／M&A 無形資産評価の実務

2006年12月15日　初版発行
2023年11月1日　第4版発行

編　者　デロイト トーマツ ファイナンシャルアドバイザリー合同会社 ©

発行者　小泉 定裕

発行所　株式会社 清文社
東京都文京区小石川1丁目3－25（小石川大国ビル）
〒112-0002　電話 03(4332)1375　FAX 03(4332)1376
大阪市北区天神橋2丁目北2－6（大和南森町ビル）
〒530-0041　電話 06(6135)4050　FAX 06(6135)4059
URL https://www.skattsei.co.jp/

印刷：大村印刷㈱

■本書の内容に関するお問い合わせは編集部までFAX（03-4332-1378）またはメール（edit-e@skattsei.co.jp）でお願いします。

■本書の追録情報等は、当社ホームページ（https://www.skattsei.co.jp/）をご覧ください。

ISBN978-4-433-74603-2